人文社会科学の未来へ

Exploring the Future of Humanities and Social Sciences

東北大学文学部の実践

Research and Teaching at the Faculty of Arts and Letters, Tohoku University

東北大学文学部 編

Edited by: The Editorial Committee of
the Faculty of Arts and Letters, Tohoku University

東北大学出版会

Tohoku University Press, Sendai

Exploring the Future of Humanities and Social Sciences
Research and Teaching at the Faculty of Arts and Letters, Tohoku University

The Editorial Committee of the Faculty of Arts and Letters,
Tohoku University

Tohoku University Press, Sendai
ISBN978-4-86163-372-0

はじめに

本書の目的は、高校生や大学一・二年生を中心とした若い読者に、人文社会科学と呼ばれる学問領域に含まれる様々な分野の研究をわかりやすく説明するとともに、大学での人文社会科学の学び方の基本をやさしく解説することです。一般社会人の方々、高等学校等で進路指導を担当される先生方にもお読みいただければ幸いです。

総合的・多角的な「人間の学」が求められる時代

人文社会科学とは、人文学（人文科学とも言う）と社会科学をひとつにまとめた呼び名です。人文学は、英語でhumanitiesと言うように、humanityすなわち「人間性」を探究する諸々の学問を指します。伝統的には、哲学や文学の古典、宗教の経典などの研究を通して、また美術や音楽など芸術の研究を通して、人間と人間の生み出した文化の本質を明らかにしようとする学問でした。しかし現代ではより広く、人間の言語・文学・思想・芸術・歴史に関する極めて多様な学問分野を含んでいます。社会科学は、個人や集団の行動、組織や社会の構造を、主に実験や調査といった方法を用いて明らかにしようとする学問で、心理学、社会学、人類学、経済学、政治学などを含みます。社会科学も、究極的には「人間性」を明らかにしようとする学問であり、この点で人文学と目的を共通にしています。また、人文学と社会科学の両者に跨る学問分野も少なくありません。それゆえ、人文学と社会科学の間に明確な境界は引けませんし、むりに引く必要もありません。同じ「人間の学」として、ともに手を携えて前進すべきでしょう。

そして、そのような連携が切実に求められるようになりました。現代世界には、人文社会科学に属する学問分野が幅広く協力して総合的・多角的に研究することが求められる問題が少なくないからです。

たとえば、災害がそうです。二〇一一年の東日本大震災は、東北沖で発生した地震と、それが引き起こした巨大津波という自然現象がもたらした大災害でした。しかし、地震学や津波工学、土木学といった自然科学・工学系の学問だけでは、災害の全容は解明できません。地震や津波に人々がどのように反応し、どのように行動するかの研究は心理学や社会学の領域ですし、地震や津波についての伝承や記録の研究は歴史学や民俗学の領域です。東日本大震災における日本人の行動パターンを二〇〇四年のスマトラ沖地震とそれによる津波に際して被害の大きかった南アジアや東南アジアの人々の行動パターンと比較する研究は文化人類学の領域でしょう。東北の被災地には多くのボランティアが全国各地から駆けつけましたが、避難所でのコミュニケーションには東北方言の知識が必要でした。これには、日本語学の方言研究が役立ちました。家族や友人を失った人々の悲しみのケアには、心理学だけでなく宗教学も貢献しました。地域の復興には芸術家も参加しました。震災アートの研究は、美学や美術史の領域でしょうか。震災をテーマとした文学作品も多数生まれています。人文社会科学のなかで震災研究に関わらない学問分野はないと言ってもいいくらいでしょう。

もうひとつ例を挙げれば、二〇一九年に発生した新型コロナウイルス感染症の世界的蔓延と、それに対する人々の反応があります。「自由を奪うな」とマスクの着用義務化に強く反対する人がいるのはなぜでしょうか。

その人たちの考える自由とは何なのでしょうか。これを明らかにするには、自由という思想の歴史と、社会や文化による違いを知る必要がありそうです。哲学や思想史の研究が重要となるわけです。感染症対策としてのロックダウンやステイホームの結果、ドメスティック・バイオレンスの被害相談が世界的に急増したのはなぜでしょうか。これを明らかにするには、経済学や社会学、ジェンダー論の視点から、女性の置かれた状況を研究する必要があるでしょう。架空のパンデミックを描いた一九四七年出版のカミュの小説『ペスト』が再び広く読まれ、実際のパンデミックを題材とした一九一九年出版の志賀直哉の小説『流行感冒』がNHKによってドラマ化されました。六〇年以上前、一〇〇年以上前の小説が、なぜ注目されたのでしょうか。人々は何を学ぼうとしたのでしょうか。フランス文学や日本文学の研究が役立ちそうです。小説やドラマは、人々の思考や行動に何か影響を与えたのでしょうか。ツイッターやフェイスブックなどのSNSがどのような役割を果たしたのかも、今後解明されるべき課題です。メディア研究が必要となります。パンデミックも、医学や公衆衛生学だけの問題ではなく、人文社会科学の問題でもあるのです。

このほかにも、地球温暖化など気候変動への対応、SDGs（持続可能な開発目標）の実現など、人文社会科学が一丸となって取り組むべき問題はたくさんあります。このような問題に積極果敢に挑戦することが、人文社会科学の未来を切り拓きます。このような現代的要請に応えようと、本書は企画されました。

専門を究めるということ

しかしながら、ここで注意して欲しいのは、そうした総合的・多面的な研究に対して、ドイツ文学ならではの視点と研究方法、倫理学ならではの視点と研究方法、東洋史ならではの視点と研究方法といった具合に、それぞれの学問分野は異なる視点と異なる研究方法を提供するという形で参加するということです。それぞれの学問分野が、長年の研究を通して培ってきたユニークな視点と研究方法を持ち寄るからこそ、総合的で多面的な研究が可能となります。ですから、人文社会科学に属する学問分野は、互いに学び合い、経験と知識を幅広く共有する一方で、それぞれが各々の学問分野を深く掘り下げていくことが重要となります。つまり、専門を究めなければならないのです。人文社会科学の総合性を高めるためには、個別の専門分野の独自性を研ぎ澄ましていくことが不可欠なのです。そのために、本書は個別の学問分野の現状と未来について、わかりやすく丁寧に、それぞれの学問分野の専門家に紹介してもらうことにしました。それぞれの学問分野の入り口に案内することしかできませんが、入り口から覗くだけでも奥の深さを垣間見ることはできるでしょう。

狭い領域の専門家でありながら、専門を超えた広い視野を持ち、別の領域の専門家たちと協力して今日の難題に取り組む。そういう専門家たちの集まりが、人文社会科学の世界です。少し難しく言うならば、人文社会科学は「一にして多、多にして一」なのです。一なる人文社会的教養に根ざしつつ多なる専門知の探究へ、そして多なる専門知に根ざしつつ一なる人文社会的総合知の探究へ。それが、人文社会科学の営みなのです。

一学科26専修という仕組み

東北大学文学部には、人文社会学科という一学科しかありません。文学部＝人文社会学科なのです。それは、文学部で行われている様々な研究が、どれも「人間とは何か」、「文化とは何か」、「社会とは何か」といった根本問題を探究するという共通性を持っているからであり、学部全体がまとまって人文社会科学の研究と教育に携わっているからです。学生たちは、一つの学問分野だけではなく、数多くの異なる学問分野の授業を自由に履修することができます。そして、様々な学問分野の教員と、授業だけでなく課外活動を通して交流しながら、人文社会科学を幅広く学びます。

その一方で、人文社会学科には、アイウエオ順に、インド学仏教史、英語学、英文学、言語学、現代日本学、考古学、行動科学、社会学、宗教学、心理学、西洋史、中国思想、中国文学、哲学、ドイツ文学、東洋史、東洋・日本美術史、日本語学、日本語教育学、日本思想史、日本史、日本文学、美学・西洋美術史、フランス文学、文化人類学、倫理学という26の「専修」があります。専修とは、学生が人文社会科学のなかの一つの学問分野を「専門として修得する」ための組織です。学生は二年次からどれか一つの専修に所属し、その「研究室」で、教員・上級生・大学院生・研究生・留学生と交流しながら、その専修で行われている学問分野を深く学び、四年次には卒業研究・卒業論文をしあげることになります。二年次から四年次にかけて、三年間かけて専門をしっかりと身につけるのです。

このように、文学部の仕組みそのものが「一にして多、多にして一」という人文社会科学の特質を反映しています。東北大学文学部の学生たちは、人文社会学科という一学科のなかで視野と知識を広げ、26専修のどれか一つの学問分野を深めることができるわけです。

ただし、26の専修は、人文社会科学を網羅しているわけではありません。東北大学文学部ではカバーしきれない学問分野があります。特に社会科学は、経済学とその関連分野は経済学部、政治学とその関連分野は法学とともに法学部、教育学とその関連分野は教育学部というように、東北大学内の他学部で研究と教育が行われています。

本書では、東北大学文学部で行われている人文社会科学がどういうものかを紹介します。

本書の構成

本書前半の二章では、東北大学文学部の全体像と人文社会科学の学び方を紹介します。「1」は、文学部の教員たちが百年かけて蓄積した学術的なコレクションをふりかえりながら、その歴史をたどります。「2」は、先ず授業の種類と種類ごとの教育と学習について、次に専修と研究室という東北大学文学部独自の学びの仕組みについて、そして最後にレポート・卒業論文・卒業研究への取り組み方について、簡単に紹介します。

本書後半では、26専修それぞれの教員が、それぞれの学問分野がどういうものかを具体的に紹介します。フランス啓蒙主義の百科全書派に倣って、専修名のアイウエオ順に並べてあります。ですから、並んでいる順番に意味はありません。26専修は、どれも独立した学問分野ですから、どの章から読み始めてもかまいません。どの順番で読んでもかまいません。興味の赴くままに、各章の説明を読み進め、読み比べてみてください。一見まったく異なる専修の間に思わぬ共通点を見つけることもあれば、近そうで似てそうな専修の間の思わぬ相違点に気づくこともあるでしょう。自分もやってみたいと思えるような研究、自分も学びたいと思えるような学問分野に、きっと出会えることでしょう。

大切なのは、順番はともかく、「3」から「28」まで全ての章を読むことです。そうすることで、人文社会科学という学問世界の幅広さと26の学問分野それぞれの奥深さとが、人文社会科学の統一性と多様性とが、なんとなくわかってくるはずです。

さあ、人文社会科学の未来を探しにいきましょう！

目次

1　東北大学文学部の歴史と未来
——学術コレクションを中心として——

柳原敏昭

はじめに

東北大学文学部の前身である法文学部は、一九二二年に設置されました。一九〇七年の東北帝国大学の創立から一五年後のことです。すでに理学・医学・工学の各学部が設置されていましたので、この時点で東北大学は名実ともに総合大学になったといえます。

法文学部は、文学部・法学部・経済学部の合わさった複合学部でした。当初は徹底した自由聴講制をとり、取得単位数と卒業試験の科目に応じて学位に文学士・法学士・経済学士の別を設けていました。これは、ドイツのハイデルベルク大学などの例を参考にして、学際的な教育課程を導入しようとしたものです。しかし、一九三三年から教育方針とカリキュラムを大幅に改め、文・法・経済の三科を置き、学生はこのいずれかに属することになりました（翌年から実施）。戦前期の特筆すべき事項としては、女子学生を受け入れていたことがあります。

一九四九年、新制東北大学が発足します。文学部は、法学部・経済学部とともに独立した学部となります。

教育学部も設置されて、現在につながる文系学部がそろうことになります。

その後の大きな変化は、一九九七年の学部組織改変、二〇〇〇年に完成した大学院重点化と二〇〇四年の国立大学法人化、そして二〇一九年の大学院の組織改編です。現在は、文学部＝一学科二六専修、大学院文学研究科＝三専攻二八専攻分野を擁する組織となっています。専修・専攻分野は、実質「研究室」と呼んでいるものと同じです。

とはいえ文学部の歴史について、こうした制度的変遷を記していっても退屈なことでしょう。小稿では東北大学の有する貴重な学術コレクションを軸としながら、法文学部・文学部の歴史と学風について述べていくことにします。少しだけですが、未来への展望も記してみましょう。

なお、大学院重点化によって、東北大学では大学院を中心に教育研究組織が作られることになりました。したがって現在は、組織としては研究科が主、学部が従という関係になっています。しかし、ここでは歴史や小稿の読者を考えて、学部に教育研究組織を代表させて話を進めます。また、以下の記述で、太字の人名は、法文学部あるいは文学部の教員です（太字としたのは初出時のみ）。人名の後の（　）内は研究室名です。研究室名には変遷がありますが、原則として現在の専修名を記しておきました。

多彩なコレクション

狩野文庫　「国宝を持っている国立大学はいくつあるか。」
あなたは、この問いに答えられますか。正解は四つ。東京芸術大学、京都大学、東京大学そして東北大学です（このほか滋賀大学に国宝の寄託がある）。ちなみに国立大学は八六あります。

　東北大学の国宝は附属図書館の狩野文庫に収められた『史記』と『類聚国史』です。『史記』はいうまでもなく、中国漢代の史家・司馬遷の著作です。『類聚国史』は菅原道真が古事記・日本書紀など六国史の記事を神祇・帝王・災異・風俗など内容別に分類・編集した書物です。狩野文庫に収められているものはいずれも平安時代（！）の写本の一部です。

　では、狩野文庫とは何でしょうか。これは、もともとは狩野亨吉（かのうこうきち）という人のコレクションです。狩野亨吉は、現在でいえば秋田県大館市の人。「○○学者」の枠に収まらない、「知の巨人」としか言いようのない人です。この人がまた大変な収書家、コレクターでもあり、古今東西の書物、地図、絵本、絵はがき、果てはマッチのラベルの類まで集めました。このコレクションが順次、東北大学に搬入されるのですが、その第一陣がやってきたのは一九一二年のことです。もちろんまだ法文学部はできていません。しかし、初代総長の沢柳政太郎が、将来、文系学部ができることを見越して、図書館の蔵書を充実させるために購入を決めたといわれています。ちなみに沢柳は狩野の親友でした。

　一〇万八千冊におよぶ狩野文庫の中心は、江戸時代の書物です。ありとあらゆる分野がそろっており、「江戸学の宝庫」と呼ばれています。学外の研究者が、狩野文庫本閲覧のために図書館を訪れることを「仙台詣（もうで）」というと聞いたことがあります。狩野文庫を含めた図書館の古典籍については、『東北大学所蔵和漢書古典分類目録』全四巻（東北大学附属図書館、一九七四〜七九年）が作成されています。一九九九年に狩野文庫のマイクロフィルム化が行われた際の『東北大学附属図書館所蔵狩野文庫目録　和書之部』一一冊（丸善）もあります。さらに『東北大学附属図書館本館所蔵新訂貴重図書目録』洋書篇（二〇〇四年）・和漢書篇（二〇〇六年）も編まれています。

漱石文庫とケーベル文庫　狩野文庫と並ぶ附属図書館所蔵貴重書の二枚看板は漱石文庫です。彼の文豪夏目漱石の旧蔵書・遺品です。実は漱石と東北大学とに直接的な関係はありません。では、なぜそのようなものが東北大学にあるのでしょうか。

夏目漱石が、自宅に有為な若者を集めて木曜会なるサロンを開いていたことはよく知られています。そこに集った人々は大正・昭和初期の文化を先導し、「漱石山脈」と称されています。法文学部草創期の教員だった**小宮豊隆**（とよたか）（ドイツ文学）、**阿部次郎**（美学・西洋美術史）は「漱石十大弟子」（漱石の小説の装丁を手がけた津田青楓の命名）に数えられていますので、まさに「漱石山脈」の高峰でした。小宮は小説『三四郎』の主人公のモデルともいわれています。

小宮は、一九四〇年に附属図書館長となります。漱石はとうに亡くなっており（一九一六年没）、東京の早稲田南町にあった旧宅（漱石山房と称した）では、蔵書や遺品がそのままになっていました（漱石山房自体は敷地内で移築されていましたが）。小宮は漱石の遺族と相談し、附属図書館でそれらの譲渡を受けることとなります。搬入は一九四三年から四四年にかけて行われました。時はアジア太平洋戦争の真最中、やがてアメリカ軍による対日戦略爆撃が始まり、一九四五年三月一〇日の東京大空襲で漱石山房は焼失してしまいます。間一髪のところで、貴重な品々は難を免れたのです。ところが、仙台市も同年七月一〇日未明に空襲を受け、大学にも被害が出ます。ただし、漱石文庫など貴重書の大部分は宮城県内三カ所に疎開されており、無事でした。疎開の差配は小宮が行っています。彼は漱石の蔵書・遺品を戦災から二度救ったのです。

漱石文庫は、漱石の蔵書（ほとんどが洋書）、日記、ノート、さらには作品の草稿（『吾輩は猫である』序文、『道草』）など約三〇〇〇点からなります。蔵書の三分の一以上に漱石の書き込みがあり、文豪の思考の跡をたどれるのが特長です。漱石研究は、この文庫なしにはできないでしょう。目録は一九七一年に作成されています（『漱石文庫目録』東北大学附属図書館）。ちなみに狩野亨吉と漱石は大の親友でした。また、小宮や阿部は、狩野が旧制第一高等学校（現在の東京大学教養学部の前身）の校長を務めていた時の生徒でした。

ところで、漱石文庫に少し先んじて附属図書館に収められたものにケーベル文庫があります。ケーベル（**Raphael von Koeber**）はドイツ系ロシア人で、一八九三〜一九一四年の間、東京帝国大学で哲学・美学などを講じました。チャイコフスキーに直に教わった音楽家でもありました。その人物の旧蔵書がケーベル文庫です。内容は哲学・文学にかかわる洋書です。収蔵にあたって尽力したのは、小宮と**久保勉**（哲学）でした。久保はギリシャ哲学を専門とし、一九二九年から四四年まで法文学部に在職しました。ケーベルの愛弟子でもありました。そして、実は漱石も学生時代にケーベルの講筵に連なっており、師への敬慕の念あふれるエッセイ「ケーベル先生」をものしています。さらに阿部も小宮もケーベルの教え子であり、特に「大正教養主義」の代表的論者とされる阿部の学問形成には、ケーベルの教養論が深く関わっています。

当初、附属図書館では、ケーベル文庫と漱石文庫が隣り合わせに設置されていたといいます。右のエッセイで漱石がケーベル宅の書斎の情景を描写していることも考えると、とても興味深いものがあります。

チベット関係資料　二枚看板に次いで、附属図書館の蔵書で著名なのはデルゲ版西蔵大蔵経でしょう。

西蔵はチベット、デルゲはチベットの地名です。デルゲ版西蔵大蔵経は、デルゲで作られたお経など仏教に関する文献（仏典）の集大成です。デルゲ版はチベット大蔵経の最も良質なものといわれています。この大蔵経をもたらしたのは、一九三五〜四四年に法文学部の講師だった**多田等観**（ただとうかん）です。秋田県の本願寺派寺院に生まれた多田は、西本願寺がチベットから招いた使節の世話係となりチベット語を修得します。そして一九一三年に苦労の末、チベットに入り、九年半にわたり滞在します。そこでチベット仏教最上位のダライラマ一三世の信頼を得て、大蔵経を下賜されたのです。東北大学にこの大蔵経が納められたのは一九二五年のことでした。まもなく多田は法文学部の嘱託となります。

多田は、印度学研究室（現在のインド学仏教史研究室）の**宇井伯寿**・**金倉円照**、宗教学研究室の**鈴木宗忠**と共同で、この大蔵経を精査し、一九三四年に目録（『西蔵大蔵経総目録』）を刊行しています。その際に付された整理番号は東北番号（Tōhoku number）と呼ばれ、国際的基準となっています。また、多田が請来した大蔵経以外の仏典は、やはり印度学研究室の教員との共同で目録が作成され（金倉円照・**山田龍城**・多田等観・**羽田野伯猷**共編『西蔵撰述仏典目録』）、その業績に対して、一九五五年に本邦最高の学術賞の一つである日本学士院賞が授与されています。

チベットつながりでいえば、文学部には、河口慧海請来のチベット資料があります。河口慧海は宗教家であり、冒険家でもありました。一九〇〇年に日本人として初めて鎖国下のチベットに至り、一九一四年にも再入国し、仏典、仏像・仏画・仏具・民俗資料（以上を造形資料という）、各種標本などを持ち帰りました。そのうちの造形資料・標本からなる約一四〇〇点が文学部のチベット資料です。一九五四年から五五年にかけて、河口の遺族から譲渡されました。交渉に当たったのは**亀田孜**（東洋・日本美術史）、羽田野伯猷（前出）でした。これらの資料は東洋・日本美術史研究室を中心に整理が進められ、一九八六年に同研究室編『河口慧海請来チベット資料図録』（佼成出版社）も刊行されています。

ところで、なぜチベットの仏典は重要なのでしょうか。仏教はインドに発祥しましたので、仏典の原本は古代インド語（サンスクリット語など）で記されていました。一方、日本では古来、中国で翻訳された漢訳版が用いられてきました。ただし、それはあくまで翻訳です。仏教を究めたいと願う人々にとっては、原典にどのように記されているのかが大きな問題となります。しかし、原典には失われてしまったものもあります。ところが、チベットにはそうしたものが、チベット語に訳された形でのこされていたのです。翻訳の精度も非常に高いといわれています。ここにチベット仏典のかけがえのない価値があります。

なお、もちろん多田と河口とには面識がありました。河口二回目のチベット入国時には、多田も滞在中で、ラサで面会し、年初だったので新年会を開いたといいます。

考古資料・古文書　現在、文学部も附属図書館も川内南キャンパスにあります。川内南キャンパスは、江戸時代には仙台城の二の丸（藩政の中心）があったところです。地面の下には遺構や遺物がたくさん眠っています（土木工事の際には必ず発掘調査が行われます）。近代に入ると陸軍第二師団が置かれ、戦後しばらくはアメリカ占領軍が駐屯していました。

東北大学の文系学部が川内南キャンパスに移ってきたのは一九七三年のことです。それ以前、文学部も図書館も仙台市中心部の片平キャンパスにありました。もちろん法文学部もそうです。旧図書館は現在の東北大学史料館、法文学部の建物（第二研究室）も会計大学院研究棟としてのこされています（いずれも登録有形文化財）。その片平キャンパスの一角に小振りだけれども赤煉瓦で作られた瀟洒な建物があります。旧制第二高等学校の書庫でしたので、通称を赤煉瓦書庫、正式には考古学陳列館（あるいは文化財収蔵庫）といいます（こちらも登録有形文化財）。ここには、文学部の考古学研究室が管理する資料が収められています。

法文学部が設立された二年後の一九二五年、**喜田貞吉**（きたさだきち）が赴任します。業績は膨大、歳も五〇を過ぎていましたが、肩書は講師でした。「自由に学問がしたい」ということで、教授での招聘を断ったといわれています。喜田の専門は、日本古代史と考古学で、国史研究室（現在の日本史研究室・考古学研究室の前身）に属しました。彼は赴任すると早速、研究室内に奥羽史料調査部という研究機関を立ち上げ、東北地方、北海道、新潟県を主なフィールドとして資料の調査と収集に乗り出します。

喜田の収集したものでは久原コレクション、遠藤・毛利コレクションと呼ばれているものが代表的です。順序が逆になりますが後者は、一九〇九年から発掘された石巻市の沼津貝塚（国指定史跡）の縄文時代の出土遺物で、四七三点が「陸前沼津貝塚出土品」として国指定重要文化財となっています。文学部は、重要文化財をもっているのです。前者は、青森県津軽地方を中心とする縄文時代の遺物です。後（一九五七年）に考古学研究室の初代教授となる**伊東信雄**らが整理を行い、五冊の目録を作り上げます。伊東は、一九三三・三四年の二度にわたりサハリンを調査しました。その際に収集した資料も陳列館にはのこされています。考古学陳列館の収蔵品は、『東北大学文学部考古学資料図録』（東北大学文学部、一九八二年）で目録化されました。

奥羽史料調査部は、古文書など文献史料の調査・収集も積極的に行います。現在、附属図書館所蔵となっている秋田家史料、文学部日本史研究室所蔵の朴沢文書、鬼柳文書は、本来、奥羽史料調査部が収集したものです。これらには中世の古文書が数多く含まれています。中世以前の古文書を大量に保有する大学は全国的に見てもそう多くはありません。

秋田家史料は、津軽の豪族安藤氏を先祖とする近世三春藩主秋田家に伝わった一括史料です。一九三九年二月に東北大に搬入された直後から整理作業が続けられ、二〇〇二年になって目録が完成しました。秋田家史料の整理を最初に手がけたのは、法文学部副手の大島正隆でした。実は、彼の父親・正満は旧制第一高等学校在学中に漱石の英語の授業を受けています。その様子を綴った、「我等の夏目先生」というエッセイもあります（十川信介編『漱石追想』岩波文庫、二〇一六年）。漱石の教え子の息子が、秋田家史料の整理に当たっていたというわけです。

このほか図書館には中世文書を多く含む倉持文書、森潤三郎氏旧蔵米原文書があります。いずれも戦後になって寄贈されました。前者は鎌倉時代の足利氏に関する古文書がたくさんあるという希有な文書群です。また、後者の森潤三郎は鷗外の実弟です。歴史家・書誌学者であり、鷗外の史伝的小説の執筆を支えました。東北大学には漱石だけでなく、森鷗外ゆかりのコレクションもあるのです。

なお、奥羽史料調査部は、一九五五年に東北文化研究室と名前をかえ、考古学や日本史に限らず、多様な分野から東北地方を研究する組織として活動を続けています。

中国関係資料　中国の大学から来られたお客様にお見せすると目を輝かされるのが、附属図書館の北京風俗図譜（八帙一一七枚）です。これは**青木正児**（中国文学）が、一九二五年に中国に渡った際に、画工・劉延年に描かせたものです。すでに失われてしまった北京の市井の風景や生活ぶりが、色彩ゆたかに、リアルに描かれています。

中国関係の資料はたくさんありますが、あと二つだけ紹介します。

現在の宮城県丸森町出身で、戦前期に東京帝国大学教授として仏教を研究した常盤大定という人物がいます。常盤は、一九二〇年～二九年の間に5回にわたり中国各地で仏教史蹟を中心とする調査を行いました。その際に作成した石碑の拓本を一九四九年に文学部が購入し、附属図書館に寄贈しました。これらの拓本は、二〇一三年になって、**大野晃嗣**（東洋史）、**齋藤智寛**（中国思想）らが精細な写真版として二一二五基の全貌を紹介しています（大野晃嗣・齋藤智寛・陳青・渡辺健哉編『東北大學附屬圖書館所藏中國金石文拓本集』東北大学文学研究科、二〇一三年）。一方、二〇一六年になって、常盤が中国史蹟調査の際に撮影した写真約九〇〇点が文学部に寄贈されました。この写真は、フィルムが普及する前のガラス乾板に写っているのが特徴です（フィルムも前代の遺物と化しつつありますね）。古いものは化学的な修復が必要となりますが、現在までに大半の復原が終わっています。今後はデジタル化を進める予定です。拓本の元になった石碑にしても、撮影された史蹟にしても、すでに失われてしまったものがあり、大変貴重な学術資料となっています。

後日譚　ここで紹介したきらびやかなコレクションの数々。多くは購入したものです。資金はどうやって調達されたのでしょうか。大学って、そんなにお金があるのでしょうか。いえいえそうではありません。実は大部分（特に戦前のもの）は、齋藤報恩会という財団法人の資金援助によって購入が可能となったのです（ただし、狩野文庫は宮城県出身の実業家で貴族院議員の荒井泰治の寄附による）。齋藤報恩会は、宮城県桃生郡前谷地（現在の石巻市）の地主齋藤家が設立した、研究助成を目的とした財団です（一九二三年設立－二〇一五年解散）。東北大学の研究は、この財団の支えなしでは成り立たなかったといっても過言ではありません。

話は飛びますが、二〇〇三年七月、宮城県北部地震が発生しました。M六・四、最大震度六強の大地震でした。このとき、齋藤家も被災します。齋藤家自体、さまざまなコレクションを持っていましたし、家の歴史に関わる史料も保存していました。それらも危機に瀕したのです。このときレスキュー作業を行ったのが、宮城歴史資料ネットワーク（資料ネット）でした。これは、宮城県在住の歴史研究者・学生などが結成した史料保全を目的とした団体です。資料ネットには、文学部の教員・学生も数多く参画しています。

同年一〇月、齋藤家から救出された、特に家の歴史に関わる史料は、「宮城県桃生郡河南町前谷地齋藤養之助家史料」と命名の上、附属図書館に寄贈されることになります。総点数は、数え方にもよりますが一〇万を軽く越えています。齋藤家は全国第二位の地主であり、手広く事業も展開していました。一方で、小作争議の標的でもありました。その史料は、宮城県の地域史ひいては日本近代史を解明する上で、なくてはならないものです。齋藤養之助家史料の整理作業は**大藤修**（日本史）を中心に行われ、八冊（全三六七二ページ）の目録が作られています。

東北大学の学術資産を形成する上で、大きな貢献をした齋藤家に関する史料が、東北大学文学部関係者も多く参加する資料ネットによって救い出され、附属図書館に入り、目録も作成されたわけです。歴史の綾の不思議さを感じざるをえません。振り返ってみれば、東北大学の数々のコレクションも法文学部・文学部を軸とする人々が織りなす縁によってもたらされたのでした。

むすび

東北大学文学部は、二〇二二年に創立一〇〇周年を迎えることになります。大学にとって一〇〇年という歴史は、長いのか短いのか。日本の文学部の中では最長の部類ですが、ヨーロッパには創立から数百年というところがざらにあります。それらに比べれば、東北大学文学部の歴史は短いということになります。また、そもそも歴史が長ければ長いほどよいというものではないでしょう。しかし、ここで紹介した学術資源は、一〇〇年という年月によって積み重ねられてきたものであることはまちがいありません。

では、なぜ法文学部・文学部の先達たちは、学術資源をコレクションしたのでしょうか。もちろん珍奇なものを集めることが目的であったわけではありません。大学における研究と教育に役立たせようとしたのです。東北大学文学部には、「原典主義」という学風があります。「原典主義」とは、オリジナルなものに即して、オリジナルなものに立ち帰って研究するという態度です。根底的なところから研究を立ち上げようという態度であるとも言いかえてもよいでしょう。そして、教育にも「原典主義」は貫かれます。これを支えてきたのが、あるいはこれからも支えていってくれるのが、小稿で紹介した学術コレクションなのです（文献やモノを必ずしも対象としない学問分野では、現地調査や実験で、自らデータを収集することが重視されます。これも一種の「原典主義」といえます）。

もう一つ、学術資源はただ集めればよいというものではありません。収集された資料は、そのままでは使えません。特に大量にある場合は、どこにどんなものがあるのかすぐにはわかりませんし、たとえなくなってしまっても気づかないということになります。要するに利用や公開ができないのです。そこで、整理作業、目録作りが必須となります。ところがこれは簡単なことではありません。第一に専門的な知識がなければできません。加えて非常に地味で根気のいる作業となります。時間もかかります。人の一生を越える場合もあります。しかし、多くの人文社会系の学問はこうした地道な作業によって支えられているのです。それを忘れてはなりません。小稿で、意識的に整理作業や目録作成について触れた所以です。

今日では、目録は電子化され、画像も付けられてインターネット上で公開されることが当たり前になってきました。小稿で取り上げた学術資源のデジタル・データベースも附属図書館、総合学術博物館、文学部などのウェブサイトから利用することができます。また、国文学研究資料館による国際的な規模の「日本語の歴史的典籍の国際共同研究ネットワーク構築計画」が進行中で、この目玉の一つとして狩野文庫の和書二万五千点のデジタルアーカイブ化が取り組まれています。**佐倉由泰**（日本文学）ら文学部の教員も主要な役割を果たしているところです。貴重な学術コレクションは、先進的な情報技術と結びつきながら、新たな生命を吹き込まれようとしているのです。

ところで、ここで紹介した数々のコレクションは、いにしえの人々の活動の所産です。こうしたものを整理し、研究することは、当然のことながら過去についての知見を豊富にし、認識を深めてくれます。しかし一方で、現代の学問や社会のあり方を反省し、将来について考えるよすがともなります。

たとえば狩野文庫の江戸時代の書籍です。それらを図書館で一般的に用いられる十進分類法（哲学、心理学／宗教、神学／社会科学／自然科学、数学／応用科学、医学、工学／芸術／言語、文学／地理、伝記、歴史など）で区分することはほとんど不可能です。いわゆる文科系・理科系の区別もあてはまりません。ひとつの書物に多様な知が盛り込まれているのです。

一方、近代の学問は、ひたすら細分化、分節化を続け、特定ジャンルを深掘りしてきました。現在、そうしたあり方には行き詰まりが見られます。現実に生起する課題に対応できていないという問題も出てきています。それを打開するためには、文科系・理科系をはじめとする分野分け、ジャンル分けにとらわれずに、学問の総合化を行う必要があります。そのヒントを、江戸時代の書籍のあり方、知のあり方が与えてくれているのではないでしょうか。

翻って文学部はどうでしょうか。いうまでもなく文学部は、文科系の部局に分類されます。しかし、心理学、行動科学など、理科系に近い分野も属しています。また、自然科学的研究手法を取り入れている分野もたくさんあります。カバーする分野が広く多様で、とられている方法も多彩なのです。こうしたことから、文学部こそが学問（知）の総合化の要たり得るものと考えています。

〈主要参考文献等〉

多田等観　牧野文子『チベット滞在記』（講談社、二〇〇〇年）

『東北大学百年史』４・部局史１（東北大学、二〇〇三年）

図録『国宝「史記」から漱石原稿まで－東北大学附属図書館の名品－』（文部科学省特定領域研究「東アジア出版文化の研究」統括班、二〇〇三年）

多田明子・山口瑞鳳編『多田等観　チベット大蔵経にかけた生涯』（春秋社、二〇〇五年）

江戸東京博物館・東北大学編『文豪・夏目漱石　そのこころとまなざし』（朝日新聞社、二〇〇七年）

『東北大学創立一〇〇周年記念展示　東北大学の至宝－資料が語る一世紀－』（東北大学、二〇〇七年）

『ものがたり東北大学の至宝』編集委員会編『ものがたり東北大学の至宝』（東北大学出版会、二〇〇九年）

小川知幸「少しく無秩序のうちに秩序のある　ケーベル文庫とその保存修復について」（『東北大学附属図書館調査研究室年報』2、二〇一四年）

長尾剛『漱石山脈　現代日本の礎を築いた「師弟愛」』（朝日新聞出版、二〇一八年）

高山龍三『河口慧海』（ミネルヴァ書房、二〇二〇年）

Ono Koji（大野晃嗣）, ‘New Light on Tohoku University Library’s Collection of Chinese Stone Rubbings’, Christopher Craig, Enrico Fongaro and Akihiro Ozaki, How to Learn?: Nippon/Japan As Object, Nippon/Japan As Methodmilan: (Milan:MIMESIS INTERNATINAL, 2016)

東北大学狩野文庫デジタルアーカイブズシンポジウム「江戸に学び、江戸に遊ぶ」(二〇二〇年一二月二〇日)アーカイブ動画　https://www.youtube.com/watch?v=nM16oF59EU4

＊主要なものに限った。また、本文中に記した文献は省いた。

【付記】

文学部教員の次の方々からご教示を得ました。この場を借りて感謝申し上げます。

大野晃嗣　鹿又喜隆　桜井宗信　長岡龍作

2　人文社会科学の学び方

沼崎一郎・永井　彰・佐倉由泰

はじめに

本章では、東北大学文学部における人文社会科学の学び方について簡潔に説明します。先ず、一年生から四年生までどのような種類の授業があるのか、それぞれの授業にどのように取り組めば良いのかを説明します。次に、「専修」と「研究室」という東北大学文学部のユニークな学びの場の特徴を説明します。それから、レポートと卒業論文・卒業研究への取り組み方について説明します。

本章で述べることは、文学部全体すなわち人文社会学科26専修に共通する学び方の基本です。それぞれの専修での学び方については、第三章以下を参考にしてください。本章を読めば、一年次から四年次にかけて、どのように学んでいくのか、おおよその見当がつくことでしょう。

なお、以下の第1節、第2節で紹介するカリキュラムの内容や「専修」と「研究室」という仕組みは東北大学文学部独自のものですが、本章で説明する学び方の基本の多くは、どの国のどの大学でどの分野の人文社会科学を学ぶ際にも必要となる基本中の基本です。言い換えると、大学生なら誰でも心得ておくべきことばかりです。

本章を大学における一般的な学びのガイドとしてお読みいただければ幸いです。

1　授業の種類と学び方について

文学部での四年間の学び

東北大学文学部の四年間において、どのような種類の授業を履修することになるのでしょうか。文学部の学生が履修する授業科目は、次の表のように構成されています。

まず授業科目は、全学教育科目と専門教育科目に分かれます。全学教育とは、東北大学の教員が全学体制で全学の学生、または二つ以上の学部の学生に対して行う科目の教育のことです。他方、専門教育とは、学部の教育目標を達成するために、主に学部の教員が学部の責任で自学部の学生に対して行う科目の教育のことです。大学では専門を学びます。しかし、大学生にとって必要な知識や能力は専門だけに限りません。専門教育と全学教育とが補い合って、四年間の学びが成り立っています。

専門教育科目は、基礎専門科目と専門科目に分かれます。基礎専門科目とは一年次指定の専門教育科目や二年次から履修できる専門教育科目のことです。専門科目とは、三年次以降に履修できる専門教育科目のことです。

全学教育科目は、一年次から二年次を中心に履修します。全学教育では、外国語など、大学での学習の基礎をなすような科目が多く提供されているからです。また文学部で専門科目として提供されない社会科学や自然科学についても、全学教育で学ぶことができます。それぞれの分野で活躍する第一線の研究者から講義を

表2-1　文学部の授業科目

科目区分	科　目	履修する学年
全学教育科目	外国語（英語・初修外国語）、人文科学・社会科学・自然科学、保健体育、国際教育、キャリア教育など	主として1～2年次
専門教育科目・基礎専門科目（入門）	人文社会総論、英語原書講読入門、人文社会序論	1年次
専門教育科目・基礎専門科目（概論・基礎）	概論、基礎講読・基礎演習・基礎実習など	2年次以降
専門教育科目・専門科目（各論・発展）	各論、講読・演習・実習など	3年次以降
専門教育科目・専門科目（卒業論文・卒業研究）	卒業論文・卒業研究	4年次

聴くことができるのは、総合大学である東北大学の強みです。

文学部の専門教育科目は、一年次から開設されていますが、一年次指定のものは、導入や入門的な位置づけであり、科目数も限定されています。文学部で専門教育が本格的に始まるのは二年次です。ただし二年次で履修できるのは、基礎専門科目に限られます。三年次からはより専門的な内容を含んだ専門科目も履修できるようになります。そして、四年次で卒業論文・卒業研究を履修し、それを完成させて卒業することになります。

文学部の専門教育の特徴

文学部の専門教育カリキュラムには、次のような特色があります。

第一に、卒業論文・卒業研究が必修になっています（卒業論文を執筆するか、卒業研究を行うかは、指導教員と相談して決めることになります）。東北大学でも、卒業論文・卒業研究が必修でない学部もあります。それは、かなりハードルの高い課題だからです。しかし、東北大学文学部はあえて卒業論文・卒業研究を必修にしています。つまり、卒業時点では、一人一人がその専門分野での研究成果を示すことができるようになる、というのが文学部のカリキュラムの目指すところなのです。第二に、そのことを可能にするために、専修ごとに多くの専門教育科目が開設されています。それらの科目を履修することによって、その専門分野で研究を深めるために必要な知識やスキルを習得できます。第三に、必修指定による履修の縛りは、最小限に抑えられています。文学部の専門教育科目では、一年次の人文社会総論と英語原書講読入門、それと四年次の卒業論文・卒業研究は必修ですが、それ以外の授業科目はすべて選択必修科目または選択科目です。この緩やかな縛りにより学生は、専修の枠にとらわれずに、みずからの関心におうじて自由に授業科目を履修することができるようになっています。もちろん卒業論文や卒業研究のためには、所属専修の学問分野にかかわる専門知識は必要不可欠です。そのため各専修では、履修モデルを提示し、卒業までのあいだに履修してほしい授業について提案をしています。ただし、これはあくまでも提案です。履修モデルは、必修指定とは違います。そのため個々の学生は、所属専修が開講する専門分野の科目を中心に履修することもできますし、専門分野にこだわらずに多様な分野の科目を履修することもできます。どのようにするかは、あくまでも一人一人の主体的な選択に任されています。

こうしてみると、この文学部のカリキュラムには、専門を究めるということと、広く教養を身に付けるということの両面があるということがいえます。そして、ただ両面があるというだけでなく、その両立も可能になるような構成になっているということがいえます。つまり専門は専門として深めつつ、他分野への関心もみたすことができるというカリキュラムになっているのです。

いまここで専門を究めるという表現を用いましたが、卒業論文や卒業研究の段階では、ほんとうは究めるという段階には至っていません。何とか究めたといえるのは、大学院に進んで課程博士論文を書き上げた時でしょう。それは、学部を卒業してからさらに5年も先のことです。その課程博士論文にしても学問研究という営みのなかでは、なおも道半ばです。そう考えると、卒業論文・卒業研究の時点では、専門を究めるということにはなかなかなりません。しかし、それでも卒業論文・卒業研究は、研究なのです。研究というのは、何か新しい知識をその学問に付け加えるという営みです。すでに知られていることを調べることは、研究ではありません。この意味で研究をするということは、その学問のなかのたとえほんの一部分であったとしても、それを究めそれを乗り越えていくことになります。文学部のカリキュラムというのは、学生一人一人に研究という営みに挑戦するように組み立てられているといえます。そして、個々の授業科目はそれをサポートする役割を担っています。つまり研究という営みに必要なスキルを身に付けたり、研究するとはどういうことかを実際に学ぶのが文学部の授業なのです。

文学部で開設される専門教育科目の種類

ここでは、文学部の開講科目について、とくに二年次以降に履修する専門教育科目についてもう少し詳しく見ていくことにしましょう。

文学部の専門教育科目には、二年次から履修できる基礎専門科目と三年次から履修できる専門科目があります。二年次から履修できる基礎専門科目には、各専修が提供する概論と、各専修が提供する基礎科目があります。概論とは、当該専門分野の概要を講義する科目です。基礎科目には、基礎講読・基礎演習・基礎実習などその学問分野にとって基礎的な訓練をすることを目的とした科目が含まれています。分野によって、必要なスキルは異なります。外国語を読む、古文書を読む、テクストを解釈する、実験や調査の技法を学ぶなど、それぞれの分野に必要な基礎的能力の獲得が目指されます。また基礎科目には、専修以外の科目もあり

表 2-2　文学部で開設される授業科目

科目区分	主な科目の例	説明
専門教育科目・基礎専門科目（入門）	人文社会総論 英語原書講読入門	各専修の研究紹介（必修） 専門英語の原書講読（必修）
専門教育科目・基礎専門科目（概論）	概論	各専修が開講
専門教育科目・基礎専門科目（基礎）	基礎講読・基礎演習・基礎実験など イタリア語・朝鮮語・ギリシャ語・ラテン語・サンスクリット語など 人文統計学・人文情報処理 高等英文解釈法・英語論文作成法など 基礎海外研修	各専修が開講 外国語科目 データ処理関連の科目 英語のスキル向上 海外留学の単位化
専門教育科目・専門科目（各論）	各論	各専修が開講
専門教育科目・専門科目（発展）	講読・演習・実習など 博物館概論・博物館実習など 地理学・地誌学・書道など キリスト教史など 人文社会科学総合 発展海外研修	各専修が開講 学芸員資格関連科目 教職免許関連科目 専修に属さない専門科目 学際科目 海外留学の単位化
専門教育科目・職業関連科目	キャリアデザイン講座・インターンシップなど	職業生活に対し具体的なイメージを持つ
専門教育科目・専門科目（卒業論文・卒業研究）	卒業論文・卒業研究	指導教員に相談していずれかを選択
教職科目	国語科教育論・地理歴史科教育法など	文学部開設の教職科目

ます。たとえばイタリア語・朝鮮語・ギリシャ語・ラテン語・サンスクリット語といった外国語科目、人文統計学や人文情報処理といったデータ処理関連の科目、高等英文解釈法・英語論文作成法などの英語スキル向上のための科目などがここに含まれます。つまり専修以外の基礎科目は、文学部の学生にとって必要な研究能力の向上に役立つような内容になっています。

三年次から履修できる専門科目には、各専修が提供する各論と、各専修が提供する発展科目があります。各論とは、各学問分野の個別論題についての講義です。発展科目には、講読・演習・実習などその学問分野について高度な訓練を行う科目が含まれます。また発展科目には、専修以外の科目もあります。たとえば、博物館概論・博物館実習などの学芸員資格関連科目、地理学・地誌学・書道などの教員資格関連科目がここに含まれます。さらに、キリスト教史といった特定の専修に属さない専門教育科目も開講されています。またこのカテゴリーでは、人文社会科学総合という科目名で学際的な内容をもった講義が開講されています。

専門教育科目のなかには、これらとはややちがった趣旨のものがあります。その一つは、基礎海外研修・発展海外研修です。これは、海外留学を推奨するため、留学そのものを単位化したものです（帰国時の学年が二年次であれば基礎専門科目として、三年次以降であれば専門科目として認定されます）。もう一つは、職業関連科目です。これは、職業生活に対し具体的なイメージ持つことを目的としています。インターンシップについても、単位化されています。

ところで、各専修が提供する文学部の講義科目は、概論と各論とに区別されます。それでは、概論と各論はどこで区別されるのでしょうか。さしあたり概論はその学問について概説する講義であり、各論はその学問のなかの特定の論題についての講義だと説明することができます。しかし、実際のところ、二単位の講義のなかでその学問の全体について概説することは、きわめて困難です。とても時間が足りません。そのため多くの専修では概論を異なった内容で複数開講しています。概論を分野別に開講している専修もあります。概説であっても、特定の観点からの概説であったり、あるいは対象やテーマを限定したうえでの概説であったりします。つまり、概論といいつつも、講義の内容としては総論的ではなく各論的なのです。また概論だからといって、講義の程度を落としているわけではありません。それぞれの教員が、その学問のいまを伝えようと、つねに内容を自己点検して、アップデイトするよう努力しています。概論もまたその学問の最先端を反映しています。つねに内容が進化しつづけるというのは、学問の本質にかかわることがらです。そのため、概論であっても教える内容が毎年固定しているということはありません。

それでは文学部の授業において概論とは何でしょうか。それは、その学問について初めて接する人が聞いていることを想定しながら、その学問の基本的考え方や魅力を伝えるような講義のことです。概論では、特別な予備知識がなくても理解できるように解説することが基本になります。その意味において、概論は、その専修の学生にとっては専門の基礎を学ぶ時間となり、他専修の学生にとっては教養を得るよい機会となっています。教養を高めるという点においては、文学部の二六の専修がそれぞれ複数の概論を開講していることがきわめて有益です。人文社会科学の幅広い知識を得るチャンスが、文学部の学生には開かれています。これは、東北大学文学部の強みなのです。ある学問を学ぶ上で隣接領域について知っておくことはとても役立ちますが、そればかりでなく、まったく毛色の違う学問について学んでおくことも、発想力を高める上で有用です。

各論は、概論とは異なり、基本的にはその専修に所属する学生を受講者として想定して組み立てられています。つまり各論では、その学問について一定の予備知識があることを前提に、より専門的な最先端の研究内容が講じられることになります。そしてそれは、三年次以降の学部学生だけでなく大学院生が聞いても知的関心がみたされるような内容になっています。

こうしてみると文学部の授業体系における概論と各論の決定的な違いは、総論や概説なのかそれとも各論なのかといった扱う対象にではなく、予備知識なしでも理解できるような構成になっているか、それとも一定の専門知識を前提とした構成になっているかという授業の組み立て方にあらわれることになります。

専修が提供する授業科目には、講義形式のものだけでなく、より実践的な形式のもの、つまり講読・演習・実習・実験といった形のものがあります。これらの科目では、学問的知識の獲得と生産といった作業を教員の指導を受けながら実際に行います。これらの授業では主体的に学ぶことが求められます。これこそが文学部の学びの核心です。もちろん知識や能力の点において、教員と学生とのあいだには大きな差があります。しかし、そうであっても、授業に参加するためには、学生はみずからの力に頼るほかありません。たとえば、テクストの読みが問題となる演習においては、参加学生は自分なりの読みを提案しなければなりません。もし学生がそれをしなければ、演習という授業形態がそもそも成立しないからです。演習とは、討議をつうじ協働して真理探究を実践する授業です。自分の読みは、結果的にはまったく間違っていることが判明するかもしれません。しかしそうであっても、演習に参加する以上、協働の真理探究という課題を投げ出すわけにはいかないのです。自分で考えることを放棄して、どこかにある「正解」を探そうとしたなら、それは誰かの考えをただ受け入れることになり、もう研究するという営みではなくなってしまいます。たとえ不十分であっても、研究するという姿勢で、つまりその時点で自分が獲得しているスキルや知識を頼りに自力で授業に臨むことが求められています。そしてこのような授業のなかで、研究するとはどのようなことなのかを次第に理解していくことになるのです。

文学部の学びとは？

文学部の学びとは、卒業論文・卒業研究へと結実する一連のプロセスです。つまり、研究成果を発信できるようになることを当面の到達点として、そのための知識やスキルを習得し、さらには実際に研究に取り組んでみるという過程です。研究とは、新たな学問的知識を生産することです。新たな学問的知識を生産するためには何が必要でしょうか。まず基礎的なスキルは不可欠です。何が必要なスキルかは、分野によって異なりますが、知的生産のための基礎的な能力を獲得しなければ研究はスタートできません。そして、その分野の基礎的な知識も必要です。何がすでに知られていることなのかを知っていなければ、新たな知識を発見することはできません。それらを踏まえたうえで重要なのは、知識の取得に主体的に関与するという姿勢です。文学部の学びは、どこかで確定された知識をただ受け入れるということではありません。たとえば自動車教習所の教程においては、決められた内容を理解し覚え決められた試験に合格する必要があります。そこにおける知識は、すでに確定しているものです。そしてただそれを習得すればよいのです。しかし文学部の学びは、研究へと向かっています。学問研究において学ぶ知識は、最新の研究成果に基づいています。そもそも研究成果というものは、それが通説となっていたとしても、新たな研究によって書き換えられる可能性をつねにはらんでいます。もちろん先行研究は尊重しなければなりませんが、それを無条件に正しいと受け入れることもできません。学問を学ぶとは、学問の世界で繰り広げられている協働の真理探究に自分も参加するということなのです。文学部のカリキュラムは、この世界にみなさんを招待しています。ぜひ一緒に学んでいきましょう。

2　学びの場について―「専修」と「研究室」―

「専修」とは?

本書の「はじめに」でも説明したように、文化的存在としての人間のあり方と、人間が作り上げる社会のあり方を根源的に問う、人文学・社会科学は、切れ目のない、ひとまとまりの大きな学問と捉えることができます。これは、東北大学文学部が、人文社会学科という一学科から成り立っていることにも深くかかわっています。人文学・社会科学は元来ひとつのもので、これをさまざまな専門分野に区分するのは多分に便宜的なことと言えそうです。

ただし、この区分は、研究上の対象と目的と方法の違いにもとづいて、長い年月の中で、日本や世界の中で定まってきたものでもあり、相応の根拠に支えられています。東北大学文学部人文社会学科の専修は、このような研究の対象と目的と方法の違いに根ざして分けられています。文学部の学生は、二年次から、二六の専修のうちのいずれかひとつに所属します。

この多くの専修から成る、人文社会学科の態勢は、少人数教育を重んずる東北大学文学部の理念に支えられています。文学部の各年度の入学定員を二一〇名として、二六の専修を設け、各専修に所属する各年度の上限の学生数（定員）を一〇名、あるいは、一五名としていることに、それはよく現れています。二年次以降に学ぶ授業としては、概論のように、さまざまな専修の多くの学生が履修することを想定している授業もありますが、各論や基礎講読、さらには、演習、実習等の、少人数の受講を基本にする授業では、専門的な課題を深く考察することをめざしています。そして、卒業時に提出する卒業論文・卒業研究では、専修の教員による個別の指導を受ける中で、専門的な学びを通して得られた独自の知見に磨きをかけて、その総合的な成果を示すことが期待されています。文学部の一学科・多専修という態勢には、ひとりひとりの学生が、人文学・社会科学全般に大きく関心を広げつつ、充実した専門の学びを深めて、創造的な知見と思考力を身につけてもらいたい、という強い願いが込められています。

専修を選ぶ

ただし、この少人数教育を重んずる態勢では、定員を超える希望者がいる専修については、学生便覧に記されている基準によって選抜が行われ、そこで希望がかなわなかった学生は第一志望とは異なる専修に所属することになります。それだけに、自分が志望する専修をよく思案して選ぶ必要があります。一年次に行われる専修のオリエンテーション等の機会を十分に生かして、自分が文学部で主に学びたいことは何なのかを深く考えて、希望する専修を決めてもらいたいと思います。周囲の人の多様な考えに触発されながらも、あくまでも自分自身が望む研究のできる専修を見極める必要があります。大学生活の中で、みなさんは、人文学・社会科学を中心に、さまざまな知見や思考を幅広く身につけることになりますが、二年次から属する専修がその学びの基軸になります。二年次に実際に専修に所属した後に「こんなはずではなかった」と後悔することのない選択、あるいは、たとえ一時後悔しても、「自分でよく考えて選んだところだから」と覚悟を決めて、その壁を乗り越えて励めるような選択ができることを願っています。

その選択の際は、先に述べた研究の対象と目的と方法というものを、できるだけ具体的に理解しようとすることが重要になります。それぞれの専修で何を学べるのかという、研究の対象の問題はとてもたいせつです。自分が興味、関心を持てることを研究対象にしている専修を選びたいところです。確かに、各専修の研究の対象、目的、方法は実にさまざまで、その多くは、専修に所属した後に、驚きとともに知ることになるのでしょうが、あらかじめ専修を決めるなかでも、興味のある専修について、自分はそこで何に魅力や関心を覚え、どのような目的を立てて、いかなる手段で考察ができそうか、それを思い描いてみるとよいと思います。学ぶ上での苦労をあまり苦労と感ずることなく、読み、調べ、考え、書き、発表し、意見を述べ合う、という学びの経緯を楽しめそうな専修にめぐり合えるよう願っています。そのためには、日頃から、新たな学問や思考と出会う機会を持ち、自分自身のものの考え方、知識のあり方、本の読み方、文化への接し方などを問い直し、見直す努力をすることも必要になると思います。

先述のとおり、人文学・社会科学は、切れ目のない、ひとつながりの大きな学問です。それだけに、複数の専修に魅力や興味を感じ、学びたい専修を決めるのに迷う場合もあるでしょう。迷うのがむしろ自然なのかも知れません。そのような時こそ、関心のある複数の専修について、それぞれの専修の研究の対象と目的と方法が何なのかを考え、確かめてみてください。自分が学びたい専修は既に決まっていて、その決意は変わらないと信じている場合でも、その専修の研究の対象と目的と方法が何であるのかを確認する機会を持つことをお勧めします。そうした機会を持つこと自体に、二年次以降の学びの場に臨む上で意義があると思います。各専修のオリエンテーションや人文社会総論等の授業に接することも、専修での自身の学びのあり方を思い描くよい機縁にしてください。

「研究室」とは？

文学部では、専門分野の区分として、これまで述べてきた「専修」という言葉をよく聞くことになりますが、それにまさるとも劣らぬ頻度で、「研究室」という言葉に接する機会があると思います。「専修」と「研究室」。一体何が同じでどこが違うのでしょう。

まず、「専修」は、学生便覧等にも記載されている正式な組織の名称ですが、「研究室」は、そうした正式の決まりごとにはなかなか出てこない呼称です。この「研究室」という、非公式の呼称が重要な意味を持つところに、文学部の学びの場のおもしろさがあります。

東北大学では、文学部は、学部組織ですが、大学院組織の文学研究科と不可分の関係にあります。大学院組織である文学研究科の専門の区分は「専攻分野」です。文学部の専門の区分の「専修」には、それぞれに対応する「専攻分野」があります。対応する「専修」と「専攻分野」は、教授・准教授・助教等の教員もおおむね同じで、実際に学生が利用する部屋も、同じか、隣接しています。こうした対応する「専修」と「専攻分野」をひとまとまりに捉えた呼称が「研究室」です。

「研究室」は、学部の「専修」、大学院の「専攻分野」の、どちらかではなく、どちらでもあるため、正式の組織を語る上では、その名が現れませんが、実際の大学生活では、この「研究室」こそが専門を学ぶ基盤になります。「研究室」には、学部の二年次から四年次までの学部生と、大学院の博士課程前期二年の課程（マスターコース）・後期三年の課程（ドクターコース）の大学院生と、研究生等の学生、そして、教員が所属します。大学院生や研究生には、他大学を卒業した人も少なくありません。社会人の学生もいます。多くの留学生もいます。「研究室」は、学年の異なる多様な学生が集う、大きく開かれた学びの場でもあります。

研究室で学ぶ

学部の「専修」も、大学院の「専攻分野」も、少人数による専門の教育を支える態勢ですが、「研究室」はその少人数の態勢を基本にしつつも、学年の異なる多様な学生が、共通の研究室のメンバーとして、そこで、学びの時と場を共有し、互いに交流し、学び合うところに魅力があります。基礎講読、演習、実習の授業の際の資料や機器の使い方や、ものの調べ方、読み方、考え方を身近で直接学んだり、留学の心構えやその準備、就職関係の講座の受け方、就職活動の進め方、大学院進学に向けての学び方などをその経験者から聞いたりすることもできます。また、研究室によって開催する行事はいろいろと異なりますが、新入生歓迎会、花見、研修旅行、芋煮会、研究発表会、大掃除、卒業論文・修士論文発表会、予餞会等々、そうしたさまざまな行事の場でのかけがえのない交流を通して得られるものも少なくありません。

研究室は、自然に、日常の中で、文化を学び、考えられる場所です。日々そこに行くことによって、知らず知らずのうちに多くのものを見たり聞いたりできる研究室は、とても有意義な学びの場です。研究室での偶然の知識や思考との出会いが、自身の考え方や生き方を支える大きな機縁や糧となることも珍しいことではありません。

そして、各研究室には、それぞれの歴史の中で培われた固有の文化的な環境があります。本棚の辞書の並べ方ひとつをとっても、固有の文化の蓄積が現れています。そうした文化の集積が個性となり、独特の雰囲気を醸し出しています。希望の専修を決める上でも、オリエンテーションで各専修の研究室を訪れる機会などを生かして、そうした独自の環境と雰囲気にも触れてみてはいかがでしょう。先述のとおり、専修の研究の対象と目的と方法を知ることは専修決定の際にとてもたいせつですが、それに加えて、研究室の環境や雰囲気に接してみることも、複数の専修の中でどこを第一志望にしようかと迷っている時のひとつの判断の要素になるかも知れません。

専修、研究室に所属しながら自分で考える

これまで述べてきたように、専修に所属して、研究室での学びの中で得られるものはとても貴重です。専門

の分野の研究を行う際の対象となる本文やデータを読み解いたり、解釈したりする上で、何に注意し、何に着目し、どのような手順で考察を進めればよいのかということについても、専修の少人数の授業における読解、調査、分析、報告、討議を通して、その多くを理解して行くことになります。研究上必須の辞書、事典の使い方や、必要な文献の探し方、発表の資料の作り方などの、基本となることがらにはじまって高度な応用に至るまで、専修の授業での考察の実践の中で学ぶことは実に多彩です。

その学びは、研究室の伝統のうちに育まれた型や方式というものを身につけることでもあります。そうした型や方式は、長年の叡智に支えられた、合理的なものでもあり、これを知ることはとても有意義です。ただし、その一方で、型や方式を自分なりに見直し、そこに創意、工夫を加え、自分なりの型や方式を編み出して行くこともとてもたいせつです。長い時間をかけて培われてきた伝統の表層ではなく、本質を深く理解し、その本質を真に生かすためにも、自分で考えるということがとても重要になります。型や方式に従うことは、迷わずに安心して進めることも意味しますが、無批判に物事を受け入れるのは創造的な営みではありません。たとえば、授業で受講生が作成する発表資料に、誤った表現や誤字の踏襲などが起こりこともあります。それだけに、型や方式に学びつつも、自分で考えることが欠かせません。

専修、研究室は、さまざまな型や方式によって成り立っています。その伝統が底力となって、大学での学びを力強く支えていることは確かです。ただし、その枠組みに囚われ過ぎて、自分で考えることをおろそかにしては、学ぶことの楽しみや活力が大きく奪われます。時には、専修、研究室の枠を離れて、より自由な思考をめぐらしてみることも必要かと思います。

そこであらためて想起していただきたいのが、本節の冒頭でも述べた、人文学・社会科学は、切れ目のない、ひとまとまりの大きな学問である、ということです。人文学・社会科学を学ぶ上では、文化的存在としての人間のあり方と、人間が作り上げる社会のあり方を根源的に問う、という、その学の本質としての根源性を重んじて、囚われのない、のびやかな展望に立って、旺盛に読み続け、柔軟に丁寧に考え続けることが望まれます。少人数教育を重んじて、研究の対象と目的と方法によって区分された専修、研究室という学びの場を生かしながら、ひとつながりの人文学・社会科学をめぐり大きく広がる知の世界に向かって、独自に思考するひとりの個として努力を重ねて行けるのならば、きっとその学びは楽しく生き生きとしたものになると思います。

自由な思考を支える起点としての専修、研究室

研究や学びを着実に旺盛に続けるためには、努力の質を異にする多様な場を往き来しながら思考するのがよさそうです。多くの人と交流し、意見を述べ合う場と、ひとりで深い思考に取り組む場とをさまざまに往還してみてはいかがでしょうか。どちらか一方が、本当の学びの場なのではありません。努力の質を異にする複数の場を往還することで、豊かな発見や創造にあふれた思考を続けることができます。専修、研究室での学びに努めることと、専修、研究室とは異なる場で励むことを別々に進め、組み合わせるのも、自身の思考を広げたり深めたりする上でとてもたいせつです。

専修、研究室という場を、さまざまな所で、さまざまな人とかかわり合って自由に思考する際のひとつの重要な起点と位置づけて、かけがえのない学びの時間を作り出して行ってもらいたいと思います。

3　レポート・卒業論文・卒業研究への取り組み方

大学のレポートとは？

大学に入ると、授業の課題としてレポートの提出が求められることが増えます。よくあるのは、「この本についてレポートを書きなさい」という課題でしょう。注意して欲しいのは、「この本の感想文を書きなさい」ではないということです。感想文なら小学校から高校まで、何度も書いたことがありますね。本を読んで、自分が感じたこと、思ったことを文章にしましたね。しかし、それはレポートではないのです。また、「このテーマについてレポートを書きなさい」という課題もよく出されます。一見、入試科目の小論文のようですが、そうではありません。小論文は、限られた時間内に、頭の中にある知識だけを使って、与えられたテーマについて自分の考えたことを文章にしましたね。しかし、それではレポートにならないのです。では、レポートとは何でしょうか。

それは、ある「問い」に対し、はっきりした「答え」を出し、その答えの「理由」をしっかりと示す文章です。「○○とは何か?」と問われたら、「それは××である」と答え、「なぜならば～～だからである」と答えの理由を明らかにするのです。そして、これが一番大事なことですが、「～～だから」という理由が、単なる思いつきではなく、確かな「根拠」に基づいていなければなりません。それで、レポートを書く時には、答えの理由を考えるだけでなく、考えついた理由の根拠を見つける必要があります。そのために、図書館やインターネットを使って、本や論文、調査報告など様々な資料を集め、答えの理由を支えてくれる根拠を探し求めます。これは、一冊の本についてレポート課題が出される場合も同じです。調べ学習の発展版が大学のレポートだと言えば、なんとなくイメージできるでしょうか。

実際には、こんな感じで進みます。

授業で「日本人論を一冊読んでレポートを書きなさい」という課題が出されたとしましょう。あなたは、たまたま講談社学術文庫版の『菊と刀』（長谷川松治訳、2005年）を買って持っていました。副題が「日本文化の型」だし、日本人論の一冊でしょうか？　その背表紙の宣伝文句を見ると「後の日本人論の源流となった不朽の書」とあります。ラッキー、これで書こう！

しかし、レポートを書くとなると、問いを立てなければいけません。求められているのは「日本人論」についてのレポートですから、あなたは「日本人論」をキーワードにインターネット検索をします。ウィキペディアに「日本人論」（https://ja.wikipedia.org/wiki/ 日本人論）と言う項目があったので読んでみると、「外国・異文化との比較を通してその独自性を論じるところを共通項とする論が多い」という記述が目にとまりました。図書館で何冊かタイトルに「日本人論」を含む本を読んでみましたが、どうやらウィキペディアの説明にまちがいはなさそうです。

そこで、ルース・ベネディクトは、比較を通して日本人の独自性を論じているだろうか、そうだとしたらどの国・どの文化と比べているのかという疑問が湧いてきました。少し読んでみると、「この本は、日本において予期されており、当然のこととみなされている習慣について」（二九頁）、「人生をまるで異なった焦点で見ているアメリカ人にわからせるように」（三〇頁）書かれたということだ。どうやら、ルース・ベネディクトは、アメリカ人との比較を通して日本人の独自性を論じているようです。それならば、「ルース・ベネディクトがアメリカ人と対比して見出した日本人の独自性とは何か？」という「問い」を立てることができるのではないか、よし、そうしよう、とあなたは決めます。

そこで、この「問い」を頭に入れて、あなたはルース・ベネディクトが「アメリカ人は〜」「日本人は〜」と書いている文章を抜書きしながら『菊と刀』を読み進めることになります。レポートを作成する際に「答え」の「理由」とその「根拠」として引用するためです。抜書きは、ノートに手書きでもいいですが、どうせレポートもパソコン上でワープロソフトを使って作成するわけですから、最初から文書ファイルを作成しておくといいでしょう。本を読みながらパソコンを打つのが面倒なときは、本の該当箇所に線を引いたりハイライトしたりして印をつけておき、あとでまとめて打ち込みましょう。

『菊と刀』第三章の冒頭に、「答え」になりそうな記述がありました。「彼ら（＝日本人）の秩序と階層制度に対する信頼と、われわれ（＝アメリカ人）の自由平等に対する信仰とは、極端に異なった態度」（六〇頁）だとベネディクトは書いています。そうすると、「ルース・ベネディクトがアメリカ人と対比して見出した日本人の独自性とは何か？」という「問い」に対する「答え」は「それは、自由平等とは対照的な秩序と階層制度を重視する文化である」となりそうです。

ベネディクトはさらに「日本の階層制度に対する信頼こそ、人間相互間の関係、ならびに人間と国家との関係に関して日本人の抱いている観念全体の基礎」をなしており、階層性は「家族、国家、宗教生活および経済生活など」に見出すことができると書いています（60頁）。そうすると、「答え」の「理由」は、「なぜなら、秩序と階層制度が、日本人の家族、国家、宗教生活および経済生活など日本社会全般にベネディクトは見出しているからである」ということになるでしょう。その「根拠」として、ベネディクトが、これらの諸側面で、日本人をアメリカ人とどう比較対照しているか、その記述を引用して列挙することになります。

「根拠」として引用する記述が十分集まったら、いよいよ全体を文章にまとめます。レポートの構成要素は、序論、本論、結論の三つです。序論で「問い」を立て、本論では「答え」の「理由」とその「根拠」を順序よく説明し、結論で「答え」を出します。上の例では、序論で「ルース・ベネディクトがアメリカ人と対比して見出した日本人の独自性とは何か？」という「問い」を立て、本論で「秩序と階層制度を、日本人の家族、国家、宗教生活および経済生活など日本社会全般にベネディクトは見出している」という「理由」とその根拠となるベネディクトの記述の引用を順序よく（つまり論理的に）並べて、結論で「ベネディクトが見出した日本人の独自性は、自由平等とは対照的な秩序と階層制度を重視する文化である」と表明するわけです。もちろん、この基本線にいろいろと肉付けするわけですが、そのやり方の詳細については、末尾に挙げた参考書を読んでください。

ここでは文化人類学の例を示しましたが、他の分野でも、「問い」を立て、「答え」を出し、その「理由」と「根拠」を示すというレポートの基本は変わりません。なんだか難しそうですね。確かに簡単ではありません。しかし、やればできるし、慣れてくれば楽しくできるようになっていきます。本当ですよ！

それでは、なぜ、このようなレポートが大学で求められるのでしょうか？

それは、「問い」を立て、「答え」を出し、その「理由」と「根拠」を示すという作業が、まさに「考える」ということであり、あらゆる分野での「研究」の基本だからです。「研究」できるようになるために、「考える」練習をするために、レポートを書くのです。

文学部の学びの基本は「読んで、書いて、考える」ことです。この基本を身につけるための方法のひとつがレポートなのです。

一年次や二年次では、「この本を読んでレポートを書きなさい」ということが多いでしょう。大学生なら読んでおくべき大切な本がたくさんありますから、それぞれの分野で重要な本が、レポートの課題として出されます。そして、レポートを書くことを通して、その本について知るだけではなく、「考える」練習を積み重ねていきます。

三年次になると、実験や実習、演習といった授業で、様々な資料の集め方と読み方、様々な調査や実験のやり方、つまり「研究」のやり方を学びます。そして、研究の練習に取り組み、その成果をレポートにまとめることになります。そこでは、自分で「問い」を立て、自分で「答え」を出すのはもちろんですが、答えの「根拠」も、自分自身で集めた資料とその分析、自分自身で行った調査や実験の結果を通して示すことになります。そのやり方は、専修によって様々ですから、第三章以下を参照してください。

卒業論文・卒業研究とは？

そして、四年次になると、卒業論文・卒業研究に取り組みます。卒業論文とは、卒業研究に基づく論文です。卒業研究とは、大学四年間の集大成として取り組む「研究」です。「研究」の仕方は、学問分野によって異なります。東北大学文学部では、二年次から「専修」に所属して、それぞれの学問で使われる研究の方法を学ぶことになります。その方法を実際に使って卒業研究を行うわけです。その成果は、卒業論文という論文の形に書き上げることが多いのですが、論文以外の形でまとめることもあります。それで、卒業論文と卒業研究という区別があるわけです。しかし、基本的には同じものだと思って構いません。どちらも「研究」に違いないのですから。

ここでは、多くの専修で求められる卒業論文について、学問の違いを超えた共通の特徴を簡単に説明したいと思います。

卒業論文は、一言で言うと、レポートの親玉みたいなものです。「問い」を立て、「答え」を出し、その「根拠」を示すというのは、卒業論文も同じです。それではなぜ、卒業レポートと呼ばず、卒業論文と呼ぶのでしょうか。

それは、卒業論文とは、学問的に意義のある「問い」を立て、学問的に意義のある「答え」を出し、その「根拠」として自分が独自に行った研究の結果を示すものだからです。

レポートの場合には、比較的自由に「問い」を立てることが許されます。なぜなら、レポートは考える練習であり、そのためには自由にあれこれ「問う」ことが大事だからです。また、二年次・三年次のように学問を学び始めたばかりの段階では、重要な概念や理論、研究方法をしっかり理解しているかどうかを確かめるために、既に行われている研究を真似してみて、その結果をレポートにまとめることも少なくありません。

これに対して、卒業研究では、可能な限りオリジナルな研究、つまりまだ誰もやっていない研究に挑戦することが求められます。そのためには、学問的に意義のある「問い」を立てなければなりません。

それでは、学問的に意義があるとは、どういうことでしょうか。それは、その学問分野で未解明の問題に取り組んでおり、何らかの新発見が期待できるということです。自分が学んでいる学問において未だに解明されていない問題は何かを知るには、その学問全体をしっかりと学ぶ必要があります。そして既に行われている研究（これを先行研究と呼びます）をしっかり調べて、何がわかっていて、何がわかっていないかを明らかにし、未だわかっていないことの中で考える甲斐のあるものを一つ見つけ出します（これを先行研究のレヴューと呼びます）。このような作業を行なったうえで、卒業論文で取り組む「問い」を立てることができれば、立派に学問的な意義があると言えます。

もちろん、学部生が取り組む研究ですから、できることには限りがあります。まだ学問の勉強も途中ですし、研究に使える時間も限られています。本章の「1」で説明したように、専門を究めるには、大学院で本格的に研究を行い、博士学位を取得することが求められます。したがって、卒業論文・卒業研究の段階では、学部生でも十分取り組めそうな「問い」を立てることになります。そのために、教師や先輩のアドバイスを受け、それぞれの専修研究室に蓄えられている過去の卒業論文を参考にしながら、どんな研究ができそうか、どんな研究なら自分でもやれそうかを探し、学問的に意義のある「問い」を絞り込んでいきます。だいじょうぶ、やればできます！

次に、学問的に意義のある「答え」を出すためには、自分が学ぶ学問分野で確立された研究方法を用いて、その学問分野の専門家から見て「確かに確かだ」という結果を出さなければいけません。研究方法は、学問分野によって様々ですし、同じ学問分野のなかでも立場が違えば方法も違うということが少なくありません。やはり、教師や先輩のアドバイスを受け、それぞれの先週研究室の卒業論文で採用されてきた研究方法を参考にしながら、どういう研究方法を用いるかを決めていきます。

そして、自分の選んだ研究方法を用いて、自分で資料を集め、自分で資料を分析し、自分で出した結果をまとめます。そのまとめ方も、それぞれの学問分野で決まった形式があります。その形式に従ってまとめることによって、論文と認められるのです。ここがまた、レポートとは大きく違うところです。レポートの場合には、比較的自由な書き方が許されます。それは、先に説明したように、レポートの主目的が考える練習であり、そのためには自由に書いてみることも大切だからです。しかし、卒業論文は論文ですから、それぞれの学問分野で標準とされる論文の形式に従って書かなければならないのです。

多くの学生にとっては卒業研究が最初の本格的な「研究」であり、卒業論文が生まれて初めて書く本格的な「論文」になります。大学院進学を目指す人にとっては、将来さらに学問的な研究を行う準備ができているかどうか、論文の書き方を十分身につけているかどうかを示すものとなります。

卒業論文は論文ですから、短いレポートとは異なり、それなりの分量を書くことが、特に文学部では求められます。大学で求められるレポートは、短いもので八百〜一千二百字くらい、長いもので一万字以上でしょう。だいたい二〜四千字が普通でしょうか。これに対して、卒業論文は二〜三万字あるいはそれ以上の分量が求められます。どれくらいの長さが普通かは、学問分野によって異なりますので、それぞれの専修の先輩たちが残した卒業論文を参考にするといいでしょう。

また、卒業論文は学部生でもできる本格的な研究とはどういうものかのとてもよい見本ですから、その専修で出された卒業論文をいくつか読んでみると自分のやりたいことがその専修でできるかどうかわかります。過去の卒業論文を読むことは、進みたい専修を決める参考になります。ぜひ、あちこちの専修研究室を訪ねて、卒業論文を読み比べてみてください。

コピペはなぜ問題か？

二〇一四年の「ＳＴＡＰ細胞事件」を覚えているでしょうか？　世紀の大発見と騒がれた論文に次々と疑惑が生じ、データの改ざんやねつ造、文章のコピペといった研究不正の調査が行われ、論文が撤回される事態となりました。詳しくは、須田桃子著『捏造の科学者－STAP細胞事件』（文藝春秋社、二〇一四年）を読んでください。

この事件でも話題となったコピペですが、そのどこがどう問題なのでしょうか？

コピペとは他人の文章を丸写しすることですが、それ自体が問題なのではありません。問題なのは、他人の文章であることを明らかにせず、さも自分で書いた文章であるかのように見せることが問題なのです。他人の物を自分の物にしたらドロボーです。それは文章でも同じことです。コピペはドロボーなので、「盗用」あるいは「剽窃」と呼ばれます。「わざとじゃないよ、うっかりミスだよ」といった弁解は通用しません。悪気はなかったとしても結果として他人の文章を自分の文章にしてしまっているのですから。

注意して欲しいのは、他人の文章を使うことが悪いのではなく、その著者を明らかにせずに使うことが悪いのだということです。

レポートや卒業論文を作成する時には、他人の書いた本や論文から多くの記述を引用します。その際、誰の書いたものをどこから引用したかを明確に示す必要があります。それには三つの理由があります。一つ目は、自分と他人の文章を明確に区別し、誰の言葉なのか、発言の主体をはっきりさせるためです。「文責」（文章の内容に対して追うべき責任）の担い手をはっきりさせるためとも言えます。二つ目は、読者が自分で「原典」すなわち引用元を調べて引用の正確さを確認できるようにするためです。三つ目は、これが実は一番大切なことなのですが、文章の書き手に対して「あなたの文章には引用するだけの価値がある。引用させてくれてありがとう」と尊敬と感謝の意を示すためです。

レポートや卒業論文では、どこからどこまでが引用かを明示するために、「　」に入れたり段落を変えたりします。そして、その後に引用元を示す注を入れます。そのやり方は、学問分野によって様々なので、自分の専修の卒業論文がどうやっているかを参考にするといいでしょう。一般的なやり方については、最後に紹介する参考文献を見てください。

「たかがレポートじゃないか、ちょっとくらいコピペしたっていいだろう」と思うかもしれませんが、そう思ってインチキをくりかえしていると、それが癖になります。一旦そういう悪い癖がついてしまうと、いざという大切な時にも、その癖が出てしまって大失敗することになります。まずは授業で課されるレポートから、自分の言葉で書く癖、他人の文章を引用する時にはしっかりと引用元を示す癖をつけましょう。そういう良い癖を身につけておけば、コピペなどしたいとも思わなくなりますし、引用元を示すことをうっかり忘れてしまうといった失敗もしなくなります。レポートには、誠実に取り組んでください。

参考書

木下是雄『レポートの組み立て方』（ちくま学芸文庫、一九九四年）は、レポートの書き方の入門書としては古典で、今でも読まれ続けるロングセラーです。「事実と意見」の区別、材料集めから文章執筆、引用元の示し方などの基本を平易に解説しています。レポートから卒業論文までのマニュアルとして活用できるでしょう。

倉持よつば『桃太郎は盗人なのか？―「桃太郎」から考える鬼の正体』（新日本出版社、二〇一九年）は、小学五年生が書き上げた研究レポートです！　二〇一八年度「図書館を使った調べるコンクール」文部大臣賞を受賞し、単著として出版されました。小学生ながら、「問い」を立て、「理由」と「根拠」を示して「答え」

を出すというレポートの基本を見事に成し遂げています。一読に値します。

Ｌ・Ｔ・ディキンソン（上野直蔵訳）『文学の学び方―論文・レポートの書き方』改訂版（南雲堂、一九八二年）は、感想文とは違う、大学レベルで求められる批評文の書き方を知るのに良い本です。文学研究の基本を初学者向けに解説しています。

中尾尭・三上昭美・村上直（編）『日本史論文の書きかた―レポートから卒業論文まで』（吉川弘文館、一九九二年）は、日本史の分野での論文・レポートの書き方、特に求められる歴史の視点についての平易な解説書です。特に、先輩からの一言、論文作成便利帳が有益です。日本史だけでなく、東洋史や西洋史の学生にも参考になります。

沼崎一郎『はじめての研究レポート作成術』（岩波ジュニア新書、二〇一八年）は、主に社会科学分野において、図書館とインターネットを使って集められる資料をもとに研究レポートを作成する方法を伝授しています。大学生のレポートにも求められる研究公正についての平易な解説に特色があります。

おわりに―文学部の学びの未来

二〇一九年に発生した新型コロナウイルス感染症の蔓延に伴い、世界中の大学でオンライン授業が行われるようになりました。日本でも、二〇二〇年度・二〇二一年度は、東北大学文学部の授業もデジタル化・オンライン化されました。その結果、さまざまなインターネット技術が本格的に使われるようになり、講義ビデオのオンデマンド配信やレポート・卒業論文の電子提出などが広まりましたが、このようなＩＴ化は新型コロナウイルス感染症の終息後も、一層多様化し、さらに進展するものと予想されます。

しかしながら、専修と研究室に年齢も性別も出身も異なる教員と学生が集い、異なる立場にありながらも、一緒になって一つの専門を究めるべく研究と勉学に勤しむという東北大学文学部のユニークな研究教育の仕組みは、時代に合わせて形を変えながらも、今後とも持続的に発展していくことでしょう。

レポート・卒業論文・卒業研究への取り組み方も、その根本が変わることはないでしょう。原稿用紙に手書きで紙綴じだった時代から、パソコンによる文書作成とファイルの電子提出へと形が変わったとしても、「問い」に「理由」と「根拠」を示して「答え」を出すという基本は変わらないからです。「問い」は時代に応じて新しくなり、「理由」と「根拠」の示し方も進歩して、「答え」は大きく変わるかもしれません。しかしそれが学問の発展というものです。そして、大学での人文社会科学の学びは、そのような学問の発展の不可欠な一部なのです。ぜひ、参加してください。


【付記】

本章は、第1節を永井彰が、第2節を佐倉由泰が、第3節と「はじめに」・「おわりに」を沼崎一郎が主に担当しながら、全体をとりまとめました。

3　インド学仏教史　ブッダが開いた不死の門

西村直子

はじめに

「三年が程は、鴛鴦の衾の下に比翼の契をなし、片時見えさせ給はぬさへ、とやあらん、かくやあらんと心をつくし申せしに、今別れなば、又いつの世にか逢ひ参らせ給はんや。二世の縁と申せば、たとひ此世にてこそ夢幻の契にてさぶらふとも、必ず来世にては、一つ蓮の縁と生れさせおはしませ」とて、さめぐと泣き給ひけり。

（「浦島太郎」『御伽草子』（下）一六五頁、市古貞次校注、岩波文庫　一九八六）

「浦島太郎」の昔話を知っている人は多いだろう。その原型は『日本書紀』や『万葉集』にまで遡るという。冒頭に挙げたのは、南北朝時代から江戸初期にかけて数多く作られた、御伽草子と呼ばれる物語群の中の一篇である。助けた亀に連れられて竜宮城へ行った浦島太郎は、亀姫と夫婦になって三年のあいだ睦まじく暮らす。しかし、残してきた両親が気に懸かり、三十日だけ帰りたいと申し出る。亀姫は別離を悲しみつつも玉手箱を与え、浦島太郎を送り出す。

その場面の亀姫のセリフに「二世の縁」という言葉が現れる。夫婦の縁は、いま生きているこの世（現世）だけでなく、「来世」にも続くと考えられていたことを示す言葉である。「二世の契り」「二世の固め」「夫婦は二世」など種々の表現があり、江戸時代以降の例も多い。「次に生まれてきた時も巡り会おうね、夫婦になろうね」という願いが込められたものであろう。

このような死後の再会は、どのような条件のもとで可能となるだろうか。そもそも「生まれ変わった」と言うためには、死後も存続して個人の連続性、一貫性を保証する何らかの要素が不可欠である。どのような条件がそろえば、私たちは「私であること」を肉体の死後も維持し、「生まれ変わった」と言えるのだろうか。

1　インド学とは

インドには、この「生まれ変わり」に関する議論の長い伝統がある。インド学で扱う主だった問題は、多かれ少なかれこの議論を前提としていると言える。

インド学（Indology）は、インドの古代・中世の文献研究を中心とする学問分野である。主な資料はサンスクリット語（古インド・アーリヤ語）、パーリ語を中心とする中期インド・アーリヤ語、チベット語などで今日に伝わるものである（使用言語については後述する）。仏教学は中でも重要な分野の一つであり、スリランカ、チベット等に伝わる仏教文献もインド学の対象である。また、「インド哲学」はインド学の一カテゴリーである。宗教や思想のみならず、文法・言語、歴史、文学、医学、薬学、手工業（織物、金属加工、食品加工など）、天文学、測量、数学、建築、音楽、図像、軍事技術、農学、政治、経済、法律、制度、外交など、テーマは多岐に亘る。どのようなテーマを扱うにせよ、原典の正確な理解がインド学の基盤である。近代および現代インドの研究は考古学、歴史学、文化人類学、社会学などに委ねられてきたが、近年は諸領域との融合を目指す研究も増えつつある。相互に成果を共有することによって更なる問題の解明が期待される。

測量や経済に生まれ変わりの議論が直接関わる余地はないと思うだろうか。しかし、宗教儀礼の挙行のために発達した技術は多い。また、当時の人々の価値観に与えた影響も当然無視できない。死後の在り方に関する議論について、以下に詳しく見てゆこう。

2　輪廻

インドの宗教者たちは、身体の死後に尚も残る個人の要素が存在し、その人たることを保ったまま新たな身体を得て再生する、と考えた。死と再生の繰り返しの観念は、現存最古層の文献にも現れ（紀元前一二〇〇年頃）、今日に至るまでインドの宗教、思想に通底する最も重要な公理の一つとしての位置を占めている。仏教の創始者ブッダが、従来の宗教的論題に新たな思索を重ねてガンジス川中流域で活躍したのは紀元前五世紀頃、現存する仏教聖典（仏典）の成立は、紀元前三世紀頃以降である。彼らにとって生死の循環は最大の苦しみであり、その苦しみからの解放（解脱）が仏教興起以前から求められるようになった。死と再生の循環を意味するサンスクリット語「サンサーラ *saṁsāra-*」は、この頃の仏典あるいは同時代のウパニシャッド文献（婆羅門教聖典の一ジャンル）に初出し、仏典のインド原典を中国語に翻訳（漢訳）する際に「輪廻」と訳された。原義は「完全に一巡すること」である。

仏典では、再生する世界の選択肢として神々に生まれ変わる天道、人間に生まれ変わる人道、餓鬼道、動物の畜生道、地獄道の五つ（または阿修羅道を加えた六）が挙げられる（五趣、六趣）。天道か人道に再生できれば良いが、それ以外はどれも避けたい再生先であり、その最たるものが地獄である。

選択肢と言っても、死者が好きに選べるものではない。現世で死を迎えた後、来世では少しでも良い境遇に生まれたい。そのためには、生前の行為が重要視される。良い行いをすれば天国に行き、悪ければ地獄に落ちるというのは、多くの宗教が持つ普遍的価値観の一つである。インドでも仏教興起時代には同様の観念が広く共有されており（業、カルマンの理論）、地獄へ行くことを回避するための議論があった。ただし、インドにおける地獄の観念は、文献の最古層には現れない。インドの場合、死後の議論は、古くは専ら天界への再生を目指してなされてきたものであったと言える。

3　アーリヤ人のインド亜大陸入植とヴェーダの宗教（婆羅門教）

仏教以前に成立し、仏教が誕生する土壌を育んだ宗教は、アーリヤ Ārya 人によって整備されたヴェーダの宗教、婆羅門教である。「ヴェーダ」はアーリヤ人が伝える宗教文献群の総称、「婆羅門」はサンスクリット語「ブラーフマナ *brāhmaṇá*-（祭官、祭官［としての仕事］に携わる者）」の漢訳であり、「ブラフマン *bráhman*-（実現力のこもった言葉、または言葉の実現力）」からの派生語である。古代インド社会の身分制度として、「バラモン、クシャトリヤ、ヴァイシャ、シュードラ」という四つの階層の存在を習った人もいるだろう（これは「ヴァルナ制度」と呼ばれるものであり、一般に用いられる「カースト」はより細かい職業の世襲などを含む後代の概念、ジャーティ *jāti-*「生まれ、素性」をポルトガル語で表したものである）。「バラモン」は、先述した漢訳語「婆羅門」をカタカナで表記したものである。最古の文献は『リグヴェーダ』、紀元前一二〇〇年頃に我々が現在知ることのできる形で編集固定されたと考えられる。

アーリヤ語は、インド・ヨーロッパ語族（印欧語族）に属するインド・イラン語派の中のインド語派の言語である。黒海からカスピ海沿岸に広がる草原地帯を故地として東進し、紀元前一五〇〇年頃に現在のアフガニスタン、パキスタンに当たる地域を通ってインド亜大陸に入植したと考えられる。古代インドの文献は、インド・ヨーロッパ語族拡大の歴史を理解する上でも重要な典拠であり、その意味で、人類史の理解に意味を持つ。

アーリヤ人の亜大陸進入によってインダス文明が滅んだと、かつては考えられることもあったが現在では否定されている。インダス文明が栄えたのは紀元前二二〇〇－一九〇〇年頃、アーリヤ人が入植した時期には既に衰退していた。インダス文明が衰退していたからこそ、アーリヤ人が進入する余地が生まれたのではないか、という指摘もある。

ヴェーダの宗教は天、大地、火、水、太陽、雨、風など自然の神々、英雄神、社会制度の神々などを持つ多神教である。特筆すべき点として、神々と人間との間の対等な、ギブ・アンド・テイクの関係を前提としていることが挙げられる。両者の交流は、儀礼（ヴェーダ祭式）を通じて行われる。正しい手続きと正しい言葉によって要請された事柄は必然的に実現する、と議論の担い手である祭官たちは考えた。人間は願望成就を祈願し、正しい手続きと言葉、すなわち祭式によって神々を讃え供物を捧げる。神々にとって祭式は食物を得る機会であり、神々にも祭式を行う人間が必要であったからこそ、供物の見返りとして願望を成就させるのである。祭式は人間が神々に一方的にすがるというものではなく、手続きや公正な取引の場であった。祭官たちが祭式というシステムに対する信頼を重視し、またこれを一層強固なものにしようと努めたことは、その後の議論の展開からも読み取ることができる。論題の中心は、死後の天界における再生である。天界に生まれ変わるためには祭式が必要だと祭官たちは説いた。ヴェーダの古い議論に明確な地獄が登場しないのは、祭官たちが祭式挙行のメリットを積極的に説いたことに起因しよう。――

祭式は人間同士の取引の場でもあった。祭式は、ある願望を成就させたいと考える人間が主催者（祭主）となって、祭官に挙行を依頼するという形で行われる。神々が成就させるのは祭主の願望であり、それを祭官が仲介する。祭主は祭官に報酬を支払う。報酬はもともとは粥であったが、祭式の規模に応じて内容も変化する。祭式は彼らの宗教にとってだけではなく、経済行為としても重要な意味を担った。

4　王族たちの台頭　――ヴェーダの宗教から自由思想家たちの時代へ

最古の『リグヴェーダ』以降、仏教が興る紀元前五世紀までにヴェーダの主だった文献が祭官階級の人々によって順次編集された。『リグヴェーダ』に既に見られる再生の観念については、紀元前八〇〇－六五〇年頃の文献に理論化の跡を辿ることができる。その議論はやがて紀元前六〇〇年頃に成立した古層のウパニシャッド文献において「五火二道説」（後述）として定式化され、新たな局面を迎えた。文献に現れる価値観はその編集年代の価値観を反映しており、思想内容の展開と文献成立史とを跡付ける手がかりとなる。そして、背後には当時の人々の生活や社会の変化が横たわっている。これらが変われば人々が実現させたい願望の中身も変化する。議論の深化は、祭式を行う目的の変化とも即応している。人々は、祭式を通じてどのような願望を成就させようとしたのだろうか。移住遊牧生活と定住生活とを繰り返しつつ東進したアーリヤ人たちにとって最大の関心事は、主要財産である家畜が増えることと、子孫の繁栄とであった。また天体の運行など自然の循環の維持も重視された。これらは当然「現世利益（げんぜりやく）」の側面を持ち、彼らの生活と社会を安定させる上で役割を果たした。

彼らの生活が変化するにつれて、願望の中心は死後の天界における再生へと移っていった。亜大陸内部での定住化に伴い、社会や経済の基盤が安定したことも影響したであろう。新しい社会で力を持ち始めた王族階級（クシャトリヤ／ラージャニヤ）をパトロンとする大規模な王権儀礼の整備が進んだ。大規模祭式では祭主から祭官に支払われる報酬も大きく、また祭主となる王族にとっては自分の権力を誇示できる機会ともなり得た。

この祭官と王族祭主との関係は、相互に利し合う対等なものに見えるかもしれない。しかし、祭官たちは王族を利用しながら、一方で彼らを自分たちより下位に置こうとし続けた。深遠なる死後の再生を巡る議論は祭官階級にのみ許されたものであり、王族の与る余地はないかの如く、祭官たちは王族を最先端の神学議論から締め出した。この傾向は特に、紀元前八〇〇－七〇〇年頃の議論に特徴的である。

しかし、王族たちもそのような扱いをいつまでも甘受していたわけではない。紀元前六五〇頃以降の文献には、王族が祭官たちと議論を交わす場面が繰り返し現れ、王族たちが独自の議論を発展させたことを強く示唆している。その到達点の一つが、「五火二道説」である。祭式行為と胎児の発生過程とを重ね合わせる五火説と、死後にひとが辿るべき二つの道を教える二道説とは、死後の在り方を巡る当時最先端の教説であり、王族が祭官に教えるという形で定式化される。最新の議論に関して、祭官と王族との立場が逆転しているのだ。

両者の関係は、宗教的にも社会的にも従来とは異なるバランスで拮抗しながら、ヴェーダ以外の新しい宗教や思想を形成する土壌を育んでいった。そうして訪れたのが紀元前五世紀頃、「自由思想家たち」の時代である。ここでいう「自由」とは、「ヴェーダの価値観から自由になった」ことを意味する。祭官たちの主導力は相対的に後退し、多様な思想家たち、苦行者たちが活躍する時代になった。ブッダもそのような自由思想家たちの一人であるが、出自は王族であり、婆羅門たちにも教えを説いた。「王族が祭官に教えを授ける」という図式は、ブッダの在り方にも通じる点があると言えるかもしれない。自由思想家たちの活躍の背景には、定住化に伴う村落共同体の展開、そして都市住民の成立が挙げられる。

5　二道説、アートマン、ブッダの「不死」

二道説は、祭官たちの「祭式を行って死後に天界へ行こう」という提唱に対して、より望ましい結果とそれを獲得する方法とを提示している点で、来るべき自由思想家たちの時代を予見させるものとなっている。死後に天界へ再生することは、先述の通りヴェーダ祭式の最重要目的の一つであった。では、天界に生まれ変われば目的を果たしたと言えるかというと、そうではない。ひとは生前に行った祭式の規模と祭官に支払った報酬の多寡とに応じて天界に留まれる時間が定められ、いつかは必ず地上へと再生しなければならない、と祭官たちは考えた。地上で死に、天界でも死んでまた地上に再生する。天界で死ぬことを、彼らは「再死」と呼び、これを如何に克服するかが議論の中心となっていった。地上に再生すれば、また苦しい生活が待っている。人々はできるだけ長く天界にいたいと願ったであろうし、また祭官たちはそれを可能とする大規模祭式を数多く行うよう推奨した。だが、再死を克服する決定的な方法を祭官たちは提示できない。一方、王族たちは、祭式を捨てて苦行を行えば二度と地上に再生せず生死の連環を断ち切ることができる、と論じた。ひとは死後、「祖霊たちが辿る道」か「神々が辿る道」か何れかの道を辿って死者の世界へ赴く、という「二道説」である。家庭生活を営み祭式を行って死んだ者は祖霊たちが辿る道を通ってやがてまた地上に再生する。しかし、家庭生活も祭式も捨てて人里離れたところで苦行を行い死んだ者は、神々が辿る道を通って二度と再生しない。祭式では生死の連続から解放されないのだ、二度と再生しないためには祭式ではなく苦行が必要なのだ、というのが王族たち独自の議論であり、これを祭官たちも受け入れた。議論の基盤は祭式から苦行へと移り、自由思想家たちの時代に引き継がれた。

さて、死後天界に再生する時、或いは祖霊たちの道や神々の道を通ってゆく時、生前の「その人」の何が再生し、各々の道を通ってゆくのだろうか。死後も存続して個人の連続性、一貫性を保証する何らかの要素がなければ、この議論は成り立たない。祭官たちは、この個人の要素、個人の原理を「アートマン *ātmán-*」と呼んだ。輪廻する主体である。死に際してアートマンは身体から外に出てゆき、神々の道を通る場合にはそのまま地上には帰ってこない。祖霊たちの道を通った場合はまた地上に戻り、胎児発生の瞬間に母胎に進入して新たな身体を獲得する。彼らはアートマンという輪廻主体によって、個人の連続性、一貫性が保持されると考えた。

紀元前六五〇－六〇〇年ころの文献によって活躍が伝えられる祭官学者に、ヤージュニャヴァルキヤがいる。彼は、アートマンを形容する言葉に以下の四つを挙げる：①老いない、②死なない、③恐れない、④不死である。これらの中の①と④はどう違うのだろう。この四つはブッダが説いた「四苦」（ⓐ生苦、ⓑ老苦、ⓒ病苦、ⓓ死苦）と対応関係にあることが、後藤敏文東北大学名誉教授により指摘されている。ブッダの四苦とは、通常の人生では避けることのできない四つの苦しみを列挙したものである。ⓐ生苦は「生きる苦しみ」ではなく、「生まれる苦しみ」即ち再生する、輪廻の苦しみである。①－④とⓐ－ⓓとの対応は、以下の通りとなる：

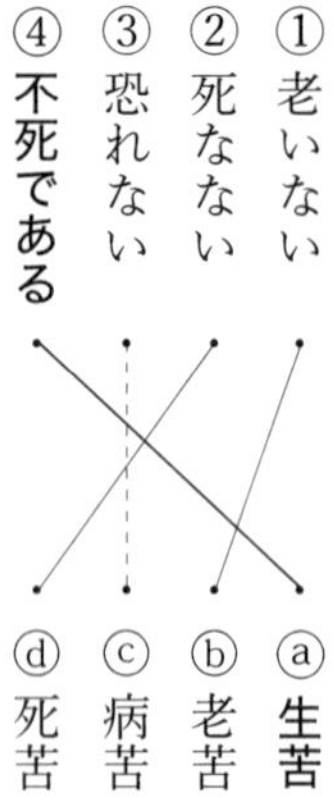

① 老いない
② 死なない
③ 恐れない
④ **不死である**

ⓐ **生苦**
ⓑ 老苦
ⓒ 病苦
ⓓ 死苦

「④不死である」とは「ⓐ生苦」と対応し、生苦が再生する苦しみを表すことを考慮すると、天界で死なない、再死を克服している、という意味であることが理解できる。

ブッダが覚った真理を人々に説くことを決心した時の場面に、次のような言葉が伝えられている（『サンユッタ・ニカーヤ』六・一・一・十三）、

　このように知って、世尊は娑婆（しゃば）（会衆）の主ブラフマー神に次の詩節をもって答えた：

「彼らに対して**不死の門**は開かれた。耳を持つ者たちは、信を発（お）こせ。害になると理解し、すぐれた卓越した教えを人々に私は語らなかったのだ、ブラフマー神よ。」

「不死の門」が開かれたとは、二度と再生しない解脱への扉が開かれた、ということを意味する。ブッダの教えによって再死を克服できるとブッダは宣言したのだ。覚りを開いた後、ブッダは自分が会得した真理は人々に理解されないだろうと考え、説法を躊躇したと伝えられている。それを説得したのがブラフマー神（梵天）である。この場面は「梵天勧請（ぼんてんかんじょう）」と呼ばれる。

仏教は後に世界各地に広がり、インド内部でも他の地域でも様々に展開した。本邦へは中国大陸、朝鮮半島を経て五三八年に伝来し（異説あり）、今日に至るまで私たちの生活に大きな影響を及ぼしている。その背後には、紀元前一二〇〇年頃まで遡るヴェーダの祭官たちによる議論の蓄積が横たわっている。また、インドにおける仏教の伝統はイスラーム勢力によって十三世紀にいったん途切れてしまうが、諸外国、特にチベットの伝承が果たす役割も大きく、大乗仏教、密教という展開と議論の深化については、稿末に挙げる参考文献を参照してほしい。

彼らは死後のことばかり気にしていたように見えるかもしれないが、死後にどのような世界を享受したいか、そのためには生きている今の世界で何をすべきなのか、ということに力点が置かれていると言える。生きている私たちは何をすべきか、インドの長い長い伝統から考える機会は、大学生活の中でこそ得られるものの一つだろう。

6　おわりに

最後に、インドおよびチベット原典の読解に必要な外国語学習について触れる。
インド学のどのような分野を専門とするにせよ、サンスクリット語（古インド・アーリヤ語）が必修である。初級では日本語で書かれた初等文法を用い、中級では英語による文法書とReaderを用いる：J・ゴンダ著、鎧淳訳『サンスクリット語初等文法』春秋社；W. D. Whitney, A Sanskrit Grammar（第二版）1899+; Ch. R. Lanman, A Sanskrit Reader, 1906+. 辞書も文法書も、ドイツ語で書かれたものの水準は他と比較にならない。詳細については後藤敏文「インド学へのいざない［6］」（月刊『言語』二〇〇九年九月号）が参考になろう（https://gototoshifumi.jimdofree.com/%E8%AB%96%E6%96%87%E7%AD%89-%EF%BD%97%EF%BD%8F%EF%BD%92%EF%BD%8B%EF%BD%93/ よりダウンロード可能［二〇二一年十一月現在］）。インドの文字、デーヴァナーガリー文字で出版されている文献を読むためには、デーヴァナーガリー文字をローマ字で置き換える練習も必要である。サンスクリット語の学習は、他のインド・ヨーロッパ語の理解にも大いに役立つ。

パーリ語は、中期インド・アーリヤ語の一つである。サンスクリット語と同じインド・アーリヤ語の発展形の一つであり、初級サンスクリットを学んでから始めるのが合理的である。パーリ語で伝えられる文献を読む上ではもちろん必須だが、サンスクリット語の理解にも利するところが大きい。文法書及び初学者のテキストとして：Geiger著、Batakrishna Ghosh英訳、Norman改訂、A Pāli Grammar, 1994; Andersen, A Pāli reader with notes and glossary, 1907-1917.

チベット語はインド・ヨーロッパ語とは異なり、日本語に近い文の構造を持つ。インド原典が失われた仏教文献の中には、散逸以前にチベット語に翻訳されたおかげで現代まで伝わっているものも多い。仏教研究には必要不可欠の言語であり、チベット文字の学習も必要である。辞書及び文法書は、以下を用いる：S. C. Das, Tibetan English Dictionary, 臨川書店、山口瑞鳳『概説チベット語文語文典』、春秋社。

これらの言語の学習を難しそうだと思う人もいるだろう。もちろん容易というわけではないが、誰もがゼロから出発する。特別な頭脳や華々しい才能がすべてという世界でもない。スピードのある者が持つ強みとは別に、スピードのない者にも強みがある。インド学が扱う文献の伝承は、三〇〇〇年以上の昔に遡る。今日まで積み重ねられてきた成果に新たな成果を積み重ねるのは、読者の皆さんかもしれない。臆することなく挑戦してほしい。

一時は価値あるものと判断された事物も、時代や地域に応じて価値を失うことがある。また、その逆もある。かつて、大きく変化する社会の中で新たな価値観を模索し続けた人々がおり、その中からブッダが登場した。彼らの姿は現代の我々にも指標を与えうるものであり、その点で、人文社会科学の担うべき役割はますます重みを増すはずである。インドに留まらず人類全体の歴史を俯瞰する上でも出発点となる情報を、インド学仏教史学の諸成果は今後も提供するだろう。

〈参考図書〉

長尾雅人・服部正明編『原始仏典・バラモン経典』中央公論社
上村勝彦・宮元啓一編『インドの夢・インドの愛　―サンスクリット・アンソロジー―』春秋社
中村元『インド思想史』岩波全書二一三
早島鏡正・高崎直道・原実・前田専学『インド思想史』東京大学出版会
辻直四郎『インド文明の曙　―ヴェーダとウパニシャッド』岩波新書
平川彰『インド仏教史』上・下　春秋社
竹村牧男『インド仏教の歴史』講談社学術文庫
並川孝儀『ブッダたちの仏教』ちくま新書

4　英語学　言葉に関する無自覚な知識の解明

島　越　郎

はじめに―学習文法から生成文法へ

大学入試に合格するために、受験生は受験科目の一つである英語を一生懸命勉強しますが、英語の文法や語法を完全にマスターすることはなかなかできません。例えば、私が大学時代に使っていた英文法の参考書『英文法解説』（江川泰一郎著・金子書房）の中に、高校生が間違いやすい形容詞の使い方に関して次のような解説があります。

…「君たちはこの川で泳ぐのは危険です」という文を高校のクラスで英訳させると、必ず何人かの生徒は次のように書くはずである。

You are dangerous to swim in this river.　〈誤〉

これでは前半のYou are dangerousが「君たちは危険（な人間）です」となり、（Youが泳ぐと他人に危険を与えると解さない限り）文意は成立しない。

この種の誤りは大学生にも時折見られます。正しくは、This river is dangerous to swim in. です。ここでのポイントは形容詞 dangerous の使い方です。形容詞 dangerous の後に不定詞節が生起する場合、文頭の主語は不定詞節内の動詞の目的語に対応します。英語を外国語として学ぶ日本人にとって、この様な形容詞の使い方は難しく、何回も間違いながら学習するしか上達の道はありません。では、次のような日本文はどうでしょうか？

(1) a. あの国は、すぐに攻めやすい。
b. あの国は、すぐに攻めたがる。

日本語を母語としている者ならば、(1a)における文頭の「あの国」は「攻める」の目的語に対応し、(1b)の「あの国」は「攻める」の主語に対応することを理解できます。この違いは親から、また、学校で教わっていないにもかかわらず、日本人は既に理解しているのです。

このように、自分の母語については意識的に勉強もせずに分かるが、その他の言葉については一生懸命努力して勉強してもなかなか分からないということは、受験生だけでなく、言葉を学習する者ならば誰もが経験することです。これはどうしてでしょうか？この問題に対して、アメリカの理論言語学者ノーム・チョムスキー(Noam Chomsky)は、「ヒトには自分が生まれ育った環境で話されている言葉を母語として獲得する能力が生まれながらに備わっている」と考えました。この様な能力は普遍文法（または言語能力）と呼ばれ、脳の構造の一部に精神機能を司る心的器官として存在すると考えられています。この普遍文法に対して初期データーである言葉が作用することにより、日本語や英語などの個別言語に関する規則の体系である個別文法が産み出されます。この考えを図式化すると次のようになります。

(2)　初期データーとしての言葉　↓　普遍文法　↓　個別文法

この考えによると、日本人が日本語の文法を獲得するのは、初期データーが偶々日本語であったからに過ぎません。両親が日本人であっても、生まれ育った環境が英語であった場合、初期データーが英語であるため、英語の文法を獲得することになります。また、(2)のプロセスは幼児期の極めて短い期間に無意識に行われ、得られた個別文法の知識も自覚的な知識ではなく、無自覚な知識です。それは、我々が自分の心臓を使って血液を身体全体に循環させることができるが、心臓の働き方に関する知識を自覚していないことと同じです。そのため、日本語の文法を獲得した者は、(1a,b)の解釈の違いを直感的に理解できますが、そのような違いが何故生じるのかという理由については分かりません。

(2)の考えを踏まえた場合、言語学者にとっての究極の課題は、人類が先天的に兼ね備えている普遍文法の正体を明らかにすることになります。この課題に取り組むに当たり、初期データーの言葉から研究を開始することはできません。何故なら、言語獲得の最中である幼児に「何を初期データーとして使用しているのか?」とは問えないからです。そうすると、個別文法から普遍文法に迫るしか方法がありません。但し、先程も申したように、個別文法に関する知識は無自覚な知識です。英語を母語とする話者に、「"You are dangerous to swim in this river."という文は、『君たちはこの川で泳ぐのは危険です』と解釈できない理由は何か?」と質問しても、満足できる答えは得られません。それは、日本語を母語としている者が、(1a,b)の違いに

(3) a. This river is dangerous to swim in.
b. Mary offered to show us the way.
c. Tom seems to be shocked.

ついて納得のいく説明ができないのと同じです。母語話者が言語学者に提供してくれる情報は、個別の文に関する直感的な判断に過ぎません。例えば、ある文が日本語（あるいは、英語）として許されるかどうか？また、ある文がどの様な解釈を持ちうるのか？というような判断です。この様な文に関する判断をなるべく多く分析し、それらを整合的・統一的に説明することにより、我々が直に接することができない普遍文法に少しずつ近づくしかありません。この地道な営みこそが、言語学者の研究なのです。

本稿では、母語話者が提供する判断を手がかりに、普遍文法の解明に迫ろうとする、生成文法と呼ばれる言語理論における研究を紹介したいと思います。具体的に見る言語現象は、英語に見られる不定詞節内の要素と主節要素との対応関係に関する研究です。

上記(3)の文において、文の主語は不定詞節内の要素と対応しています。既に述べたように、形容詞 dangerous が述語として使われている(3a)では、文の主語 this river は不定詞節内の前置詞 in の目的語に対応します。他方、(3b,c)では、文頭の主語は不定詞節内の動詞の主語に対応します。この様な意味的な対応関係は、普遍文法におけるどのような規則で保証されているのでしょうか？全て同じような規則が関連しているのでしょうか？それとも、異なるメカニズムがそれぞれ働いているのでしょうか？先ずは、(3b)のタイプに見られる文頭の主語と不定詞節内の主語との対応関係から見ていくことにしましょう。

(4)　a.　He served dinner angry at the guests.
　　　b.　To serve dinner angry at the guests is bad manners.

(5)　a.　John pleaded with Mary cheerful.
　　　b.　John pleaded with Mary to arrive cheerful.

1　発音されない主語PRO

文(3b)のような不定詞節内に発音されない主語が存在することを示す証拠があります。上記(4)の文を見てみましょう。(4a)では、angry at the guestsが主語heを修飾し、「夕食を出す人」の状態を表しています。つまり、この文は「彼は客に怒った状態で夕食を出した」と解釈されます。同様に、(4b)でも不定詞節内に生起するangry at the guestsが「夕食を出す人」の状態を表しています。ただし、(4a)とは異なり、(4b)では「夕食を出す人」を表す動詞serveの主語が生起していません。それにもかかわらず、(4b)は「客に怒った状態で夕食を出すことは行儀が悪い」と解釈されます。(4b)が表す解釈は、不定詞節には発音されない主語が存在し、この主語をangry at the guestsが修飾していることを示唆します。

不定詞節における発音されない主語は、(5)の解釈の違いからも覗えます。(5a)は、形容詞cheerfulは主語Johnを修飾できますが、Maryを修飾できません。つまり、この文は、「Johnは陽気な状態で、Maryに御願いした」とは解釈できますが、「JohnがMaryに陽気になるよう御願いした」とは解釈できません。他方、(5b)では、不定詞節内のcheerfulがMaryを修飾でき、「JohnがMaryに陽気な状態で来るよう御願いした」と解釈できます。この解釈上の違いは、不定詞節には発音されない主語が存在すると考えることにより説明できます。説明の便宜上、不定詞節内の発音されない主語を[e]と表記することにします。この場合、(5b)は(6)のように表すことができます。(6)では、不定詞toの前に動詞arriveの主語が[e]

(6) John pleaded with Mary [e] to arrive cheerful.

(7) John pleaded with Mary ~~Mary~~ to arrive cheerful.

(8) People To serve dinner angry at the guests is bad manners.

として生起しています。(5a)と同様に、(6)においてもcheerfulは前置詞の目的語Maryを直接修飾できません。しかし、(5a)においてcheerfulが主語Johnを修飾できるように、(6)の不定詞節内においてcheerfulは動詞arriveの主語である[e]を修飾できます。そして、[e]とMaryが同一だとすると、[e]を通じてcheerfulはMaryを修飾することになります。このように、(5a,b)の解釈の違いは、不定詞節内に発音されない主語を考えることにより説明できます。

では、(6)における[e]とMaryの同一性はどの様に説明されるのでしょうか？一つの可能性は、削除を使うことです。つまり、(5b)の元々の文においては、不定詞toの前にMaryが生起し、このMaryがwithの目的語と同一であるために削除されたと考えるのです。(7)では、削除されたMaryが取り消し線で示されています。しかし、この考えには問題があります。先ず、削除により(4b)のような文を得ることはできません。(4b)における不定詞節の主語は特定の人物を指すのではなく、人々一般を意味します。そのため、削除を考えた場合、(4b)の元々の文としては(8)のような文を設定し、Peopleを削除する必要があります。しかし、Peopleの先行詞が不明です。削除される要素の先行詞は、必ず言語表現として先行文中に生起していなければいけません。(4b)のような文は先行文の無い文脈においても使用できることを考えると、削除から(4b)を得るという考えには無理があります。

また、不定詞節の主語は削除されるという考えは、(9)の文の解釈も説明できません。削除の考えを踏まえると、(9)は(10)の文から得られることになります。(10)では、不定詞toの前に動詞winの主語としてevery contestantが生起し、これと同じ要素が主節動

(9)　Every contestant expects to win.

(10)　Every contestant expects ~~every contestant~~ to win.

(11)　Every contestant expects himself to win.

詞 expects の主語として生起しています。2つ目の every contestant を削除することにより、(9)が得られると考えるわけです。しかし、この削除を使う考えには問題があります。削除により得られた(9)が表す意味と元々の(10)が表す意味が異なるのです。(9)は「全ての競技者が自分が勝つと予想している」と解釈されます。他方、(10)は「全ての競技者が全ての競技者が勝つと予想している」と解釈されます。(10)の解釈は不自然かもしれませんが、(9)とは異なる解釈であることは明らかです。削除の前と後では基本的な意味が保持され、同じ意味を表します。そのため、(9)とは異なる意味を持つ(10)に削除を適用することにより(9)を得ることはできません。従って、不定詞節の主語を削除により取り除くという考えを採用することはできません。

(9)の表す意味を考えた場合、同じ意味を表す文は(10)ではなく、(11)の文です。(11)では、不定詞 to の前に動詞 win の主語として照応表現の一種である himself が生起しています。この himself が主節主語の every contestant を先行詞に取ることで、「全ての競技者が自分が勝つと予想している」と解釈されます。このことから、(9)においても、to の前に発音されない照応表現が生起し、その表現の先行詞が主節主語であると考えられます。この様な照応表現を PRO とし、下付文字でその先行詞を示すことにしましょう。そうすると、(9)は(12)のように表すことができます。(12)では、発音されない PRO が動詞 win の主語として生起し、また、その先行詞は同じ下付文字の1を共有する主節主語になります。

この発音されない照応表現としての PRO の考え方は、(4b)や(5b)についても当てはまりま

(12) Every contestant$_1$ expects PRO$_1$ to win.

(13) John pleaded with Mary$_1$ PRO$_1$ to arrive cheerful.

(14) PRO To serve dinner angry at the guests is bad manners.

(15) They (=People) say that the criminal was arrested.

(16) Mary$_1$ offered PRO$_1$ to show us the way.

す。PROを使って(5b)を表すと、⒀のようになります。⒀では、PROの先行詞が主節主語のJohnではなく、withの目的語のMaryとなります。PROはMaryを指すので、PROを修飾するcheerfulはMaryを修飾することになります。また、(4b)は⒁のように表すことができます。⒁におけるPROは、特定の人物を指すわけではなく、人々一般を意味します。これは、⒂の代名詞theyと同じ用法だと考えられます。⒁のPROも、⒂のtheyと同様に、人々一般を意味すると考えるのです。

このように、(3b)のような不定詞節の主語は削除により取り除かれるのではなく、⒃に示す様に、発音されない照応表現PROが不定詞toの前に存在し、主節主語Maryを先行詞に取ると考えられます。

2 主語への繰り上げ移動

次に、⒄について考えてみましょう。この文でも、動詞seemの後に不定詞節が生起し、その不定詞節の意味上の主語が主節主語Johnに対応しています。今まで見てきた照応表現PROの考え方が⒄についても当てはまるように見えます。しかし、この文は、これまで見てきた不定詞節を含む文とは異なる振る舞いを示します。例えば、⒄は⒅の文で言い換えること

(17) John seems to be an excellent student.

(18) It seems that John is an excellent student.

(19) a. Every contestant expects to win.
b.* It expects that every contestant wins.

ができます。⒅では、動詞seemsの主語位置に仮の主語Itが生起し、動詞に後続するthat節を指しています。このことは、意味的に考えると、⒅の動詞seemに関連する要素はthat節だけであることを示しています。つまり、「思われる（=seem）」内容がthat節で表されているわけです。⒄と⒅が言い換え可能なため、⒄においても同じ意味関係が成り立つと考えられます。従って、⒄における動詞seemsも、主語のJohnと意味関係を直接持つわけではありません。これに対して、今まで見てきた不定詞節を含む文は、仮の主語Itで言い換えることができません。例えば、(19a)を(19b)のように表すことはできません。（文の前のアスタリスク（*）は、英語母語話者が英語の文としては成立しないと判断する文を示しています。）動詞expectは、予測する人と予測される内容の2つが揃って初めて意味的内容が成立します。(19b)では、それら2つの意味要素が表されていません。その結果、(19b)は文としては成立しません。このように、⒄と(19a)は異なる振る舞いを示し、(19a)に仮定したPRO分析を⒄に適用することができないことが分かります。

では、⒄において、不定詞節の意味上の主語が主節主語Johnに対応している事実はどのように説明されるのでしょうか？⒄と⒅が同じ意味を表すことから、⒄の文の元々の形は⒇であると考えられます。⒇では、Johnが不定詞toの前に生起し、動詞seemsの主語位置は空になっています。⒇におけるJohnは、不定詞節の主語位置を占め、be an excellent studentの主語として解釈されます。また、⒅のthat節

(20) seems [John to be an excellent student].

(21) John seems [t_{John} to be an excellent student].

と同様に、(20)の不定詞節も動詞 seems と意味的関係を持ちます。つまり、(20)では、「思われる(=seem)」内容が不定詞節で表されています。(17)が(20)から得られると考えることにより、(17)と(18)が同じ意味を表す事実を捉えることができます。ただし、(20)のままでは文が完成しません。主節の主語位置を埋める必要があります。that節の場合は仮の主語 itを使えますが、(20)の不定詞節の場合は itを使うことができません。そのため、最後の手段として、不定詞節の主語 John が主節の主語位置に移動します。John が主節の主語位置に移動した結果、不定詞節の主語位置には John の痕跡が残ります。(21)では、John の痕跡を t_{John} で示しています。この痕跡は、発音されません。このように、(17)における不定詞節の意味上の主語が主節主語の John に対応している事実は、John の主節主語への「繰り上げ」移動により説明できます。このような「繰り上げ」移動が関与する述語には、seem 以外に、形容詞の certain, sure や動詞の appear, turn out, happen 等があり、これらの述語は「繰り上げ述語」と呼ばれています。

3 Tough構文

最後に、本稿の書き出しで問題にした、(22)について考えてみましょう。(22)における主節主語の this river は不定詞節内の前置詞 inの目的語に対応します。Dangerous 以外にも、難易や快不快を表す形容詞 comfortable, easy, difficult 等々の後に不定詞節が生起する場合、文頭の主語は不定詞節内の動詞の目的語に対応します。このような特徴を持つ文は tough構文と呼ばれて

(22) This river is dangerous to swim in.

(23) It is dangerous to swim in this river.

(24) This river is dangerous [PRO to swim in $t_{\text{this river}}$].

います。繰り上げ述語seemの場合と同様に、(22)も仮の主語Itを使って(23)のように言い換えることができます。また、(22)と(23)の不定詞節の主語は一般的「人々」を意味します。そうすると、(22)のようなtough構文は、(24)のように作られた文ではないかと推測されます。(24)では、不定詞節内に発音されない主語PROが存在し、このPROが不特定の人々を意味します。これは、(14)におけるPROと同じです。また、主節主語のThis riverは、不定詞節内の前置詞inの目的語の位置から主節主語の位置に移動しています。この移動により、This riverがinの目的語として解釈される事実も説明されます。このような移動は、(21)の「繰り上げ述語」構文において仮定した操作です。

このように、不定詞節内から名詞句が移動すると仮定することにより、(22)のようなtough構文の解釈を説明できます。しかし、このような名詞句の移動をtough構文に仮定する考えには問題もあります。通常、名詞句の移動は、(21)のような繰り上げ述語構文や(25)のような受け身構文において見られる現象です。(25)では、主語のMaryは意味的には動詞inviteの目的語として解釈されます。このことは、Maryがinviteの目的語の位置から主語の位置に移動していると考えることができます。Tough構文に名詞句移動を仮定した場合、同じ名詞句移動を含む受け身構文とtough構文には同じ振る舞いが見られると予測されますが、この予測は正しくはありません。(26a)のtough構文では、主語のthis drawerが不定詞節内の前置詞inの目的語に対応しています。他方、(26b)の受け身構文では、この様な対応関係が許されません。(27)も同様の対比を表しています。また、(28)は動詞giveが2つの目

(25) Mary was invited t_{Mary}.

(26) a. This drawer was hard to keep the files in.
b.* This drawer was kept the files in.

(27) a. John was tough to give criticism to.
b.* Gerald was given the bomb to by Mary.

(28) a.* John was tough to give criticism.
b. Gerald was given the bomb by Mary.

的語を取る「二重目的語」構文です。この場合、(28b)が示すように、間接目的語を受け身構文の主語にすることができます。他方、(28a)のtough構文ではこの様な対応関係が許されず、主語のJohnを不定詞節内の間接目的語として解釈することができません。

このように、tough構文は受け身構文とは異なる特徴を持ちます。(26-28)に見られるtough構文の特徴は、(29)のような疑問文に見られる特徴です。(29a)では、文頭の疑問詞which folderは前置詞inの目的語として解釈されます。同様に、(29b)の疑問詞whoは前置詞toの目的語として解釈されます。他方、(29c)において、疑問詞whoを動詞giveの間接目的語として解釈することができません。このことから、tough構文においても、疑問詞に相当する要素が不定詞節内で移動しているのではないかと考えることができます。具体的には、(22)のtough構文は(30)のように作られたと考えられます。

(30)では、疑問詞に相当する要素whが前置詞inの目的語の位置から不定詞節内の先頭の位置に移動しています。但し、このwhは、通常の疑問詞とは異なり、発音されない疑問詞です。この様な疑問詞は空演算子と呼ばれています。空演算子の移動が適用された不定詞節全体が主語のthis riverを修飾することにより、this riverが前置詞inの目的語として解釈されることになります。

(29) a. Which folder does Margret keep the letter in?
b. Who did you give the book to?
c.* Who did you give the book?

(30) This river is dangerous [Wh PRO to swim in t_{wh}].

おわりに

本稿では、英語における不定詞節内の要素と主節の要素の対応関係に関する現象を考察してきました。これらは、発音されない、目には見えない表現に関する現象ですが、英語を母語とする者ならば誰でも、これらの現象の可否と表す意味を一律に判断できます。このような見えない、聞こえない言語表現に関する規則を、幼児が親から教わったとは考えられません。なぜなら、母語を獲得している段階にある幼児が、音には聞こえず、目には見えない表現に関する規則を、親の教育により後天的に学習するとは考えられないからです。これらの規則は、人類が先天的に兼ね備えた、母語を獲得する能力である普遍文法に由来すると考えられます。そのため、不定詞節に関する現象を考察することは、英語という個別文法に関する研究だけでなく、普遍文法に関する研究にも直接繋がります。このように、英語学における研究は、英語を母語とする話者の直観的判断を丹念に調べることにより、人間という種が共通に持つ普遍文法の特性を解明することに近づこうとする試みなのです。

最後に、英語学を含む人文社会科学全体の未来を少しばかり想像したいと思います。本稿では、「普遍文法を構成する規則とは、どの様な規則なのか？」という問題に答えることが重要な研究課題であることを述べてきましたが、もう一つの大切な問題として、「人類は、どのように普遍文法を獲得したのか？」という問題があります。これは、

「他の生物とは異なり、何故、人類だけが言葉を使えるようになったのか?」という問題です。チンパンジーも言葉を使えるという研究もありますが、チンパンジーの言葉は簡単なことしか表現できません。一方、人類の言葉は極めて複雑な事象も表現できます。例えば、仮定法と呼ばれる表現は現実に起きていない事象を表しますが、チンパンジーの言葉には仮定法は存在しません。人類は複雑な事象を表現できる普遍文法を獲得することにより、時代を超えた「古典」と呼ばれる数多くの文学作品や思想・哲学書を後世に残し、今もなお多くの新しい文化的営みを続けています。この様な文化活動の基盤となっているものこそが普遍文法なのです。そう考えると「チンパンジーではなく、我々人類の頭の中で、普遍文法がどのように生まれたのか?」という問題は、人類の起源や特質を考える上でも非常に興味深い問題です。英語学の学問分野が今後進展していくことにより、普遍文法の起源に関する具体的な仮説も提示され、その仮説の経験的妥当性が考古学、文化人類学、心理学、歴史学などの人文社会科学における様々な学問分野から検証されることにより、ヒトという種の本質に迫ることが期待できます。

〈ブックガイド〉

・『生成文法の企て』ノーム・チョムスキー著　福井直樹・辻子美保子訳　岩波書店

生成文法理論の創始者であるチョムスキーへの二つのインタビューが収録されており、言語学だけでなく、科学一般に関するチュムスキーの考えを知ることができます。訳者による解説も参考になります。予備的知識が乏しい初学者には難解ですが、生成文法の本質に迫ることができる一冊です。

・『生成文法の新展開：ミニマリスト・プログラム』中村捷・金子義明・菊地朗著　研究社

生成文法におけるこれまでの理論の展開を、標準理論、GB理論、ミニマリスト・プログラムの三つの時期に大きく分け、生成文法理論の主要な流れを解説しています。初学者には、第一章の「生成文法理論の目標」と第二章の「統語論の基礎」が特に参考になります。

・『英語の主要構文』中村捷・金子義明著　研究社

生成文法理論の枠組みの下で、英語における主要な構文の特徴を整理しています。本稿で紹介した、PROに関するコントロール現象、主語繰り上げに関する名詞句移動、Tough構文に関する分析もより詳しく解説しています。上記の『生成文法の新展開』と合わせて読むことで、言語分析の理解が深まります。

・上記の本以外にも、子どもの言語習得には生得的な本能が重要な役割を担うことを様々な角度から論じた『言語を生み出す本能（上、下）』（スティーブン・ピンカー著　椋田直子訳　日本放送出版協会）や、地球上に存在する言語の多様性を生成文法理論の下でどのように説明するかを論じた『言語のレシピ：多様性にひそむ普遍性をもとめて』（マーク・C・ベイカー著　郡司隆男訳　岩波書店）などがお薦めです。

5　英文学　文学とはなにか？
――このじつはむずかしい問いから研究をはじめてみよう――

大貫隆史

はじめに

「文学」とはなにかを考えてみましょう。これはじつはかなりむずかしい問題です。「小説」や「詩」あるいは「劇」などの、いろいろな「作品」が「文学」なのでしょうか？　この答えはもちろん間違いではありません。ですが、そういう「文学」を「研究」するとき、いったいなにを「研究」するのでしょうか？夏目漱石の『坊っちゃん』でもいいですし、村上春樹の『1Q84』でもいいのですが、そういう作品それ自体が「文学」だとすると、なにがそこで研究されるのでしょう？　作品に込められた作者の意図でしょうか。作品のかたち（forms）でしょうか。作品が発表された同時代にもっていった意味や価値を特定することでしょうか。

いまいろいろと挙げたこと、つまり、「意図」「フォーム」「意味」「価値」といったものは、いずれも重要な研究対象となり得るものです。ですが、根本的な問題が出てきてしまいます。

「作品」の「意図」「フォーム」「意味」「価値」を知りたい？　ならば、夏目漱石や村上春樹といった作者本人に聞けばいいだろう。本人が存命ではない？　ならば、「自伝」を読むなり、近しかった人間にインタヴューすればいいだろう。だから、文学研究なぞ、なんの意味もないのだ。こういう、やや乱暴にも見えますが、耳にすることが意外とおおい批判に、文学＝文学作品群という等式は、うまく対応できないのです。

そこで、文学とは文学作品群のことである、という定義の外側をさぐってみることにしましょう。英文学専修では、英語で記述された文学作品群の「文学」をまずは研究対象としますので、英語の"literature"の、歴史的にみた、実際の使われ方を参照してみたいとおもいます。一説には、「"Literature"が英語に入ってきたのは、一四世紀のことであり、読むことをとおした上品な学び、という意味だった」とされます。

1　文学とは「活動」であり、コミュニケーションである

"Literature"の語源的な意味は、作品そのものというより、「学ぶこと」そのものだった、正確には"polite learning through reading"だった、というのです（Williams, *Keywords*）。「上品な（polite）」という形容詞が後々大問題にはなってくるのですが、それはとりあえず置いておきます。まずもっとも重要なのは、その語源的意味合いを強調すると、文学（literature）という語が、「学び（learning）」という「活動」を意味していることです。文学とは、作品そのものというよりも、読むことをとおしてなにかを学ぶプロセスや活動のことであり、そのとき、文学作品とは、学ぶために必要な一種の道具ということになるわけです。

これで、さきほどの見たやや意地悪な批判に、うまく応答できそうです。文学とは、作品をとおしてなにかが学ばれるプロセスのことなわけです。さらに言い換えると、文学とは、コミュニケーションのプロセスそ

のものです。コミュニケーションは、作者だけで完結することができません。コミュニケーションでは、共有プロセスの担い手（読者）が積極的な役割をはたしますし、コミュニケーションを可能にする諸条件（例えばある言語を読む能力）も整っている必要があります。いずれにしても、文学がコミュニケーションであるとき、作者は、そのプロセスの全貌を明確に知りうる存在ではなくなってきますし（漠然と、「もやもやっと」は知りうる可能性はあります）、コミュニケーションのプロセスを何から何まで決定しうる存在ではなくなってきます（漠然とした「意図」を及ぼしている可能性は充分にあるのですが）。

2　文学という「活動」はなにを作りだすのか？

さて、文学がコミュニケーションであるとして、なにを共有するためのコミュニケーションなのでしょうか？　煎じ詰めるとそれは、「感情のあり方」です。理屈ではない、感情の部分を、ある人間集団に共有しようとする活動が、文学だと、ひとつには言えそうです。これについては、実例をつかって説明した方がわかりやすいでしょう。

こういう状況を想像してみてください。二一世紀初頭の日本とちがって、階級というものが明確に存在している社会があるとします。そういう社会のなかで、大規模に土地を所有していてみずからは労働をしない階級の男性と、みずから労働せねば生きていけない階級の女性が出会い、たがいに想いをかよわせます。ところが、その社会では、そうした階級の違う個人間の結婚があまり好ましいものとみなされていないとしましょう。そのとき、どういう解決策を文学という「活動」はとろうとするのでしょうか？　ある分析を頼りに考えてみることにしましょう（Williams, "Forms of English Fiction in 1848"）。

ひとつには、こういうかたちをとることでしょう。ふたりが結婚できないのは「階級」のせいなどではなかった。秘密にされてはいるのだが、男性にはすでに妻がいるから結婚できなかったのだ。男性があらたな伴侶をもとめたのは、その妻が心を深く病んでいて男性を憎んですらいたためだった。その女性は、妻と違いたぐいまれなる「美徳」を備えたひとであった。そしてついに、妻が偶然他界してしまい、ふたりははれて結ばれることになった……。

これは一九世紀中盤に出版された『ジェイン・エア』という作品に書かれていることです。この場合、文学という「活動」は、階級という社会問題を真正面から解決するというよりも、そうした問題をいわば「やり過ごす」ための感情的な工夫をつくりだそうとします（もちろん反対に、社会問題の解決に資する文学もあり得ます）。

『ジェイン・エア』という作品が重要な役割を果たしている「活動」とは、なんとも不思議なプロセスです。理屈では割り切れません。なにしろ、階級を超えた結婚が困難であるのは、階級のせいなどではない、としてしまうのですから。ふたりが結ばれないのは、美徳を欠いた女性（『ジェイン・エア』ではバーサのこと）が存在するためであり、女性が美徳を有するのであれば、ふたり（ロチェスターとジェインのこと）はついに結ばれるわけです。「階級」を「美徳の有無」の問題へと変換してしまう、こういってよければ「呪術的」なプロセス、あるいは、文化人類学者のレヴィ＝ストロースであれば「野生の思考」と呼んだ実践が、そこにはあるのかもしれません。

3　文学研究は文化人類学や社会学とどう異なるのか？

さて、こうなってくると、文学研究は文化人類学や社会学と、はたしてどうちがうのか、ということが気になってきます。

答えからいいましょう。じつは、同じなのです。正確には、同じ場合や同じ部分が結構あるという言い方がよいでしょう。もちろん、（ある種の）経済学と、（あるべき）文学研究はちがいます。前者が社会問題をあくまで経済という観点のみから考えようとするとき、後者はあくまで問題をとりまく全体を追求しようとするためです（ただし社会全体という視点を重視する経済学は存在するわけです）。ですが文化人類学や社会学が、社会問題を、文学や文化を含めた、ある全体から記述し考察しようとするとき、文学研究とそれほどのちがいはないのです。

しかし、決定的にちがう部分があります。文学研究は、「書く（writing）」という行為に、その強調点を置くのです。

もっというと、詩や劇、小説を書く個人という、「少々変わったところのある個人」に注目するのが、文学研究です。先に述べた呪術的プロセス（「階級」を「美徳の有無」へと変容させるそれ）には、じっさいに作りだした諸個人がいるわけです。これは、専門とする先生方から反論をいただくのを覚悟していうことですが、文化人類学や社会学は、そういう諸個人の記述というよりは、別の部分の記述の方へ、より多くのリソースを注いできたように文学研究の立場からはみえます。文化人類学や社会学では、そうした呪術的プロセスそのものを詳細に記述する実践の方に、力点が置かれている、とみえるということです。文学研究はそこから学ぶことがじつに多い一方で、感情の仕組みが生成される過程のダイナミズムを記述するのを得意とします。

これは「近代」という時代に特徴的なことではあるのですが、詩であれ小説であれ、そういう想像的なものを、わざわざ書く人間というのは、やはりちょっと変わり者なわけです。いい意味で変わっているのであれば、ある種の「突出（excellence）」を見せる個人が、書き手ということになります。そういう突出した個人が、「ああでもない、こうでもない」と、あたう限り試行錯誤をするプロセスを、文学研究は強調します。たとえば、シャーロット・ブロンテという一九世紀中葉の書き手であれば、彼女がどのように試行錯誤したのか？ある分析（Williams, "Forms of English Fiction in 1848"）が示唆するように、ブロンテは先の呪術的プロセスに創造的な工夫をいくつも加えています。そのひとつをみてみましょう。

"...Say your prayers, Miss Eyre, when you are by yourself; for if you don't repent, something bad might be permitted to come down the chimney and fetch you away."

They went, shutting the door, and locking it behind them.

The red-room was a square chamber, very seldom slept in ... (Brontë, *Jane Eyre* 13)

「……おいのりをしなさい、ミス・エア、ひとりでね。悔いあらためないと、なにか邪悪なものが煙突からおろされて、あなたをさらわせる、そんなことがあるかもしれませんよ」

彼女たち［エアが引き取られている家の召使いたちのこと］は、扉を閉じ、鍵をかけていってしまった。

赤部屋（レッド・ルーム）は、四角い部屋で、そこで寝る人はほとんどおらず……

　この引用は『ジェイン・エア』からのもので、幼いジェインが罰として「赤部屋（レッド・ルーム）」というひとけのない恐ろしい空気に満ちた部屋に、監禁されてしまう場面からのものです。こうした場面を、作品中でほかの女性（バーサ・メイスン）が同じく監禁される場面と、関連付けている研究があります（Gilbert and Gubar 480 参照）。『ジェイン・エア』とは、階級が壁となって結婚が困難になっている男女を描いている作品だという話は、さきほどしましたね。それだけではなくて、『ジェイン・エア』とは、女性同士のありうべき繋がりを、正確には、監禁され抑圧される女性たちのそれを、密かに書き込んでいる作品だというわけです。

　一九世紀中葉のイングランドとは、そうやって苦しむ女性同士の連帯が社会的には相当に困難な時代だったのかもしれません。ですが、小説のなかでは、ありうべき繋がりが試行錯誤されているのであって、それを記述することで、文学研究は、小説として結実した「かたち（forms）」だけではなく、ブロンテが部分的にしか成功していない「かたち」や、うまくつくれなかった「かたち」をもまた、あぶりだそうとするわけです。ある研究者のフレーズを借りれば、文学研究とは、「未来の考古学」であり、「過去」のさまざまな場面で想像された「未来」を掘りおこす営みなのかもしれません。

　ですので、自分は「書き手」的な人間だ、ちょっとこもって「ああでもない、こうでもない」と消したり書いたりする人間だなと思うひとは、文学研究に向いているのかもしれません。

おわりに（1）英文学研究の未来
――「文学」研究か、それとも「文化」研究か、あるいは「ライティング」研究か？

文学とは文学作品そのものというより、ある「活動」のことであり、そしてその活動とは情報というよりも感情の仕組みを共有するコミュニケーションのことである、という議論をここまで紹介してきました。また、そうしたコミュニケーションのかたち（forms）を記述するとき、それらが生産されるプロセスやそこに関与する諸個人の試行錯誤が文学研究では重視されることも論じました（とはいえすでに述べたように、作家という個人はプロセスの全体を「ぼやっと」しか感知できないこと、もしくは、「ぼやっと」は感知していることは、何度でも強調すべきことです）。

ですが、みなさんが人文学的な思考に慣れしたしんでくると、こういう疑問が出てくることでしょう。それは「文学」というより「文化」のことではないか、というごく重要な疑問のことです。

英文学専修での研究を紹介する文章なので、英語の"culture"の語源的意味合いをまずは考えてみることにしましょう。この語の成り立ちはかなり複雑なのですが、押さえておきたいのが英語"culture"の語源のひとつとして、ラテン語の"*Colere*"という「住む、耕す、守る、儀式をもって崇拝する」という「はばひろい意味」をもっていた言葉があることです。"*Colere*"の「耕す（cultivate）」という語義に関連して、もうひとつ重要なのは、一五世紀ぐらいまでの「初期の用例すべてにおいて」、"culture"が、「なにかを、基本的には穀物と動物をそだてる」という「プロセスを示す名詞」だったことです。その後「一六世紀初頭から」、"culture"は、「人間の成長のプロセス」も意味するようになっていきます（Williams, *Keywords*）。"Agriculture"が農作物を育てる「活動」を指すように、"culture"は人間あるいは人間集団が成長していくプロセスを指す、と考えてもよいでしょう。

"literature"も"culture"も「活動」のことなのです。前者では、「読み書き」をとおした学びに力点が置かれ、後者では、成長をうながすための「人為」が重視されつつも同時に潜在的で自然な成長力も重視されます。そういうちがいはありつつも、"literature"も"culture"も両方とも、人間がなにかを学んで成長してくプロセスを意味している点に限れば、じつは大差がないのです（"activity"としての"culture"についてはWilliams, *Politics and Letters* 154を参照）。

ですが、見落としてはならないのは、"literature"には"polite"という形容詞が、21世紀のいまになってもまとわりついている点です。文学は「品のよい（polite）」ものであり、社会や政治の変化などという「世俗的」なことにはなんらかかわならない、という感情のあり方には、じつに力強いものがあります（「悪漢もの（ピカレスクロマン）」や「無頼派」は「品のよさ」への反動でありかえって文学の"politeness"を強化してきたのかもしれません）。

今回みなさんに紹介しているような、「活動」としての文学にとって、この「品のよさ」という感覚はじつにやっかいなものです。「階級」を越えた結婚が困難であるから、それを呪術的に解決しようとする工夫が、『ジェイン・エア』をめぐる文学的な活動の核心部にある？　そんなはずはない。「文学」とは「上品」なものであって、「階級問題」などという社会的な問題とは直接には関係しない。あくまで、ジェインやロチェスターといった個人の内面的な苦しみを深く掘り下げていくのが「文学」なのだ……。と、こういう具合には、（もちろん「上品」に）やり込められてしまうからです。

そのとき、もう「文学」などと言わずに、「文化」といい切ってしまいたくなるのも人情です。ですがそうしてしまうと、「文学研究」のもっていた、「書く」諸個人を強調するという良い面がなくなってしまう恐れがあります。すでにみたように、「文化研究」だと、社会学や文化人類学のようにシステムの研究に力点の置かれやすい実践となり、文化的な諸フォームが生成と変化を繰りかえすダイナミックなプロセスが見えにくくなってしまう可能性もあるのです。

ひとつの解決策は、"literature"という言葉を完全に捨ててしまう前に、"writing"という「書くこと／書かれたもの」を意味する言葉をつかってみることです（Eagleton などを参照）。「ライティング研究」という言い方には可能性があります。たとえば、シャーロット・ブロンテという個人が社会のなかで書く（writing in society）とき、そのダイナミズムに力点を置きやすくなるためです。「読むこと」をときに過度に強調してしまう"literature"という言葉が、ともすれば、「書くこと（ライティング）」のプロセスを品良くヴェールの下に覆いかくしてしまうとき、「文学研究＝ライティング研究」という等式には一定の喚起力があります。

もうひとつは、わたしたちがおこなうのは、「文化」というよりも「文学的文化（literary culture）」の研究であるといってしまうやり方です。繰りかえせば、「文化研究（cultural studies）」が、静的なシステムの研究におちいりやすいとして、「読み書きを中心とする文化の研究（literary cultural studies）」は、読んで書く「突出した」諸個人に着目しうる強みが出てくることでしょう。そこでは、諸フォームの形成と変容のダイナミズムの記述が目指されることになります。

おわりに（2）緊張感がありつつも対話を続けること、そして人文社会科学の未来

文学研究、とくに、英語圏に関連する文学研究が、いったいなにをおこなっているのか、なにを目指しているのか、その概要を、ここまで紹介してきました。最後に書いておきたいのは、みなが共同して生きる社会というもののなかで、複数の営為が並立することの重要性です。どの学問が「最強」なのか、という、ときに困惑を引き起こす比較が好まれる傾向が近年あります（もちろん「強さ」がときに生存可能性さえ左右しかねない場面ではそういう比較が重大な意味を持つことを私は決して否定しません）。ですが大事なのは、おなじ社会にあって、たがいに緊張感をもって存在しうる視点が複数存在していることです。経済学のみる社会、社会学のみる社会、文化人類学のみる社会、「文学的文化研究」のみる社会。どれかひとつがただしいとしてしまうと、おそろしく窮屈な社会になってしまうことでしょう。そうではなく、相互に緊張感がありつつも相互に対話する実践が複数あることが、真に幸せな社会をつくることにつながりますし、ひいては、存続しうる社会につながるのだと思います。文学部で学びなにかを「書く」みなさんは、そういう営為にもうすでに深く関わっているのであり、その意味において、重要な社会的役割をすでに担っていることになります。そしてそれは、文学部での学びによって変化してくることになる「未来」を覗き込む営為であり、さらには、そういう学びがかつて作りだそうとして作りだせなかった「未来」をも掘りおこす試みである、とも言えそうです。

〈引用文献〉（既訳のあるものは原文参照の上修正させて頂いた場合がある）

Brontë, Charlotte. *Jane Eyre*. Oxford World's Classics, 2000［1847］.［『ジェーン・エア』（上下巻）大久保康雄訳、新潮文庫、一九五三－五四年。］

Eagleton, Terry. *Literary Theory: An Introduction*. 2nd.ed. Blackwell, 1996.［『文学とは何か――現代批評理論への招待』大橋洋一訳、岩波書店、一九八五年。］

Gilbert, Sandra M. and Susan Gubar. "A Dialogue of Self and Soul: Plain Jane's Progress." Charlotte Brontë. *Jane Eyre*. 4th ed. Ed. Deborah Lutz. Norton Critical Editions, 2016. pp. 464-487.［『屋根裏の狂女――ブロンテと共に』山田晴子・薗田美和子訳、朝日出版社、一九八六年、二八四－二九〇頁、二九八－三二八頁。］

Williams, Raymond. "Forms of English Fiction in 1848." *Writing in Society*. Verso, 1983. pp. 150-165.［「一八四八年のイングランド小説の諸形式」『想像力の時制――文化研究Ⅱ』川端康雄編訳、みすず書房、三一七－三三九頁。］

---. *Keywords: A Vocabulary of Culture and Society*. Rev. ed. Oxford UP, 1983.［『完訳 キーワード辞典』椎名美智他訳、平凡社、二〇〇二年。］

---. *Politics and Letters: Interviews with New Left Review*. Verso, 1979.

〈研究をはじめるための文献紹介〉

原文でも翻訳でもよいので、まずは作品を読んでみるとよいでしょう。**Penguin Classics, Oxford World's Classics** などを（オンライン）書店や図書館で眺めて、そこから面白そうなものを選ぶのも手です。翻訳は、ちくま文庫や岩波文庫、光文社古典新訳文書などがあります（翻訳は「創造」的なのです）。古典的な作品だけではなく、カズオ・イシグロなどあたらしい書き手の作品から読み始めるのもいいでしょう。そうこうしていると、今度は研究論文などを読みたくなってきます。そのときは、Norton Critical Editions シリーズがおすすめです。このシリーズには、作品のテキスト本文と、代表的な研究論文の両方が収録されており、これまでの研究の流れ（「先行研究」）がすぐに把握できるので、大変有益です。また、批評理論や文学理論に興味が出てきたら、小説の分析として川口喬一『小説の解釈戦略――『嵐が丘』を読む』（福武書店）、演劇はテリー・イーグルトン『シェイクスピア――言語・欲望・貨幣』（平凡社ライブラリー）、詩は阿部公彦『英詩のわかり方』（研究社）などが入門書として推奨できます。また、文学理論や批評理論がどうしても「読む」という（文学という「活動」全体の）一部を強調してしまう傾向が気になってきたら、山田雄三『感情のカルチュラル・スタディーズ――『スクリューティニ』の時代からニュー・レフト運動へ』（開文社出版）を手に取ることをおすすめします。

6　言語学
——人間の精神活動の精華の探求——

木山幸子・内藤真帆・小泉政利

1　はじめに

言語のしくみが人間の高次の精神活動の精華であることは疑いようもありません。私たちはことばを使うことによって、様々に内省を深め、それを他者に伝えたり伝えられたりしながら、共同体のなかで自分の役割を見出します。人間以外の動物にも言語があるという観察（岡ノ谷二〇一六）もありますが、人間の言語は、独自の精緻な特徴を備えています。

人間の言語には、まず、音や文字を連ねた単語を通して事象を象徴させる働きがあります。そして、単語を一定の文法によって組み合わせることで、原理的には無限に、複雑な思考体系を新たに構築することができます。その事象の概念化が複雑で新規なものとなりうるのは、言語が**階層**（**hierarchy**）を持つ体系を成し（Friederici et al. 2011 など）、それによって離れた場所の要素どうしの関連を作ることができるからであり、また人間がそうした体系を操ることができるほど知的だからです。

人間以外の動物が過酷な環境の要請にしたがって刹那的に動くのに比べ、人間は、安心できる家族や社会のなかにいればこそ、言語を使って深遠な思考を展開させることができます（入來二〇〇八）。現代に生きる

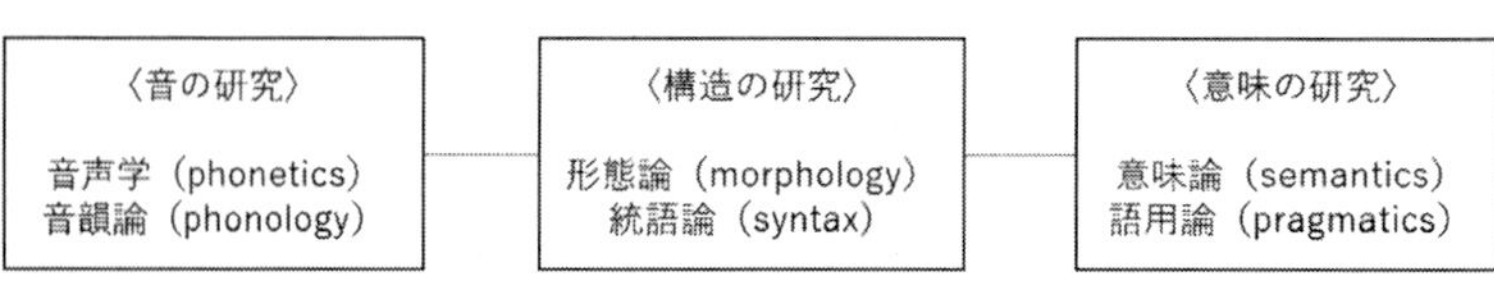

図 6-1　言語研究の 3 つの側面

私たちは、戦争や災害や伝染病の流行など有事の際は別として、生存のために時間のすべてを費やす必要はなく、身体を動かさずに頭を使って考える余裕を持てるほど発達した文明のおかげで、言語体系を進化させ精神活動を行うことができているともいえます。そうした人間独自の言語体系を探求する学問分野が、**言語学**（**linguistics**）です。

言語学の研究対象は、大きく分けて音の研究、構造の研究、そして意味の研究の三つです（図6－1）。音の研究としては、連続的な現象として音を客観的に分析する音声学（phonetics）と、音をそれぞれの言語体系に即して分類的に整理する音韻論（phonology）に分けられます。音は本来連続的に変わる物理現象ですが、個々の言語の話者がその物理現象をどのように活用して言語体系を構成しているかは異なるからです。[1] 構造の研究としては、単語のレベルの構造を研究する形態論（morphology）と、文のレベルの構造を研究する統語論（syntax）があります。さらに、意味の研究としては、文脈から独立した語句や文の意味を研究する意味論（semantics）と、語句や文が使われる文脈や人間関係のあり方に応じてどのように伝えられるかを研究する語用論（pragmatics）があります。

これらの言語学の各論を研究するためのアプローチは、ひとつではありません。本章では、研究者自身がその言語を使う集団に参加して内部者の経験を通して言語体系を明らかにする記述言語学（descriptive linguistics、2節）、人間に固有の機能である言語体系のしくみを探求する理論言語学（theoretical linguistics、3節）、そして言語事実から導かれる理論に対して科学的根拠を与える実験言語学（experimental linguistics、4節）という三つのアプローチについて、それぞれみていきましょう。

2　記述言語学

ある言語を言語学の方法論に基づき、調査・分析・記録・研究する分野を記述言語学といいます。対象とすることが多いのは、消滅の危機に瀕した未調査の**少数言語（minority languages）**です。世界には、およそ七〇〇〇もの言語が存在すると考えられていますが、その多くは急速な勢いで地球上から姿を消しています。**現地調査（fieldwork）**を行い、消滅危機言語の体系的な記述・解明そして保存が急がれる状況にあります。

2-1　調査言語の選定と媒介言語

調査対象とする言語を探すうえで参考になるのは、世界の言語や言語状況について書かれた国内外の文献です。消滅の危機に瀕した言語およびその状況は、英語では endangered languages や languages in danger などと表されることが多いので、これらをキーワードとして書籍や論文を探す方法もあります。

並行して調査のための「媒介言語」が何になるか、ということも事前に調べ、場合によってはその言語を現地調査の前に身につけなくてはなりません。媒介言語とは、調査する側とされる側とが共通に理解できて、意思疎通を図ることのできる言語のことです。

また調査協力者の調査許可だけでなく、調査地域や調査国の許可が必要な場合もあります。調査倫理とあわせてこれらについても調査開始前に調べておくことが重要です。

2-2　調査のための機材と用具

調査データの記録には、録音機やビデオカメラが必要です。これらはデータの永続的な使用や保存に耐えうる、性能の良いものを選びます。また調査ノートとポケットサイズのメモ帳、濡れても消えない油性ペンも必携です。

2-3　調査協力者探しと調査方法

調査協力者は、高齢で三世代家族のなかで育ったというような、経験と知識の豊富な人が望ましいとされています。

また質の良いデータを得るためには、その言語が日常的に話される地に身を置き、調査協力者らと寝食を共にすることが最も望ましいと考えられます。調査協力者と生活や行動を共にすることで得られる自然発話の集積は、聞き取り調査ではとうてい網羅できない、文化や歴史、話者の叡智と結びついた多様な表現、さらにはコミュニケーションの方法までをも教えてくれるからです。

2-4　分析と記述

調査言語を表記するためには、その言語の音声をはじめに書き表すことが必要になります。どのような音がその言語に存在するのかを知るうえでも、また記述言語学がめざす体系的な記述を行ううえでも、最初の一歩にあたるのは基礎語彙の調査です。頭、目といった身体部位や父、母といった親族名称など、世界のどの地域・どの言語にも共通して存在すると考えられる語彙を中心に調べます。

世界の言語には多様な音が存在します。それらを正しく記述するためには、事前に音声学の修得や発音の訓練が不可欠です。調査では基礎語彙を収集しながら、音を①聞き取り、その後②調査者もその音を真似て発音し、その発音が正しいかどうかを調査協力者に確認してもらう必要があります。そして音を作るときの舌の位置や肺からの空気の流れなどを特定し、その音を③「国際音声記号」や「国際音声字母」と呼ばれる記号を用いて書き記す必要があります。これは英語でInternational Phonetic Alphabet（IPA）と表される、音声を記述するための国際的な記号です。これを用いることで、世界中のどの言語の音声も記述が可能となります。

調査はこのように音をはじめとして、さらに語句や文へと発展させていきます。分析のためには、音声学、音韻論、形態論、統語論、意味論などの言語学の各論を十分に理解しておくことが必要です。これは、精度の高い一次データを得るためにも不可欠です。そうして得られたあらゆるデータを各論に基づいて解き明かすと同時に、それらを体系的かつ詳細に記述します。

2-5　研究成果

調査するのが未調査言語であるならば、話者固有の叡智や認知といった無形財産を含む言語学上の空白を埋めるという意義を持ちます。なおかつ消滅寸前の言語であれば、消えゆく言語の、最初で最期の記録としての意義を持ちます。既調査言語であるならば、考察を深化させるという意義を持ちます。いずれも、言語にひそむ固有の特性と普遍性を解明するうえで重要です。

さらに、研究成果を辞書や文法書といった形で現地コミュニティに還元することもまた記述言語学の重要な使命です。

3　理論言語学

特別な障がいがない限り人間なら誰でも言語を獲得し運用できるようになります。この能力のことを**言語能力（language faculty）**といいます。生物は種によって備わっている能力が異なります。鳥は空を飛べ、魚は水中で呼吸することができます。人間はどちらもできませんが、ことばを話すことができます。それは、人間には言語能力が遺伝的に備わっているからです。私達人間は皆、言語能力を持って生まれてきます。母親のお腹のなかにいる時から周囲で話されていることばを聞いてその情報を取り込み、取り込んだ情報と言語能力との相互作用の結果、日本語や英語などの個別言語の知識を獲得し運用できるようになるのです。人間の言語能力を解明することが理論言語学の目標です。

3-1　理論言語学の研究課題

言語能力を解明するために取り組むべき研究課題は多岐にわたりますが、便宜上、（1）のように整理することができます。

（1）a　言語知識

私達一人ひとりの脳内にある文法や語彙の知識はどのようなものか。言語間（たとえば日本語と英語）でどのような点が共通しており、どのような点が異なるのか。どの言語にも共通した普遍的特性は何か。個別言語は互いにどのような点でどの程度異なりうるのか。

b　言語運用

ことばを話したり聞いたり書いたり読んだりする際に脳内で行われる処理の手順はどのようなものか。言語知識はどのようなタイミングでどのように使われるのか。言語能力は他の認知能力（記憶、注意など）とどのように相互作用するのか。

c　神経基盤

言語知識は脳内のどこにどのように蓄えられ、どのようにアクセスされるのか。言語運用の様々な側面は、それぞれ脳内のどこでどのように物理的に具現化されるのか。

d　固体発生（言語の獲得と喪失）

右記a、b、cは人の一生のなかでどのように変化するのか。たとえば、言語知識は、いつどのように個々人の脳内に生じるのか。言語運用のどの側面がいつどのように変化するのか。言語の獲得や運用を司る神経基盤はいつどのように発達し衰えるのか。そもそも、人間が生まれながらにして持っている言語能力とはどのようなものか。

e　系統発生（言語の起源と進化）

言語能力は、人類の進化の過程でいつどのように生じたのか。どのように変化して来たのか。遺伝子にどのように刻み込まれているのか。

3－2　言語の構造依存性

3－2節と3－3節では、（1a）の研究の一端を非常に単純化した形で紹介します。言語表現は単語が集まってできていますが、単語同士の結びつきの強さには違いがあります。たとえば、一般に文は（2）に示すような三階建ての**階層構造**（**hierarchical structure**）を持っています。

（2）

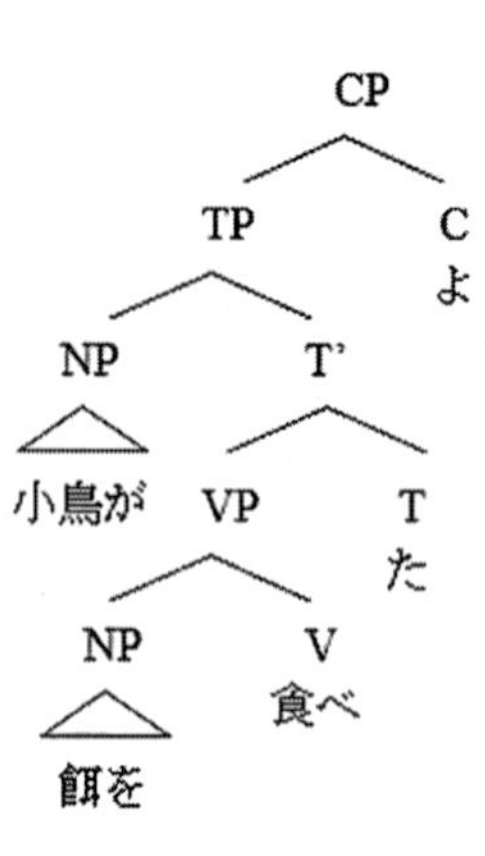

まず、一階部分は、動詞の語幹（「食べ」）が目的語（「餌を」）と強く結びついて、動詞を中心とする単語の集まり、すなわち動詞句（verb phrase: VP）を構成しています。次に、二階部分は、時制の形態素（「た」）が、動詞句および主語（「小鳥が」）と結合し、時制辞句（tense phrase: TP）を形成しています。最後に、終助詞（「よ」）が時制辞句と結合して、補文標識句（complementizer phrase: CP）と呼ばれる三階部分が構成されています。主語と目的語は名詞を中心とする単語の集まり、すなわち名詞句（noun phrase: NP）です。

このように、言語表現は階層構造を持ちます。言語の規則は階層構造に基づいて規定され、言語表現の意味はそれに含まれる単語の意味と階層構造で決まります。これは言語の重要な性質で、**構造依存性**（**structure-dependency**）と呼ばれます。

3-3　仮説の検証

理論言語学の研究では、**内省**（**introspection**）や**実験**（**experiment**）を駆使した**仮説検証法**（**hypothesis-testing**）が用いられます。たとえば、「ゆっくり」や「昨日」などのいわゆる副詞類が（2）の三階建ての統語構造のどこに現れるかを調べる場合を考えてみましょう。

「ゆっくり」のような様態副詞は、「ゆっくり走る」という表現などからわかるように、意味的に動詞と深い関わりを持ちます。一方、「昨日」のような時の副詞は、意味的に時制辞と関係があります。このことから、様態副詞は**VP**の要素であり、時の副詞は**TP**の要素であるという可能性が考えられます。

この仮説を母語話者（しばしば研究者自身）の内省を用いて検証してみましょう。まず、これまでの研究から、**VP**の内部にある要素は否定文で否定の対象（焦点）になれますが、**VP**の外部にある要素は否定の焦点になり難いことがわかっています。これを前提に、様態副詞を使って否定文を作り日本語母語話者に確認してみると、様態副詞が否定の焦点になることがわかります。たとえば、（3）の文は、「ゆっくり」が否定されて、（たとえば、太郎は膝に負担をかけないためにゆっくり走るよう医者から指示されていたにもかかわらず）「速く走っ（てしまっ）た」という意味に解釈されます。

（3）太郎はゆっくり走らなかった。

このことから、様態副詞は目的語と同様に、VP の構成要素であることがわかります。一方、時の副詞「昨日」を使った否定文（4）では、副詞「昨日」ではなく動詞「走（る）」が否定の焦点になっています。

（4）太郎は昨日走らなかった。

これによって、時の副詞は VP の構成要素ではなく TP の構成要素であるという仮説が支持されたのです。このように、内省法は、効率よく仮説の構築・検証・修正を進めることができ、核心をついた仮説に到達しやすいため、伝統的に理論言語学の主要な研究手法になっています。しかし、一方で、個人の直感に頼るため客観性に疑問が残ることがあります。また、そもそも内省ではわからないこともあります（上記の仮説を実験で検証した研究については小泉・玉岡二〇〇六をご覧ください）。

内省法による研究を補ううえで有効なのが実験です。実験を用いた言語研究を実験言語学といいます。次節でその考え方を説明し、現状やこれからの課題にも触れます。

4　実験言語学

実験言語学は、失語症[2]の患者の言語機能を実証的に研究する臨床的要請によって取り組まれるようになりました。はじめは主に単語レベルの理解のしくみを検証しようとする研究が主流でしたが、その後、音声・音韻、統語、意味、語用などあらゆる側面を包摂する実験的研究（者）が増えています。研究の視点も多岐にわたり、子どもが第一言語（母語）を獲得する過程や、多言語同時併用者の言語運用のしくみや外国語の習得過程、様々な心身の困難を抱える人々の言語機能の特徴、または定型発達の話者における個人差の検証まで、あらゆる範囲の実験研究が行われるようになりました。

実験言語学の手法は、心理学の実験方法論を踏襲したものです。まず関心のある言語事象を特定し、そのあり方を客観的に測定できる変数として定義します。そして、その変数に影響を与える要因を設定したうえで、質問紙調査の回答や、与えた課題に対する反応（判断内容や、その判断に至るまでの反応時間等）のデータを取得し、統計学的に分析します。

4-1　言語機能を支える脳

近年の実験言語学の大きな特徴は、脳機能研究の手法が積極的に取り入れられるようになったことです。初期には、脳の一部を損傷した患者を対象とした損傷研究（lesion studies）を通して、特定の言語機能の低下が見られればその損傷した脳領域に起因するものと考えるという方法がとられました。ところが、脳損傷は通常広い範囲に及ぶので、実際にはどの領域の損傷がどの機能低下に影響するのかを特定することは難しい場合が多いのです。

現在は、種々の脳機能を可視化する方法が広まってきたことを受け、脳損傷の場所から言語機能を推定するのではなく、損傷を受けていない健常の実験参加者を対象として、設定した課題に応じて脳活動がどのように変化するかを検証できるようになっています。脳波（electroencephalography: EEG）、脳磁図

（magnetoencephalography: MEG）、磁気共鳴画像法（magnetic resonance imaging: MRI）等の技術がよく使われます。

4-2 世界の言語の実験

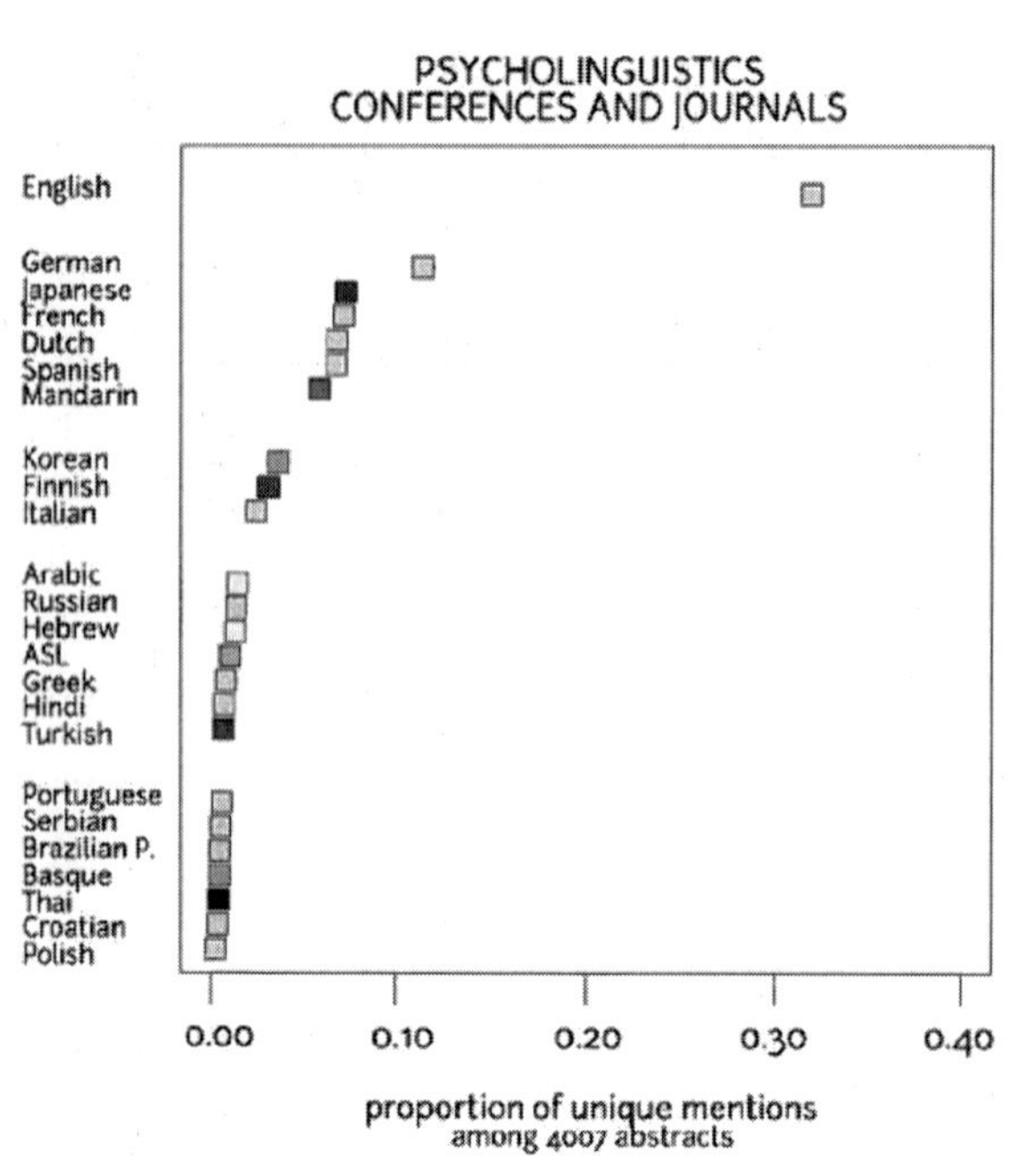

図 6-2　主要学術誌や学会要旨における心理言語学の実験対象とされている言語（Anand et al. 2011 の図より）

実験言語学の研究は急速な発展を遂げているものの、対象とされる言語は一部の主要言語に限られているのが実情です。現在の実験言語学の研究論文の三十パーセント以上が英語を対象としたもので、他にはドイツ語（約十パーセント）が多く、日本語、フランス語、オランダ語、スペイン語、中国語が続きます（それぞれ十パーセント弱、図6-2）。人間の高次認知処理の普遍的なしくみを知るためには、世界中の言語をより広く偏りなく検証していく必要があることはいうまでもなく、実験の対象言語を広げることは今後の課題です。[3]

4-3 人間の生涯における言語機能の発達

現状では研究対象となる言語に偏りはあるものの、実験言語学の研究で言語の獲得過程の科学的検証が積み重ねられ、様々なことがわかってきました。たとえば、言語獲得には長らく**臨界期**（**critical period**）があると想定されてきました（Purves, et al. 2001）が、この仮説についても修正されています。

ある言語を母語として獲得するためには、人生の早期に然るべき言語経験を持つ必要があることは、成人の外国語学習の観察からも、また不幸にして様々な事由で十分な言語の入力を受けずに育った子どもの観察からも支持されます。従来その臨界期は、おおむね十二～十三歳頃と考えられていました。たしかに、乳幼児が言語獲得に有利な時期であることは、とくに音韻面において顕著です。しかし近年では、いわゆる「臨界期」は存在するものの、従来想定されていたよりはゆるやかなものであると考えられています。

約七十万人の英語話者を対象とした最近の研究（Hartshorne et al. 2018）では、十七歳～十八歳頃まで外国語で十分に流暢な運用能力（とくに文法機能）を獲得できる可能性があることを示しています。またこのことの裏付けとして、言語機能を支える脳の諸領域の機能は、いったん発達した後も環境の要請や動機づけに応じて再編成できるということも、様々な研究によって明らかになってきています（Hübener & Bonhoeffer 2014など）。このように、精神活動や運動を支える脳機能が様々な要請に応じて変わりうるということを、脳の**可塑性**（**plasticity**）といいます。

人間の言語機能は、子どもがいったん母語を獲得したら定着するものではなく、生涯にわたって変容しつづけます。成人後も、壮年から老年期にかけても、母語の語彙をより豊かにしたり新たに外国語を身につけたりするなどして学習は続きます。しかし、人間の言語使用の変化過程の全貌はわかっておらず、まだまだ研究すべきことは多く残されています。

5　おわりに

言語学の仕事は、言語のしくみそのものの解明を目指すとともに、言語の教育、言語運用上の困難を持つ方への支援、そして消滅の危機に瀕した言語の保存や復興につなげることが重要な柱です。人間の精神活動に欠かせない言語の研究は、私たち人間の人生をよりよくするために、あらゆるところに重要な課題が潜んでいます。

〈注〉

1　どれとどれが別々の音であるか、または同じ音であるかの分類は言語によって異なります。たとえば、英語の /ɑ/ と /ʌ/ という別々の音は、日本語では区別されず、どちらも「あ」と見なされます。

2　失語症とは、いったん言語機能を正常に獲得した後、様々な疾病による脳損傷のためにそれが障害されることです。これは総称で、そのなかに様々なタイプがあります（詳しくは、木山他二〇二二印刷中などを参照してください）

3　最近では、実験環境の整備されていない環境で、話者の少ない非ヨーロッパ言語を対象とした実験研究も増えてきています（Yano et al. 2019 等）。

〈引用文献〉

Anand, P., Chung, S., & Wagers, M. (2011). Widening the net: Challenges for gathering linguistic data in the digital age. *NSF SBE 2020. Rebuilding the Mosaic : Future Research in the Social, Behavioral and Economic Sciences at the National Science Foundation in the Next Decade.*

Friederici, A. D., Bahlmann, J., Friedrich, R., & Makuuchi, M. (2011). The neural basis of recursion and complex syntactic hierarchy. *Biolinguistics*, *5*, 87-104.

Hartshorne, J. K., Tenenbaum, J. B., & Pinker, S. (2018). A critical period for second language acquisition : Evidence from 2/3 million English speakers. *Cognition*, *177*, 263-277.

Hübener, M., & Bonhoeffer, T. (2014). Neuronal plasticity : Beyond the critical period. *Cell*, 159, 727-737.

入來篤史（編）（二〇〇八）『言語と思考を生む脳－シリーズ脳科学３』、東京大学出版会。

小泉政利・玉岡賀津雄（二〇〇六）「文解析実験による日本語副詞類の基本語順の判定」『認知科学』、一三（三）、三九二～四〇三。

岡ノ谷一夫（二〇一六）『さえずり言語起源論　新版　小鳥の歌からヒトの言葉へ』（岩波科学ライブラリー一七六）、岩波書店。

Purves, D., Augustine, G. J., Fitzpatrick, D., et al. (Eds.). (2001). The development of language : A critical period in humans. *Neuroscience* (*2nd ed.*). Sunderland (MA) : Sinauer Associates.

Yano, M., Niikuni, K., Ono, H., Sato, M., Tang, A. A. Y., & Koizumi, M. (2019). Syntax and processing in Seediq : An event-related potential study. *Journal of East Asian Linguistics*, *28* (4), 395-419.

〈読書案内〉

【言語学一般】

小泉政利（編著）（二〇一四）『ここから始める言語学プラス統計分析』、共立出版。

窪薗晴夫（編著）（二〇一九）『よくわかる言語学』、ミネルヴァ書房。

【記述言語学】

大角翠（編著）（二〇〇三）『少数言語をめぐる10の旅―フィールドワークの最前線から』、三省堂。

ニコラス・エヴァンズ（著）、大西正幸・長田俊樹・森若葉（訳）（二〇一三）『危機言語―言語の消滅でわれわれは何を失うのか』、京都大学学術出版会。

内藤真帆（二〇一一）『ツッバ語―記述言語学的研究』、京都大学学術出版会。

【理論言語学】

マーク・C・ベイカー（著）、郡司隆男（訳）（二〇一〇）『言語のレシピ―多様性にひそむ普遍性をもとめて』（岩波現代文庫）、岩波書店。

岸本秀樹（二〇〇九）『ベーシック生成文法』（ベーシックシリーズ）、ひつじ書房。

今井むつみ（二〇一〇）『ことばと思考』（岩波新書）、岩波書店。

【実験言語学】

木山幸子・大沼卓也・新国佳祐・熊可欣（著）（二〇二二印刷中）『ライブラリ心理学の杜7－学習言語心理学』、サイエンス社。
入來篤史（編）（二〇〇八）『言語と思考を生む脳－シリーズ脳科学3』、東京大学出版会。

7　現代日本学　複数の視点で捉える〈日本〉

茂木謙之介、田中重人、Christopher Craig

はじめに――「現代日本学」とは

〈日本〉を対象とする地域研究としての「日本学（Japanese Studies／Japanology）」は、まずヨーロッパで生まれ、深化し、その後日本国内においては一九七〇年代以降に本格的に「輸入」され、一九八〇年代以降その存在感をいや増してきている。

その一方で「現代日本学」は恐らく耳慣れない学問分野に違いない。同名の学問分野を冠した学問の場は、二〇二一年五月現在では、北海道大学の留学生向けのプログラムを除けば、東北大文学部・文学研究科に存在するのみである。

二〇一九年四月一日に設立された現代日本学研究室は、「国際化」と「学際化」をメインテーマとし、従来の日本研究では見落とされたり見過ごされたりしてきた〈日本〉の実像を新たな視点から再構成することを目指す研究室である。

現代日本学のふたつのメインテーマのうち「国際化（Globalization）」については、すでに耳慣れたことばであろうし、特に「日本学」という学問分野を考えるならば、これまでの展開から考えても明快なように、世界の中における〈日本〉を考えるということを意味している。現在ヨーロッパやアジアを中心に日本学を学ぶ人は四千人以上いると言われ、日本学の研究拠点は世界各地に林立している。それらの拠点では日本国内で展開している「日本学」とは異なった対象・方法・視角での研究がなされている。それらの成果を積極的に導入することは、既存の「日本学」を絶対化しないために重要である。

もう一つのメインテーマ「学際化（Interdisciplinarization）」はいささか了解しづらい言葉かもしれない。原義的には、ある学問領域と隣接する他の領域の間の中間的な領域（＝際＝きわ）を意味する。しかしここでは、いくつかの学問領域の知見を同時に導入することによってより多面的かつ立体的に〈日本〉を検討する、ということを意味している。「日本学」は〈日本〉を対象とする地域研究である以上、それを明らかにするための方法論は多様にあり得るのは言うまでもない。社会・歴史・民俗・宗教・文学・美術などを論じる諸学問はすでに伝統的に確立されて細分化されているわけだが、「現代日本学」は、そのような様々な方法論を複数同時的に採用し、その結果既存の枠組みに留まらない新たな展開を期待するものである。

そこで今回は現代日本学研究室の教員が専門とする社会学・表象文化論・歴史学のそれぞれの見地から、多角的に映画『ゴジラ』を分析してみたい。一九五四年一一月公開の同映画（監督：本多猪四郎／特殊技術：円谷英二／製作：田中友幸／音楽：伊福部昭／配給：東宝）は、観客動員数九六一万人を超え、延べ人数でいえば当時の国内人口の約一割が見た映画であった。そのヒットを受け、その後二〇二一年現在までに、国内では特撮作品として二九作、アニメ三作、アメリカに輸出されたハリウッド版は四作と、今なおその作品数を伸ばすシリーズとなっているが、その第一作は今なお色褪せない魅力を湛えている。このポップカルチャーの金字塔を、様々な研究視角から論じるとどうなるのか、以下その可能性を問うてみたい。なお、いわゆる「ネタバレ」をふくむため、読者にはまず一度『ゴジラ』を視聴の上、読まれることをお勧めしたい。

1　映画『ゴジラ』にみる科学者像

『ゴジラ』には、重要な役回りを演じるふたりの科学者が登場する。古生物学者・山根恭平博士と、化学者・芹沢大助博士である。

山根博士は南方の架空の島「大戸島」への調査団に加わり、現地に残されたゴジラの足跡から三葉虫を発見。付着していた放射性物質の解析結果をもとに、古代から棲息していた巨大生物が、近年の水爆実験によって海底の住処を奪われ、日本近海に出てこざるをえなくなったものとの見解を国会で披露する。ゴジラを殺す方法について問われた際には、水爆にも耐えて生き残ったゴジラを殺すのは不可能である、むしろその生命機構についての学術研究こそが急務だと主張した。映画のラストでは「あのゴジラが最後の一匹とは思えない……」という名台詞を吐く。

芹沢博士は山根博士の教え子という設定で、世間では山根博士の娘・恵美子の婚約者と目される人物（ただし恵美子本人は「お兄様のように甘えたりしていた」だけと述べる）。戦争で右眼を失い、黒い眼帯を着けている。「オキシジェン・デストロイヤー」（酸素破壊剤）の原理を発見し、その平和利用を目指して秘密裡に研究を進めてきた。この発見が大量破壊兵器に利用されることを何より恐れているため、対ゴジラ兵器としての使用を頑なに拒否する。しかし物語の終盤では考えを変え、研究資料を廃棄したうえで、自らゴジラを葬る。

彼らの個人としての人格をクローズアップする物語構成になっているところは、『ゴジラ』の大きな特徴である。現実世界の科学者なら「○○大学教授」「××学会会長」といった肩書で紹介されそうなものだが、『ゴジラ』の科学者たちは「博士」とだけ称される。彼らはしっかりとした哲学と広い視野を持ち、それに基づいて専門的知識の利用の仕方を決める意志を持つ。所属組織や学閥や研究資金提供者といったしがらみに縛られず、公共性を持った信念に殉ずる姿は、翌年のラッセル＝アインシュタイン宣言の精神を先取りした科学者像と読むこともできる。

もっとも、山根博士は、国会に出て意見を述べたり、大戸島調査団に参加するなど、政府との結びつきがある。芹沢博士も、現在は自宅に「芹澤科學研究所」の看板を掲げて地下実験室で研究に没頭しているのであるが、新聞記者（萩原）に研究内容を嗅ぎ付けられたのは、ドイツ人からの情報によるものであった。すくなくとも過去においては、国際的な研究ネットワークで業績が評価されていたことが暗示されている。

これに対して、日本政府のゴジラ対策は、凡庸なものとして描かれる。脅威を認識して以降の政府の対応は、通常の軍事力に依存したものだった。最初は南洋に軍艦を出動させて、ゴジラがいる海域に爆雷を投下。東京湾にゴジラが出現してからは、湾岸に鉄条網を設置して高圧電流を流す作戦を立て、また機関銃、砲弾、戦車、戦闘機で攻撃を加える。しかし、山根博士が「ゴジラに光をあててはいけません」と現場の隊員に訴える場面が示すように、ゴジラの生物としての特性を考慮せず作戦を立案していた模様である。実際、攻撃を受けたゴジラが実質的なダメージを被っているようにはみえない。結局、東京が焼け野原と化し、正規軍による迎撃がほとんど無効であることが判明した後に、在野の科学者である芹澤博士が、彼の個人的な発明を使ってゴジラを倒す。

　ここで描かれているのは、科学の属人化である。特定の科学者だけがある研究分野の代表者としてあつかわれ、他の科学者の意見は無視される（それどころか、『ゴジラ』作中には、対立する科学者は出てこない）。現実の科学は、研究者の共同体のなかですこしずつ前進していく。その過程では対立する学説が提起され、データと論理に基づいて正解の存在範囲が絞り込まれていく。いったんは多数派になった学説がその後の新発見によって捨てられていくのも、科学の通常の営みである。しかし、巨大怪獣の来襲といった危機的状況においては、科学の統一見解を示すことが求められる。そこで、代表的科学者とみなされる人物がいて、政府からの信任も厚く、実際に対応を任されているとなれば、その人のことばがそのまま「科学」であると受け取られても不思議はないであろう。実際、二〇二〇年の新型コロナウイルスによるパンデミックでは、多くの社会で同様のことが起きた。

　もっとも、『ゴジラ』での科学の属人化は、すこしちがうかたちをとっている。山根博士は、国会で意見を述べることはあっても、対ゴジラ作戦には参画していないようである。彼はゴジラを攻撃することには否定的であり、その点で政府と対立する。しかしメディアを通じて直接訴えかける手段をとることもない。要するに、政治的な影響力を持っていないし、民衆に支持されているわけでもない。

　科学を代表してゴジラを倒す英雄となったのは、芹沢大助であった。このときには海上保安庁が船を出し、放射能の探知によってゴジラの居場所を特定するなど、国がバックアップしていることに間違いはない。しかしその船には報道陣が同乗し、実況生中継で芹沢の英雄譚を語る。科学の属人化をもたらすのはメディアなのだ。次節では、このラストに至る過程を、メディアの描かれかたに着目してたどってみよう。

2　メディア表象から考える『ゴジラ』

『ゴジラ』は徹頭徹尾「メディア」に彩られた物語と言える。冒頭、船の沈没が続発するという出来事の中で人びとは「情報」を手に入れるのに躍起になるが、その段階で既にメディア関係者は登場している。物語の進展の中では、出来事を取材する記者たちに加えて新聞の紙面やラジオ放送、テレビ映像が折に触れてカットインし、海難事故の展開やゴジラの存在、その上陸など物語の状況が視覚化される。つまり物語のナレーションに該当するのが「メディアによる語り」となっているのである。そして物語の最後では東京湾上でのゴジラとの最終決戦の場に科学者や技術者とともに多数のメディア関係者が同伴し、そのゴジラ抹殺の過程を逐一実況中継するなど、一貫して物語と伴走する存在としてメディアはある。ここからゴジラは物語において都市を破壊し、人びとを死に導く恐怖の対象でありながら、メディアにとって一つの消費財としての価値を有していることが分かる。ゴジラ再上陸の際に、テレビ塔で実況中継するアナウンサーがその惨状を報告しつつ「テレビをご覧の皆さん、これは劇でも映画でもありません」と述べるさまは、まさしく「見世物」としてゴジラの起こした惨状をメディアで消費する在り様であるといえるし、その後彼はゴジラにテレビ塔ごと倒されて悲惨な最期を迎える際に「いよいよ最後、さようなら皆さん、さようなら」と述べ、自らがメディア的見世物の中で消費されることとなる

こうした形式的なものにとどまらず、メディア関係者は物語内容の展開にも一役買っている。当初、青年科学者・芹沢大助の研究成果に興味を持っていたわけではなかった（と推測される）山根恵美子が対ゴジラの切り札である酸素破壊剤の存在を知るのは、新聞記者の萩原に依頼されて、芹沢への取材に同行する展開の一連

の流れの中においてであった。この記者がいなければ恵美子は芹沢の研究に興味など抱くこともなく、酸素破壊剤というゴジラ対策の切り札に触れる機会もなかったし、彼女の新しい恋人・尾形秀人にその存在が漏れることもなかった。つまり、ここでのキーパーソンは実質萩原なのである。

さて以上のようにメディア表象が形式的にも内容的にも深くかかわっているこの物語内でメディア消費に特化した人物がいることに注目したい。それは、二〇二一年現在までの『ゴジラ』シリーズにおいて、ゴジラを完全に抹殺することに成功し、またそれをたった一人でやり遂げた唯一の人物、芹沢博士である。彼は自宅にラジオを備え付け、まだ一九五四年当時は普及率の高くなかったテレビを研究室に設置し、テレビについては常時点けっぱなしにしているという、ヘビーなメディア消費者として描かれている。彼は二度目のゴジラ上陸による東京の惨状もメディア情報として受け止め、ゴジラに航空機で攻撃を仕掛ける様に歓声を上げる群衆と同様に、見世物としてゴジラを消費していると思われる。

その彼にとっての判断基準は、テレビ越しのものに他ならない。彼がゴジラを倒そうと決意するシーンは、そのことを象徴する。酸素破壊剤の使用を迫る尾形を殴り倒し、流血の事態となっても、破壊兵器としての転用の可能性からそれを封印する意思を変えなかったにもかかわらず、テレビから「平和への祈り」として東京の惨状が映し出されたとき、つまりメディア的な「リアル」に触れたときにはあっさりと改心してしまうのだから。

このような芹沢は同時に自らがメディア消費の対象となることを徹底的に忌避する存在でもある。研究を取材しようとする萩原には取り付く島もないし、最終的に自らは死ぬことで、メディアに消費されることを回避している。水中酸素破壊剤の実験とゴジラの打倒という一大見世物を水中の「特等席」でみつめる芹沢の発する最期の言葉は「尾形、大成功だ。幸福に暮らせよ。さようなら、さようなら」であった。この言葉はゴジラ再上陸の際の実況中継者の最期の言葉とぴったり重なる。中継者が自らを消費対象とすることを受け入れたのに対し、芹沢は最後までそれに抗い、メディア消費者としての在り方を貫徹したということができるだろう。恵美子・尾形との三角関係で恋に破れた敗者とも思えてしまう芹沢は、その実この物語を消費しつくしている特権的存在なのだ。

その芹沢の開発した酸素破壊剤は、「東京湾一円の海中を一瞬にして死の墓場と化すことも可能」な破壊力をもつものであり、ゴジラを跡形もなく消し去ったという結末部でそれは恐らく実行されている。つまり、陸上を焦土と化したゴジラとパラレルな存在として、海中環境を破壊しつくした芹沢がいることが暗示されているのだ。ゴジラがその死を目撃され、「若い世紀の科学者、芹沢博士はついに勝ったのであります」という言葉でその最期まで消費されつくしてしまうのに対し、(勿論死後の「顕彰」という消費はありうるかもしれないが)芹沢はそれを徹底的に回避しているのである。そう考えたとき、芹沢博士の最期の言葉にはまぎれもない愉悦が含まれていることに、われわれは容易に気づいてしまうのではないだろうか。

3　歴史と『ゴジラ』

最後に、映画『ゴジラ』とそのシリーズの歴史的・国際的な位置づけについてみておこう。『ゴジラ』は、占領期が終わってから最初の日本の映画の一例として、海外でよく知られた戦後日本映画の先駆者である。この二つの点、つまり同時代的な側面と海外での流行は、ゴジラの歴史的な意義につながる。

まず、『ゴジラ』は、近年に急速に普及してきた歴史学のサブ分野のメモリースタディーにおけるAtomic memory studies（原爆記憶研究）の突出した資料として重視されるようになっている。広いメモリースタディーの中で、Collective memory（共有記憶）とCollective trauma（共有トラウマ）は先駆けのテーマで、第二次世界大戦、特にホロコーストや原子爆弾投下が注目され、それらに関する研究は多く行われている。『ゴジラ』はこのようなトラウマとメモリーの研究と深いつながりがある。

日本の戦後の占領期には、SCAP（連合国軍最高司令部）によって原爆に関するニュースは厳しく検閲されていた。占領が終わった一九五二年になってようやく、日本の小説家や映画監督は国民のCollective memoryとCollective traumaを描くことができるようになった。『ゴジラ』はこの文脈の中で作成され、原爆の経験の新しいメタファーを生み出した。このメタファー、つまり怪獣のゴジラを通じて作者の原爆に対する哲学的な考えを表し、同時にその武器としての恐ろしさを衝撃的なまでに表すことができた。また、映画の中の犠牲者を通じて、被爆者を含む国民が受けた戦争によるトラウマを描いた。

このトラウマは『ゴジラ』の一つの特徴となり、その後のシリーズでも持続する。一九五四年当時の日本社会のCollective memoryおよびCollective traumaを固定したのが、映画『ゴジラ』である。

また、『ゴジラ』とそのAtomic memoryとの関係は、Comparative history（比較歴史）においても豊富な可能性をもつテーマである。

『ゴジラ』は国内のオーディエンスを対象として作成されたが、海外にも紹介されて、最も成功した日本映画の一つとなった。しかしながら、海外ではじめてゴジラファンになった人たちが見たのは、本多猪四郎が監督した『ゴジラ』ではなかった。ゴジラの世界への広がりに火をつけたのは一九五六年の*Godzilla, King of the*

Monsters!（本多猪四郎、Terry O. Morse 監督、Jewell Enterprises）であった。一九五五年にアメリカのB級映画プロデューサー Edmund Goldman は『ゴジラ』の上映権を獲得して、ドライブインシアターで売られるように元の映画を大きく再編成して、様々なシーンを排除し、アメリカ人の俳優を映画の主人公にする新しい映像を撮影して映画の中に取り込んで、半翻訳半改作という形の映画を作り出した。アメリカ人にとって理解しがたい言語や文化を取り除いて、アメリカ人が共感できる主人公を導入したが、変更はこれに限られるものではなかった。より大きな問題になっていたのは、先ほど触れた原爆のメタファーと、アメリカと日本の間に存在する Atomic memory の相違点であった。

当時も現在も、アメリカと日本の二か国は、歴史上唯一の原爆戦争の経験者である。前者が攻撃して、後者がそれを受けたということで、アメリカ人と日本人の原爆攻撃に対する記憶・理解・意見は完全に違うものとなっていた。この違いに応じて、*Godzilla, King of the Monsters!* では、オリジナルの『ゴジラ』が原爆に触れた部分や戦争のトラウマが描かれるシーン、および水爆実験に関するアメリカの責任を示す描写が排除されて、怪獣のゴジラそのものは自然震災のようなキャラクターとされた。

この改変された映画は、アメリカおよび世界中で有名になった。その結果として、『ゴジラ』が日本の Collective trauma を固定したのと同じように、*Godzilla, King of the Monsters!* は日本とアメリカの Atomic memory の相違点を固定化することとなった。

おわりに

以上のように、一本のおなじ映画について、異なる学術的見地から、異なる知見を引き出すことができる。科学者や政府やメディアは、危機に際してどんな行動をとるか。そこにどんな意味で「日本的」な特徴を見出すことができるか。ある特定の文脈のもとで創られ、特定の記憶と結びついた作品が、別の文脈に移植・翻訳された際に、どのように受容されるか。フィクションであることを承知でそうした作品を観る私たちは、何を「リアル」なものとして感じ、どのようなメッセージを受け取っているのか。

もちろん、研究対象はフィクションに限られるわけではない。日常的な生活の現実についての研究もありうるし、歴史的な出来事について資料を集めて分析することもできる。具体的なデータや資料をきちんと分析したうえで、その結果を、専門分野や国境を越えた複数の視点から見直し、〈日本〉像を再構成していくのが「現代日本学」の試みである。

分析の対象となる「データ」「資料」は、人々が残した文字・音声・映像などの記録であり、そこから何らかのメッセージを読み取らなければならない。だから研究それ自体がコミュニケーションの一部である。これは人文社会科学に共通する特徴でもあって、入手できる情報に制約があるなかで、他者からのメッセージを読解する工夫を重ねるわけである。現代の社会では、グローバル化と情報化の結果、従来私たちを分断してきた距離や文化の壁があちこちで崩れていく一方、信頼度が定かでない大量の情報が氾濫する状態になった。この困難な時代には、コミュニケーションを通じて他者を理解するために人文社会科学が蓄積してきた知見が役立つはずである。

〈参考文献〉

Igarashi, Yoshikuni. *Bodies of Memory: Narratives of War in Postwar Japanese Culture*, 1945-1970. Princeton University Press (2000).

Kalat, David. *A Critical History and Filmography of Toho's Godzilla Series*. McFarland & Company (2010).

北村紗衣『お砂糖とスパイスと爆発的な何か――不真面目な批評家によるフェミニスト批評入門』書肆侃侃房（二〇一九）．

松本三和夫（編）『科学社会学』東京大学出版会（二〇一二）．

Miyamoto, Yuki. "Gendered Bodies in Tokusatsu: Monsters and Aliens as the Atomic Bomb Victims." *Journal of Popular Culture* 49(5): 1086-1106 (2016).

野家啓一『歴史を哲学する――七日間の集中講義』（岩波現代文庫）岩波書店（二〇一六）．

佐藤卓己『流言のメディア史』（岩波新書）岩波書店（二〇一九）．

Tanaka, Yuki. "Godzilla and the Bravo Shot: Who Created and Killed the Monster?" *Japan Focus* 3, no. 6 (2005): 1-10.

Tsutsui, William M. and Michiko Ito (eds). *In Godzilla's Footsteps: Japanese Pop Culture on the Global Stage*. Palgrave Macmillan (2006).

若桑みどり『イメージの歴史』（ちくま学芸文庫）筑摩書房（二〇一二）．

（茂木が「はじめに」と2節、田中が1節と「おわりに」、クレイグが3節の原案をそれぞれ作成し、全体の調整は田中がおこなった。）

8　考古学　東北大学の考古学研究の歴史と未来

鹿又喜隆

はじめに―掘り下げて考える―

いま皆さんが目にしている景観を詳しく観察して下さい。そこには、現代社会の整備された建造物と自然の景観が織り合った風景があると思います。そして、その景観の中に過去の人々の営みの痕跡をうかがうことができます。例えば、東北大学文学部が所在する川内キャンパスも然りです。東北大学が川内地区にキャンパスを整備したのは一九五七年以降です。それ以前は米軍（第九軍団司令部）が駐屯するキャンプとして終戦後に機能しました。その前は陸軍第二師団が置かれましたので、長く軍都の中心であったと言えます。さらに、仙台藩政時代には藩士が起居した武家屋敷（二の丸）がありました。こうした過去の痕跡は、文献資料や絵図・写真といった記録だけでなく、地上・地下に残された遺構からも読み取ることができます。川内地区の石垣や土塁などがその名残りです。こうした過去の歴史を、文献から読み解くのが日本史学であり、地上・地下の遺構・遺物から読み解くのが考古学です。考古学では、地面の下を発掘しますから、過去の歴史的な痕跡を実際に目にすることができます。発掘調査時のこの感動と興奮は言葉に言い尽くせないものです。本で読み知った事物、あるいは本に書かれていない事物が、目の前に現れます。それは、当時の人々の後、誰も目にしなかったものであり、それがいま自分の目の前に現れたのです。そして、地層を掘り深めるほど、歴史の深層・文化の基層に辿り着けるのです。

1 考古学とは

考古学の研究は、人類が誕生した時代（約八〇〇～六〇〇万年前）から、現代までの長い時間幅を対象にしています。したがって、分析対象は多様であり、ヒトが利用した道具や自然物のみならず、ヒトが利用してない自然物も含みます。すなわち、歴史上ヒトの周辺にあった全てのモノが対象になる訳です。当然、ヒト自体の人類学的研究も含まれます。考古学では、ヒトが構築・利用した施設や建造物の痕跡を「遺構」、ヒトが作り・使った道具や自然物を「遺物」と言います。そして、遺構と遺物が発見された場所が「遺跡」です。これらの遺跡・遺構・遺物を対象に様々な分析方法が応用されます。また、これらは行政的には「埋蔵文化財」と呼ばれ、日本では一九五〇年に施行された「文化財保護法」によって守られています。

さて、考古学研究は、世界中のヒトが居住した場所ならばどこでも実施されています。例えば、ヒトが滅多に足を踏み入れなかった北極圏でも、後期旧石器時代には既に人類の足跡が残されています。すなわち、考古学は世界中の国々で行われている国際性のある学問と言えます。また、考古学研究は学史的に歴史学、人類学、生物学、地質学と深く結びついておりますし、現代では様々な自然科学分野との連携研究が実施されています。つまり、学際的研究が盛んな分野と言えます。研究領域は、ＤＮＡ分析や元素分析、ＳＥＭやレーザー顕微鏡を用いた観察・分析などのミクロな対象から、ホモサピエンスの世界中への拡散のようなマクロな対象まで及びます。このように現有の人類の英知を総合的に応用する学問です。

日本には二〇一三年の時点で約四十六万五千カ所の遺跡が確認されています。そして、発掘調査数やその予算規模は、九〇年代後半から二〇〇〇年代前半がピークで、毎年の発掘件数が約一万二千件、その業務に携わる自治体の専門職員の数が約七一〇〇人、費用の総額が約一兆三千億円に達しました。その後バブル崩壊などの社会的要因によって急激に減少しましたが、二〇一六年の統計では年間約八五〇〇件の発掘が行われ、職員数は五六六六人です。発掘予算の費用は総額六三三億円にのぼります。このように国家と行政によって遺跡が大切に守られており、日本は埋蔵文化財の保護体制が世界で最も確立している国の一つと言えます。東北大学で考古学を学んだ卒業生の三〜四割ほどが、こうした専門職に就いています。大学で学んだことを実社会の現場で長く活用できることも、考古学を学ぶ利点です。

2　考古学研究の歴史とその発展

日本で体系的な考古学が導入されたのは、京都帝国大学に濱田耕作が就職し、ヨーロッパ留学後の一九一六年に考古学研究室が創立された時点とされます。東北大学の考古学は、喜田貞吉（図1）が一九二四年に東北帝国大学に赴任し、翌年に法文学部に奥羽史料調査部が設置されたことに遡ります。他の学問分野に比べれば、考古学の歴史は浅いものの、それでも約百年の蓄積があります。ここでは、日本考古学の歴史と発展を、東北大学の研究を中心に紹介します。

日本考古学の黎明期、仙台湾周辺は縄文時代研究の最高のフィールドでした。東北帝大理学部の松本彦七郎は縄文貝塚の層位的な発掘を一九一四年に開始しました。この発掘法は、地層累重の法則に基づく科学的調査法と言われ、地層の上下関係によって各地層に含まれる遺物の新旧を相対的に判断するものでした。また、医学部の長谷部言人は、一九一六年から貝塚調査で得られた縄文人骨の形質研究を進め、原日本人論を展開しました。さらに、松本と長谷部は、抜歯や埋葬法、副葬品などの習俗にも関心をもって研究を進めました。また、貝塚から最も多く出土する人工遺物は土器でしたから、土器の形と文様の変遷過程が理解されました。これは「土器編年」と呼ばれ、相対年代を示します。同時に、同じ時代・時期の地層や遺構から出土した「一括資料」には、地域性や時代性を示す共通の特徴があることが把握されました。これを「型式」と定義しました。この層位的発掘と型式学を駆使して、縄文時代の土器編年を確立したのが、当時（一九二四〜一九三三年）医学部に所属していた山内清男です。山内は「縄文」がどのように描かれたのかを解明すると共に、縄文土器の全国編年網を組み立てました。こうした経緯から、日本の縄文研究では層位的発掘と型式学、編年研究が盛んに実践されるようになります。

図 8-1　喜田貞吉

一連の調査の後、一九三六年に催された雑誌『ミネルヴァ』の座談会を契機に、縄文時代の終末に関する論争が上記の喜田と山内の間に起こりました。いわゆる「ミネルヴァ論争」です。喜田は、宋銭が入っていたという亀ヶ岡式土器（縄文時代終末期の土器）の存在を根拠に、東北地方では縄文時代の終末が鎌倉時代になると主張しました。皆さんご承知の通り、今日では、山内の説が受け入れられていますが、当時はなかなか学界に浸透しませんでした。

図 8-2　伊東信雄

図 8-3　芹沢長介

山内の研究法は、東北帝大の考古学の初代教授である伊東信雄（図2）に受け継がれました。伊東は縄文時代から弥生時代にかけての遺跡の発掘調査を精力的に行いました。特に一九三九年以降の宮城県仙台市南小泉遺跡における大陸系磨製石器の発見や、東北地方各地での籾の圧痕のある土器の発見から、弥生時代の中頃には東北地方にも稲作文化が伝わったと確信しました。そして、一九五八年に青森県田舎館村垂柳遺跡において弥生時代中期の炭化米を発見するに至ります。

一九四九年、群馬県岩宿遺跡の発掘によって、日本に旧石器時代があったことが証明されます。当時、明治大学に在籍していた芹沢長介（図3）は、岩宿遺跡の発掘に深く関わりましたが、その後も旧石器時代遺跡を次々に発掘しました。そして、層位学的な調査から、旧石器時代の石器編年を組み立てていきます。そのような中で問題となったのが、旧石器時代と縄文時代の境界です。上記の山内と芹沢は、新潟県本ノ木遺跡を別々に（一九五六・一九五七年に）発掘し、旧石器時代の特徴を示す尖頭器と、縄文時代初頭の土器の共存に関して異なる見解を述べました。いわゆる「本ノ木論争」です。芹沢は一九六三年に東北大学に赴任し、考古学講座二代目の教授になります。一九六〇年代前半に長崎県福井洞穴を三回発掘し、旧石器時代終末の細石刃に最古の土器が伴い、その放射性炭素年代が約一万二千年前だとの結論に達しました。当時この土器の年代は世界で最も古い値でしたので、国際的にも大きな注目を集めました。同時に日本の旧石器・縄文時代の境界が、大陸側の旧石器・新石器時代の移行の年代とほぼ一致することを理解しました。一方、旧石器時代の編年研究では、火山灰年代学が応用されました。日本は火山島ですから、様々な年代に噴出した火山灰が広い地域に堆積しています。特定の火山灰が異なる遺跡にあれば同じ年代を示す時間の目盛りとなります。例えば、広域火山灰である姶良丹沢火山灰（AT）は、約三万年前に噴出したことが分かっています。その噴出源は鹿児島県ですが、火山灰は日本列島を広く覆っています。したがって、この火山灰より下から石器が出土すれば、それは三万年前よりも古いと分かります。こうした年代と噴出源が異なる火山灰を組み合わせて、日本の旧石器編年が作られていきました。

3　科学分析の応用の時代

一九九〇年代後半まで、日本の遺跡発掘は増加の一途をたどります。一方で、資料の蓄積が進んだ結果、発掘による新発見は徐々に少なくなっていきました。それは同時に、発掘資料の理科学分析から新知見を得るという第二の発見の時代に移っていったことを意味します。例えば、資料の材料の産地を推定することで、ヒトやモノの移動と流通を明らかにしようという研究が始まりました。元素分析装置を用いた黒曜石産地分析や、土器の胎土の鉱物組成に基づく分析がその事例です。例えば、黒曜石は全国各地の産出地からサンプルが集められ、それらと遺跡から出土した黒曜石製石器の元素組成が比較され、産地が推定されました。それによって、旧石器人が海を渡って神津島や隠岐の島などの黒曜石を入手していたことが理解されました。また、津軽海峡や対馬海峡を越える黒曜石の移動は、人類の拡散・移住の様相を反映する証拠と言えます。

発掘調査方法も一九八〇年代以降、精緻化が進みます。貝塚調査では、微細層位発掘と水洗篩による資料回収が行われます。東北大学では須藤隆による貝塚調査で実践されました。貝塚は当時の廃棄物を捨てた場所ですので、廃棄のたびに新たな地層が形成されます。その廃棄層には貝殻など季節を判断できる遺物が含まれます。したがって、縄文時代の生業の季節性が復元されていきました。また、モノには流行り・廃れがあり、流行時には多いのですが、徐々に減っていき、最後には無くなります。発掘時の層位や年代測定などの時間軸に基づき、モノの流行り・廃れ（流行現象）をその増減（数量的変化）から読み取ることができます。この方法を「セリエーション（Seriation）」と呼びます。これはアメリカ考古学から導入された方法です。その他にも多くの理論と方法が導入されました。中でもアメリカ考古学会に旋風を巻き起こしたニューアーケオロジーの旗手であるルイス・ビンフォードの理論は、彼の元に留学した東北大学の阿子島香によって紹介されました。特に、過去と現在、考古資料（静態）と人間行動（動態）を仲立ちする理論としての「ミドルレンジセオリー」は、民族考古学や歴史考古学、実験考古学として応用されていきました。東北大学では芹沢・阿子島の指導のもと、特に石器の機能に関する実験考古学研究が進められ、今日に受け継がれています。

近年の考古学は、分析結果や資料提示法の客観化が進み、統計・数理解析が行われ、遺物や遺構の３Ｄ測定が実施されています。また、遺物の外観のみならず、内部構造をＣＴスキャンで把握する分析や、土器内面の残留物や人骨の安定同位体分析による食性分析など、科学的分析法も多様化しています。こうした分析には、学際研究が不可欠であり、今後も益々その傾向が強まると思われます。また、近現代の遺跡発掘が地域主導で積極的に実施されるようになり、戦争遺跡や被災遺構などの調査が歴史考古学の実践を後押ししています。

そして、考古学分野では、二〇〇〇年に発覚した前期旧石器時代遺跡捏造事件が大きなスキャンダルとして、学会の信用を失墜させました。こうした過ちが二度と起きないように、後世に伝え、研究倫理を徹底していく必要があります。また、この事件の根底にあった日本の前期旧石器存否論争は、未だに解決できていない課題です。本学ではこの課題に取り組んできた学史的な経緯がありますので、今後も長期的に取り組むべき課題だと考えています。

おわりに―考古学の現在と未来―

本論の最初に、掘り下げて考えることについて記しました。考古学は物質文化を扱う学問ですが、同時に当時の人々の思想や思考についても考究します。その場合に注意しなければいけないのは、我々の思考的な前提です。例えば、縄文時代を対象とするならば、その後の時代に我々の社会が身に付けた様々な思考・観念の体系を取り去る必要があります。すなわち、現代の科学技術や合理性、経済観念、宗教観、数や言語の枠組みの影響を十分に踏まえて考える必要があります。例えば、縄文の思想は上記のシステムを取り除いても成り立つものでした。このような思考法には、現在も価値がある何らかの体系を見出すことができるかもしれません。そして、人類が将来において直面するかもしれない問題を解決するヒントになるかもしれません。

最後に、考古学は過去を知るための学問ですが、現代社会とも強く結びついています。その一つが、考古学資料の文化財としての価値です。例えば、我が国に世界遺産が現在二四件ありますが、そのうちの十件は埋蔵文化財が大いに関係するものです。同様に国史跡は一七九五件あり（二〇一七年時点）、大切に保存されています。中でも学術上の価値が特に高く、我が国の文化の象徴たるものが「特別史跡」に指定され、六二件が登録されています。同様に考古資料の中で重要なものは、国宝（四八件）や重要文化財（六〇四件）として登録され、大切に保管されています。東北大学にも重要文化財の考古資料が二件（沼津貝塚、経の塚古墳）あります。こうした史跡や登録文化財を後世に残し、その価値を伝える義務があります。また、現在の文化・教育事業や観光産業にも組み込まれており、積極的な活用が求められています。同様に発掘調査の成果を現代社会に積極的に役立てる取り組みが続けられています。特に二〇一一年の東日本大震災以降、発掘調査で確認された過去の災害痕跡を集成し、広く公開することが続けられています。宮城県では遺跡内の災害痕跡がまとめられ、人類が長い歴史の中で経験した災害について紹介する概説書が作られ、県内の学校に配布されました。さらに、学校教育に取り入れてもらえるように出前講座を行うなどの活動が継続されています。また、発掘調査報告書が全国規模で「全国遺跡報告総覧（遺跡リポジトリ）」としてデータベース化され、オンラインで活用できるようになっています。ここには、文化財関係の動画も登録され、日本語・英語での検索が可能であり、貴重な研究・教育ツールとなっています。一方、グローバルなスケールでは、温暖化問題や持続可能な社会に関わる取り組みが行われており、考古学が果たすべき役割はますます広がり、多様化していると言えます。人類の長い歴史を見れば、急激な温暖化（縄文時代の始まり頃）や持続可能な社会（縄文文化がその一つ）を通過・経験していますので、それを正確に理解することが重要になっています。長い人類の歴史の実態は、未来を照らす鏡の役割をもち、現代の我々に多くの示唆を与えてくれるはずです。

〈参考文献〉

伊東信雄　一九七三『古代東北発掘』学生社
芹沢長介　一九八二『日本旧石器時代』岩波新書
阿子島香　一九八三『石器の使用痕』ニューサイエンス社
須藤　隆　一九九八『東北日本先史時代文化変化・社会変動の研究　縄文から弥生へ』纂修堂
阿子島香編　二〇一五『北の原始時代』吉川弘文館
藤澤　敦編　二〇一五『倭国の形成と東北』吉川弘文館
宮城県考古学会　二〇一六『大地からの伝言－宮城の災害考古学－』（株）グラフィック
全国遺跡報告総覧（遺跡リポジトリ）https://sitereports.nabunken.go.jp/ja

9　行動科学　経済的不平等はなぜ生じるのか？

浜田　宏

はじめに——問題の背景

行動科学とは、人々の行動や社会構造を観測して、なぜそれらが生じたのかを解明する研究の総称です。以下にその簡単な例として経済的不平等が生じるメカニズムについての研究を紹介します。

各国の所得分布を調べた結果によれば、多くの国で中低所得者が多く、高額所得者が少ないという特徴をもつことが知られています（Crow and Shimizu 1988）。こうした特徴は数学的には「対数正規分布」や「パレート分布」という確率分布で表すことができます。図1は、二〇一五年に実施された全国調査「階層と社会意識全国調査（第1回SSP調査）」データから作成した個人所得の分布です（調査の詳細は http://ssp.hus.osaka-u.ac.jp を参照）。

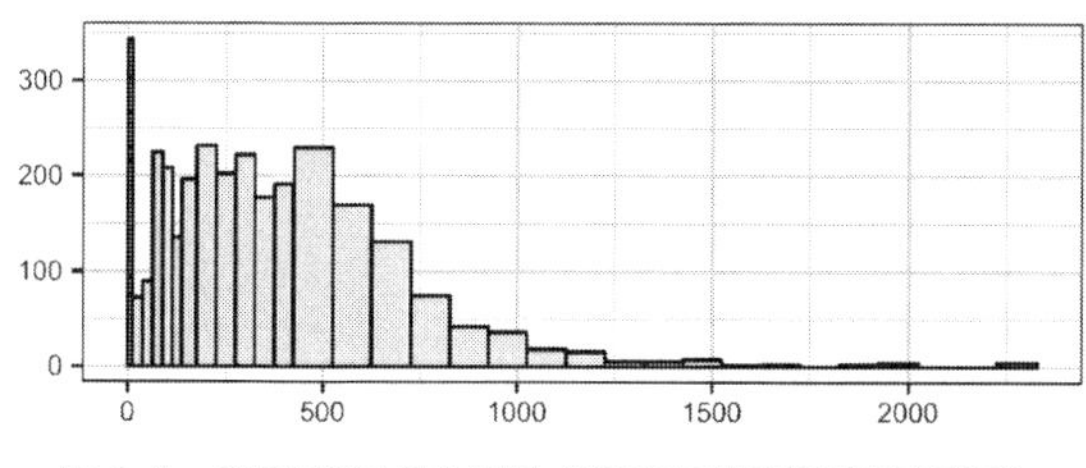

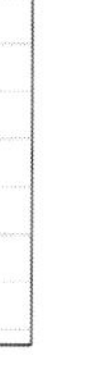

図 9-1　SSP2015 個人年収（2500 万円以下だけを表示）
横軸は金額（万円）、縦軸は人数

1　ハードル対数正規分布

このような経験的な法則が生じる仕組みを考えてみましょう。回答者3575人中、所得がゼロであると回答した人は334名で最頻値でした。そこで所得データの生成プロセスを次の2段階に分けて考えます。

- お金を稼げる状態になるかどうか、最初に決まる
- 段階1で《稼げる》状態になると、なんらかの正の所得Yを得る。稼得状態にならない場合は、所得ゼロ円となる

例えば企業に勤めて給与をもらう人は、稼得状態で正の所得をもらうことができますが、失業中で働けない人や家事労働に専念するために市場労働ができない人は非稼得状態のため所得ゼロです。図2に樹形図を示します。

ここで図中のLognormalは対数正規分布の確率密度関数であると仮定します。このように「稼得状態に入るかどうか（労働市場に参入するかどうか）」と「稼得者となって所得を稼ぐ」の二つのプロセスを別々に表現した場合には、所得Yの確率密度関数（この文脈では所得が100万円から300万円の人が全体の何%いるか、等の数値を与えてくれる関数を意味する）は図3のように

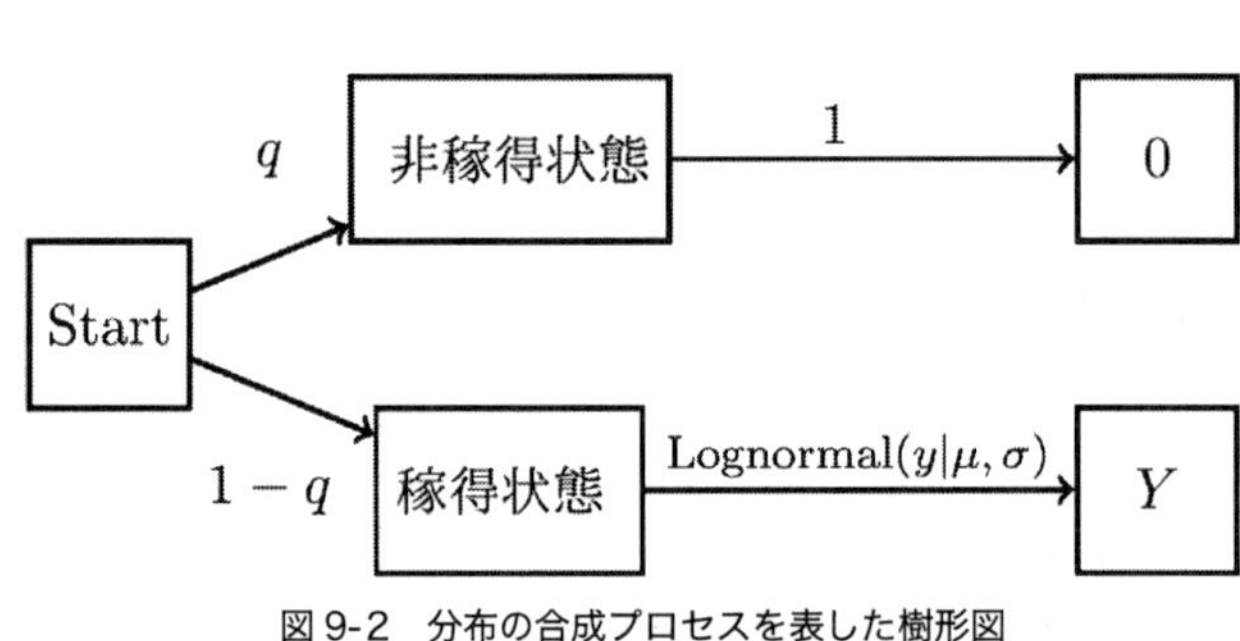

図9-2　分布の合成プロセスを表した樹形図

$$HL(y|q,\mu,\sigma)=\begin{cases}\mathsf{Bernoulli}(1|q), & y=0\\ \mathsf{Bernoulli}(0|q)\times\mathsf{Lognormal}(y|\mu,\sigma), & y>0\end{cases}$$

図 9-3　ハードル対数正規分布

$$\begin{aligned}q_i &= \text{logistic}(a_1+a_2\text{FEM}_i+a_3\text{AGE}_i+a_4\text{EDU}_i)\\ \mu_i &= b_1+b_2\text{FEM}_i+b_3\text{AGE}_i+b_4\text{EDU}_i\\ Y_i &\sim HL(q_i,\mu_i,\sigma) \qquad i=1,2,\ldots,n\end{aligned}$$

図 9-4　性別や年齢や教育年数の影響

表現できます。

HLはハードル対数正規分布（hurdle lognormal distribution）の略で、稼得状態になるためになんらかの障壁を越えなければならない（たとえば職に就く）モデルの仮定を表しています。

さらにわれわれは、どういう条件の人が所得ゼロになりやすいのか、また稼得状態になった後はどのような条件が所得に影響を及ぼすのか、ということに興味があります。そこで次のような計量モデルを考え、各説明変数の影響を推定します（図4）。

このモデルは稼得状態になるかどうかの確率をqで表し、さらにこの確率qが性別（FEM）や年齢（AGE）や教育年数（EDU）に影響を受けると仮定します（1行目の式）。また、稼得状態になった場合の所得パラメータも、性別や年齢や教育年数に影響を受けると仮定します（2行目の式）。よって所得分布は、0の場合と正の場合とで条件分岐する確率密度関数HLによって定まります（3行目の式）。

2　人的資本モデル

ここまでに考えたハードル対数正規分布モデルでは、稼得状態になったあと、所得が対数正規分布に従うことを仮定していました。しかし、なぜ稼得状態後の所得が対数正規分布に従うのかについては明示的な説明がありません。

そこで次に、所得分布ができあがるプロセスを人的資本の観点から定式化してみましょう。人的資本とは労働者の所得のばらつきを説明するための概念で、訓練や教育によって個人に蓄積する情報や技能を意味します。人的資本論では教育や訓練という投資により労働生産性が高まると考えます（Mincer 1958, Becker 1964）。モデルの仮定は次の通りです。（Hamada 2016, Hamada 2019）.

- 成功確率 p で人的資本の投資を n 回繰り返す
- 初期資本（initial capital）を y_0 で、利益率（rate of return）を b で表す
- 投資コストは n 時点の資本 y_n に利益率をかけた値 $y_n b$ である
- 投資に成功すると、直前に投資したコストだけ、人的資本が増える。反対に失敗するとコストだけ減る。

人的資本の累積的な獲得プロセスを次の樹形図で表します。

この樹形図から、人的資本の増減は利益率 b の指数で表されることが分かります。また2段階目の分岐の中央2つの人的資本を比べると、どちらも同じ量であることから《1回成功した後で1回失敗すること》と《1

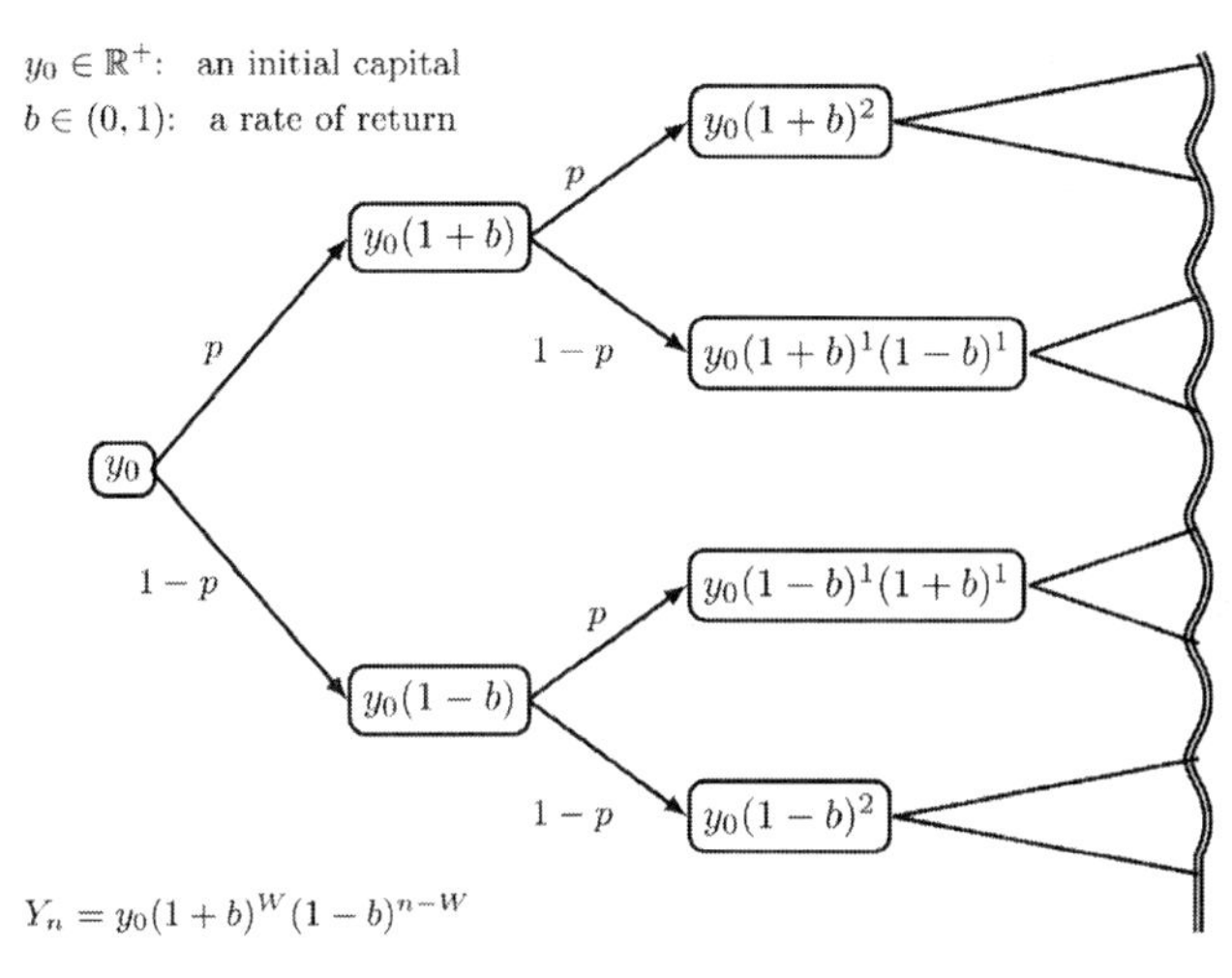

図 9-5　所得分布の生成モデルの樹形図（Hamada 2019 より再掲）

回失敗した後で1回成功すること》が結果的に同じ人的資本をもたらすことが分かります。実際、n 回の試行のうち、k 回成功した場合の人的資本は、樹形図をもとに計算すれば試行回数と成功回数を指数とする関数であることが分かります（Hamada 2016）。さらに所得分布の生成モデルから次の命題が導出できます。

命題（人的資本の確率密度関数）。n 回の投資を繰り返した後、人的資本の分布は対数正規分布で近似できる（証明の詳細は Hamada 2016; 2019 をご覧ください）。

おおよその理屈は次の通りです。まず成功失敗は一定の確率で決まるので、成功数の分布は2項分布に従います。試行回数 n が大きいと、2項分布は正規分布で近似できます。一方、人的資本は成功数を指数にもつ関数なので、対数をとると成功数の1次関数として表すことができます。よって定義上、人的資本は対数正規分布に従います。

このように単純な数理モデルをつくることで、人的資本や所得の分布が対数正規分布で近似できる仕組みを定式化することが出来ました。このモデルを使えば、経済的不平等が悪化する条件をモデルのパラメータである投資成功確率pや利益率bから特定できます。例えばジニ係数は、他の条件が一定であればpが0.5のとき最大化し、利益率bに関しては単調に増加することがモデルから分かります（浜田・石田・清水 2019）。

ところで、このモデルは経験的に妥当であると言えるでしょうか？確かにモデルは経験的に観測された傾向を導出することができます。しかし現実のデータにどの程度フィットするのか、まだ定量的に把握できません。

3　所得分布生成モデルのベイズモデル化

数理モデルをデータと対応させるために、統計モデルを再度定式化します。資本の確率モデルのパラメータは理論モデルの条件であるp, b, n, y_0によって一意的に決まることが分かったので、この命題を利用して次のようなベイズ統計モデルを作ることができます。

このように確率変数の生成過程をモデル化すると、統計的推測における確率モデルのパラメータの関数型を、理論的に定めることができます。そしてデータからパラメータp, bの事後分布や予測分布を計算できます（この条件では事後

$$\log Y_i \sim \text{Normal}(\mu, \sigma) \quad i = 1, 2, \dots N \text{（個人）}$$

$$\mu = \log y_0 + n \log(1-b) + \log \frac{1+b}{1-b} np$$

$$\sigma = \sqrt{npq} \log \frac{1+b}{1-b}$$

$$p \sim \text{Beta}(1,1), \qquad b \sim \text{Beta}(1,1)$$

図 9-6　ベイズ統計モデル

分布と予測分布を解析的に計算できないので、MCMCなどの方法を利用して近似計算します)。

おわりに―理論と実証の統合を目指して

経済的不平等の発生プロセスを例に行動科学の研究を紹介しました。細部は省きましたが、現象の定量的観測、観測データに基づくモデルの定式化、統計モデルによる検証、という流れに沿って研究が進むイメージを示したつもりです。コンピュータやIT技術の進展に伴い、人間や社会を理解するために、数理モデルやデータサイエンスは今後ますます重要な役割を果たすでしょう。人間の意識や行動は多様ではありますが、そこには何らかの本質的な構造が隠されています。その構造を、なるべく単純なモデルで説明することが社会科学の基本目的だと、われわれは考えています。行動科学研究室では計量的な手法(おもに統計モデルを使う方法)と数理的手法(おもに数理モデルを使う方法)を、これまで車の両輪に喩えてきました。しかし現在では両者を異なる手法として区別する積極的な理由はほとんどありません。むしろ両者を統合して体系的に現象を理解するほうが、人文社会科学の理論の発展に貢献すると期待できます。

〈文献案内〉

Lave,C.A. & March,J.G. 1975, *An Introduction to Models in the Social Science*, New York : Harper & Row=1991、佐藤嘉倫・佐藤定順・都築一治(訳)『社会科学のためのモデル入門』ハーベスト社。

大学初年度向けに書かれたモデル入門書。普通の言葉による解説が丁寧なので読みやすく、簡単な練習問題もついています。

Gibbons, R. 1992 Game Theory for Applied Economists, Princeton University Press=2020、福岡正夫・須田伸一（訳）『経済学のためのゲーム理論入門』岩波書店。

ゲーム理論の基本と経済学における応用例を紹介した入門書。全四章で「完備情報静学ゲーム（標準型）」「完備情報動学ゲーム（展開型）」「不完備情報静学ゲーム」「不完備情報静学ゲーム」に対応します。

矢野健太郎・田代嘉宏　一九九三『社会科学者のための基礎数学　改訂版』裳華房。

この本で行動科学研究室で必要な一通りの数学（線形代数、微積分、確率・統計）を学ぶことができます。内容は、高校数学＋大学初年度レベル。

土場学・小林盾・佐藤嘉倫・数土直紀・三隅一人・渡辺勉（編）数理社会学会監修二〇〇四『社会を〈モデル〉でみる——数理社会学への招待』勁草書房。

全44種類のモデルをコンパクトに紹介した数理社会学の入門書です。辞典的に代表的なモデルを知る用途に適しています。

久保拓哉　二〇一二『データ解析のための統計モデリング入門　一般化線形モデル・階層ベイズモデル・MCMC』岩波書店。

一般化線形モデルからスタートして階層ベイズモデルまで自然な流れで拡張しつつ統計モデリングを学べます。サンプルのRコードを実行しながら読むと、理解が進みます。

〈引用文献〉

Crow, E. L. and K. Shimizu, 1988, *Lognormal Distributions: Theory and Applications*, Marcel Dekker, Inc.

Becker, G., 1964, Human Capital, Columbia University Press.

Hamada, H., 2016, A Generative Model for Income and Capital Inequality. *Sociological Theory and Methods*, 31(2), 241-256.

Hamada, H., 2019, "A Bayesian Model of Income Distribution," *Sociological Theory and Methods*, 34(1) : 131-144.

浜田宏・石田淳・清水裕志、二〇一九『社会科学のためのベイズ統計モデリング入門』朝倉書店。

Mincer, J., 1958, Investment in Human Capital and Personal Income Distribution. *Journal of Political Economy*, 66(4), 281-302.

10　社会学「越境」のすすめ

小松丈晃

はじめに――「越境」する社会学

私たちは、考え方や価値観、ライフスタイル、宗教、国籍などが互いに異なる多様な他者と互いに（対立したりすることも含めて）関わり合いながら生活しています。そうした異質な他者と出会い、（広い意味で）コミュニケーションしあいながらともに生き抜く（一定の限られた）空間を「社会」と呼ぶならば（長谷川ほか、二〇一九、二頁）、社会学は、そうした（モダンの）社会――社会学は、ヨーロッパの近代社会の成立とともに成立した比較的新しい学問で、その新たな社会秩序や変動を理解するための、つまり「近代社会の自己観察の学」として発展してきました――や、社会の中の個人の社会的行為、他者との関係性、集団、制度を対象とした学問だとひとまず言うことができます。

もっとも、社会学が社会を対象にするからといって、社会全般を直接論じるというよりも、多くの場合、社会の中の個別領域に焦点を当てて研究が進められます（もちろん現代社会を「情報社会」「リスク社会」「個人化社会」等といった具合にマクロに大づかみに特徴づけてその問題点を浮かび上がらせる「現代社会論」も、社会学が得意とするものですが）。社会には、多様な人間関係や集団・組織同士の関係が含まれていますので、社会学にも、実に多様な専門領域があります。たとえば日本社会学会という学会の大会では、「教育」「社会運動」「福祉・医療」「性・ジェンダー」「環境」「民族・エスニシティ」「差別」「歴史・社会史・生活史」「階級・階層・移動」「災害」「文化・社会意識」「労働」「家族」「地域社会」「科学・技術」などに関する研究報告が行われています。

他の学問分野もこれらの個別領域を扱いますので（「家族」は法学や人類学でも論じられます）、個別領域に焦点を当てた社会学は、たとえば環境社会学は法学や経済学、生態学や農学などと、医療社会学は医学や看護学、社会福祉学、科学技術社会論、さらには倫理学や宗教学などと、文系・理系を問わず、互いに交流しながら影響を与え合っています。それゆえに、社会学の研究は（他の研究分野もそうですが）とても学際的です。

もっとも、「学際的」であることそれ自体は、研究の目標ではありません。むしろ、（学生の皆さんも含めて）それぞれの社会学研究者が、「自分にとってほんとうに大切な問題に、どこまでも誠実である、という態度の結果」（見田、二〇〇六、八頁）として「やむにやまれず」学際的になっているわけです。最後の節で述べるように、自分が社会の何を「問題」だと認識するか（あるいは、できるか）、どんな問いを立てるのかが重要なのです。

1　社会との「距離」

さて、いま、社会を研究対象にするのが社会学だと述べました。しかし私たちはすでにこの社会のまっただ中で生活しており、社会の様々な様相を「当たり前」と見なしています。「当たり前」と見なすと、そこに「問題」を嗅ぎつけることがなくなり、そうした事象との「距離」がとりにくく、観察や分析や比較ができません。そこで社会学では、自分が生きているまさにこの社会からいささか「距離」をとって観察・分析するために、数々の社会学理論やモデルを作り上げ、また、社会調査法を練り上げてきました。

社会調査には、大きく分けて、大量の観察データに基づく量的調査（たとえば質問紙調査や計量データの二次分析など）と、個別事例に関する質的調査があります。ほんとうはこの二つは互いに対立するものなどではなく、むしろ相互補完的なのですが、社会学専修では、どちらかといえば後者の質的調査に重きをおいた調査研究がなされています。質的社会調査についてごく簡単に触れておくと、まず（1）口頭で述べられるデータを収集する方法として、インタビュー（これは調査者が質問をして被調査者から回答を引き出すもので、特に「半構造化インタビュー」がよく用いられます）や、ナラティブ・インタビュー（人々が半ば「問わず語り」に話す語りをデータとして用いるもので、生活史法とも呼ばれます）、さらには、複数の人からなるグループでの議論を口頭データとして活用するフォーカスグループなどの方法があります。また、（2）調査者自身が、研究対象のフィールドに深く入り込み、比較的長期にわたって、現場の視点から観察を行う参与観察やエスノグラフィーという手法もあります。参与観察やエスノグラフィーでも、関係者へのインタビューは行われますが、そのほかに、現場でのドキュメントの収集・分析、さまざまなイベントへの参加と観察などを通して、ありとあらゆる使えるデータを収集・分析することになります。当然、こうした手法では研究者自身の観察や参加のための行動が、フィールドに大きな影響を与えることになりますので、調査者は分析にさいしてそのことをも考慮に入れなくてはなりません（「自己言及」）。そのほかにも質的社会調査の方法はありますが、いずれも方法論として精緻に練り上げられています。

こうした調査による研究成果とも関連しつつ、社会関係、社会集団、組織、制度、社会変動に関するさまざまな社会学的なモデルや理論が作り上げられます。社会学の理論としては、シンボリック相互作用論、現象学的社会学、エスノメソドロジー、合理的選択理論、社会システム理論、アクターネットワーク理論などが、互いに影響を及ぼしあいながら、社会的現実を、そこからある程度距離をとりつつ理解するための枠組みとして活用されています。もちろんこうした理論やモデルは、経験的な事実に基づいたものですので、社会が大きく変化したり整合的に説明できない部分が出てくればたえず改鋳されていきます。

このように、社会学は、まずは、実証的な根拠に基づいた経験科学であるといえます。

2　社会への「参加」

しかし他方で、（いま述べたこととはいささか矛盾するようですが）「距離をとる」からといって、社会学を研究する者（学生の皆さんも含めて）が、社会の「外部」から、あたかも「神さま」のような視点から「見下ろす」ような格好で社会を分析したり研究したりできるわけではありませんし、また、社会的現実と格闘せずそれとの緊張関係をまったく意識しないままで、あたかもパズルを解くかのように調査研究を進めることも、もちろんできません。むしろ、社会学（者）は、その研究対象となっている「社会」に深く関わり、社会とまさに相互作用しあっています。つまり研究対象である社会に「参加」しています（N・エリアスのいう「距離化」と「参加」をキーワードに社会学の学説史を整理したものとして、奥村二〇一四があります）。

ここでいう「参加」には、二重の意味があります。一つは、社会学は、社会的現実を規範的に評価することを通して、社会の変革を目指す実践的営みでもある、ということです。先に述べたように、社会学は経験科学です。しかし同時に、ある種の社会的現実が否定的に評価されるべきものであるならば、その解決策や処方箋を模索し、新たな制度の設計にまで関与しようとする規範科学としての側面も持っているといえます（日本学術会議社会学委員会社会学分野の参照基準検討分科会二〇一四）。災害やそこからの復興の過程、科学技術のリスク、環境問題、貧困や格差、ジェンダーや多様な性、過疎、差別やヘイトクライム、ドメスティックバイオレンス（DV）など、社会学者が研究テーマとして設定する社会現象の多くは、喫緊の解決策を必要としています。しかしこうした社会問題には、（ちょうど高校の数学の問題に唯一正しい「解答」があるのと同じような意味で）出来合いの正解が用意されているわけではありません。

3　社会との再帰的な関係

そして「参加」ということのもう一つの意味は、2で述べたことと関係していますが、社会学そのものが（社会学の研究対象である）社会の中で営まれる営為だ、ということです。このことを考えるために、アメリカの社会学者R・K・マートンの言う「予言の自己成就（あるいは予言の自己破壊）」について見てみましょう。予言の自己成就は、W・I・トマスの「状況の規定（definition of situation）」、すなわち「もし人が状況を真実（リアル）だと決めればその状況は結果においても真実（リアル）になる」というテーゼからヒントを得たもので、最初の（誤った）「状況の規定が、新しい行動を呼び起こし、その行動が当初の誤った考えを真実（リアル）なものとすること」（Merton 1949=1961, 384-5頁）、です。銀行の取り付け騒ぎやバンドワゴン効果などがその典型です。もちろんその逆の「予言の自己破壊」もありえます。マートンが言及しているこんなエピソードを考えてみましょう。ある官庁の専門の経済学者が、その年の天候や作付け具合を勘案しながら、小麦の生産過剰を予測し、これを官報に発表しました。するとこの情報を耳にした農民が、小麦の値崩れによって損することを避けるために、小麦の生産を差し控えてしまいました。その結果、「小麦が生産過剰になる」というこの経済学者の予報は外れてしまいました（Merton 1949=1961, 119-120頁）。当然ですが、この経済学者は「農民たちに生産を控えさせよう」と意図して見解を公表したわけではありません。しかし、「生産過剰になる」という予報をしたことが原因となって、もしそうした予報をしなければ現実化していたかもしれない「生産過剰」（もちろんこれが現実化すればそれはそれで問題なのですが）が回避され、結果的に、（経済学者からすれば「意図せざる結果」として）「生産過剰」という予報とは逆の結果が生じたのです。生産過剰という「予報」（予言）が、予報（予言）自体が原因となって、その予報を「破壊」してしまったわけです。

なぜこんなことになるかというと、社会（科）学者が、社会の中で起こる事柄について何らかの見解を公表すると、その見解の内容と関わりのある当事者（この場合「農民」）も、社会科学の見解を観察しているからです。つまり、社会を観察している経済学者や社会学者じしんが、社会の人々から観察されているわけです。そのため、そうした「見解」や「予報」を耳にして自分の行動を変えてしまうのです。

自然科学の場合は、たとえば「ハレー彗星」の到来時期を天文学者が「予測」したからといって、彗星の軌道や速度は変わらないわけですが、社会（科）学の場合、研究者と研究対象とが、相互に観察しあっています。ですから、社会学を含む社会科学は、その研究対象である「社会」と、「ループ」する関係にあるのです（科学で使用される概念と日常生活で使用される概念とのつながりに注目して、両者の相互作用を、I・ハッキングは「ループ効果」と呼んでいます）。またイギリスの社会学者A・ギデンズは、再帰性（reflexivity）という言葉を使いつつ研究と研究対象との循環的関係について論じています。「社会学の言説や、他の社会科学の概念や理論、知見は、それが何であれ、研究しようとしている対象のなかに絶えず『循環的に出入り』している」のです（Giddens 1990=1993, 59頁）。

もっとも、近年（「自己成就的予言」では必ずしもありませんが）メディアや政府関係者、企業などが、自然科学を含む研究・技術開発について発する未来志向の言説、つまりこの研究や技術が社会に実装された暁にはこんな素晴らしいことが（あるいは逆に、こんな深刻な事態が）起こりうる…といった言説が、当の科学や研究それ自体に対して（あるいは社会に対して）及ぼす効用や副作用についての分析も行われており、「期待の社会学」と称されています。自然科学的研究も、未来志向型の言説から影響を受けることがあるのです。

おわりに――社会学的想像力

最後に、社会学がテーマとする題材は、皆さんの日々の日常から遠い「どこか別のところ」で起こっているものではなく、日常の中にすでに存在し皆さんの日々の生活と直接的・間接的に関係している案件だということをも、銘記しておきましょう。もちろん、社会学的に取り上げるほど仰々しい問題など私の身の回りにはない、とうそぶくこともできますし、実際そのようにして過ごすことも十分にできます。しかしある種の能力——これをかつてC・W・ミルズという社会学者は「社会学的想像力」と名付けましたが——によって、生活の中のどこにでも「問題」を発見することができます。つまり社会学が取り上げるべき問題は、どこにもないかもしれないが、しかしどこにでもある、といえそうです。

社会学的想像力とは何でしょうか。ミルズが一九五九年に刊行した有名な『社会学的想像力』の中から、一節を引用しておきましょう。「人々は普通、自分たちが抱え込んでいるトラブルを、歴史的変動や制度的矛盾といった観点から捉えようとはしない。また、享受している幸福について、自分たちが暮らしている社会全体の大きな浮き沈みに関わるものだとは考えない。普通の人々は、自分たちひとりひとりの生活パターンと世界史の流れとの間に複雑なつながりがあることに、ほとんど気づかない。…(中略)…人々が必要としているもの、あるいは必要だと感じているものとは、一方で、世界でいま何が起こっているのかを、他方で、彼ら自身のなかで何が起こりうるのかを、わかりやすく概観できるように情報を使いこなし、判断力を磨く手助けをしてくれるような思考力である。こうした力こそが、ジャーナリストや研究者、芸術家や公衆、科学者や編集者が切望しているものであり、社会学的想像力とでも呼ぶべきものである。…(中略)…社会学的想像力を手にした人は、より大局的な歴史的場面を、個人ひとりひとりの内的な精神生活や外的な職業経歴にとってそれがどのような意味をもっているのか考えることを通じて、理解することができる」(Mills, 1959=2017, 16-19頁)。

まずは皆さんの身の回りを見渡してみてください。いま手にしているスマートフォン等の端末の部品やSNSでのやりとり、コンビニエンスストア、電車の中、両親の介護、身近な人の死、結婚、恋愛も含めた感情

【一歩踏み出すためにトライしてみよう】
――あなたの身の回りの事象を何か一つ取り上げ、それについて社会学者がどんな研究や分析を行っているか、CiNiiArticlesなどのデータベースを使って調べてみましょう。

（「感情社会学」という研究領域もあります）など、すべて社会学的課題と直結しています。そうした日々の出来事の意味の背後にある、マクロな（ときにはグローバルな）社会構造や歴史とのつながりを想像してみるとき、あなたは社会学的探求の第一歩を踏み出しているといえます。社会学を学び実践することの面白さや意義は、こうした社会学的想像力を身につけるところにもあります。

またこの社会学的想像力は、自分とは境遇や価値観の異なる他者の世界を想像しそうした他者との関係性を考察し深めるさいにも重要です。現在の世界や社会には数々の――経済格差、人種、宗教、政治的信条、国籍による、あるいは、中央と地方、グローバル世界に組み込まれた部分とそこから取り残された部分、決定により利益を享受する人々と不利益しか被らない人々、等々の――分断線が走っています。そうした分断線の片方に住む人々は、しばしば、その自分が住む片方の世界こそが「当たり前」の世界だと見なす一方で、分断線の「向こう側」の世界の他者とは（何か行動を起こさないかぎり）日常的にあまり出会わないこともあって、その世界を想像できないまま、あるいは想像するのを意図的に拒否したまま暮らしています。しかも、こうした分断線は複数存在し、分断線同士が複雑に絡み合っているだけに、線の向こう側へと越境するのはなかなか困難です。しかし「越境する」からといって、線の向こう側に生活拠点を移すべきだということではありません。むしろ重要なのは、自分が暮らす世界と他者の世界との「関係」に注目し、こちら側の世界にしっかり根差して暮らしつつも、そのポジションから、社会学的想像力の翼をかりて思い切って「越境」してみることです。越境するとは、つまり、その他者の世界や行為、他者がそう考え行為するその「合理性」を「理解」してゆくということです。もちろん張りぼての翼では越境の途中で墜落します。その翼をしっかり鍛えるために、社会学では上記のとおり数々の理論や調査方法を練り上げてきました。「根」を持ちつつ同時に「翼」をもつこと――かつてU・ベックというドイツの社会学者が述べていたように、これは、現代のグローバル化した世界を生きる私たちの「共通感覚」でもあるかもしれません（Beck 2002=2008:56頁）。

社会学の未来はどうなるのでしょうか。ITが社会の中により一層深く入り込むことで、上述した社会学の「再帰性」がさらに速いテンポで進捗し社会学はそれに対応せざるをえなくなるかもしれません。しかし、いま見てきたように、人々が互いに自由を享受できるように、多様な「他者」（の合理性）を理解することをとおして他者への寛容を生み出し、また、他者に対して寛容になることで他者の理解をさらに推し進めること――Z・バウマンも述べているように（Bauman&May 2001=2016:391-2頁）、私たちの（共同）生活に対して社会学が貢献しうる点が、ここにあるとするならば、グローバル化する世界の中で社会学が果たすこの役割は、おそらく変わることはないでしょう。

では、社会学も含めた人文社会科学の行方は、どうでしょうか。上述のとおり、社会にはさまざまな「分断線」が走っています。たとえば、危機的な国際問題と認識されつつある経済格差もその一つです。先端的研究・開発への集中的な投資のゆえに、従来のイノベーションの推進が、環境問題のみならずこうした経済格差を世界的に深刻化させてきたとの反省から、新たなイノベーション政策では、格差や福祉、環境問題、ジェンダーや公正性などといった課題も同時に追求されるべきことが認識されつつあります（この点についてのわかりやすい解説としては、隠岐 二〇一八をお読みください）。日本でも、科学技術イノベーション政策の中で、

「人文社会科学」も含めた「総合知」による社会的課題の解決・個人のウェルビーイング（幸せ）のための社会変革が必要と謳われるようになっている現在、広く「人文社会科学」に求められる役割は、今後一層大きくなることはあっても決して小さくなることはないでしょう。と同時に、これらの深刻化する幅広い社会的課題への関わり方をより積極的に呈示していくことが求められるようになるかもしれません。

先に述べたように、ある問題を追及するために、社会学は、学問間の境界線を（やむにやまれず）越境してきました。と同時に、日常生活の実践の中でも、社会学的探求に身を置く者として、ぜひ、社会学的想像力の「翼」を借りながら、日常を越境し、他者の世界、自分とは異なる他者の「合理性」の世界との橋渡しをしていく旅に、ともに出かけることにしましょう。

〈参考文献〉

（1）Bauman, Z. and T. May, 2001, *Thinking Sociologically*, 2nd ed., Blackwell.〔＝奥井智之訳『社会学の考え方〔第二版〕』ちくま学芸文庫、二〇一六年刊。〕
（2）Beck, U., 2002, *Macht und Gegenmacht im Globalen Zeitalter*, Suhrkamp.〔＝ウルリッヒ・ベック著（島村賢一訳）『ナショナリズムの超克－グローバル時代の世界政治経済学』ＮＴＴ出版、二〇〇八年刊。〕
（3）Giddens, A., 1990, *The Consequences of Modernity*, Polity Press.〔アンソニー・ギデンズ著（松尾精文・小幡正敏訳）『近代とはいかなる時代か？』而立書房、一九九三年。〕
（4）長谷川公一・浜日出夫・藤村正之・町村敬志著『〔新版〕社会学』有斐閣、二〇一九年。
（5）日本学術会議社会学委員会社会学分野の参照基準検討分科会、二〇一四年、『大学教育の分野別質保

証のための教育課程編成上の参照基準　社会学分野』日本学術会議。
（6）Merton, R.K., 1949, *Social Theory and Social Structure*, The Free Press.〔＝R・K・マートン著（森東吾・森好夫・金沢実・中島竜太郎訳）『社会理論と社会構造』みすず書房、一九六一年刊。〕
（7）Mills, C.W., 1959, *The Sociological Imagination*, Oxford University Press.〔＝伊奈正人・中村好孝訳『社会学的想像力』ちくま学芸文庫、二〇一七年刊。〕
（8）見田宗介、二〇〇六年、『社会学入門－人間と社会の未来』岩波新書。
（9）隠岐さや香、二〇一八年、『文系と理系はなぜ分かれたのか』星海社新書。
（10）奥村隆、二〇一四年、『社会学の歴史（Ⅰ）』有斐閣。

〈学習を深めるためのブックガイド〉

社会学をはじめて学ぶ皆さんにおすすめのテキストとしては、「参考文献」に挙げた（4）や（8）が役に立ちます。また社会学の学説史をわかりやすく整理しつつ論じたテキストとしては（扱っているのが二〇世紀半ばまでですが）（10）があります。

また、社会調査法全般については多くのテキストがありますが、ここでは、質的社会調査に関わる次の二つのみ、挙げておきます。

（1）ウーヴェ・フリック著（小田博志監訳）『〈新版〉質的研究入門－〈人間の科学〉のための方法論』春秋社、二〇一一年刊――「入門書」と銘打っているわりには大部な書物ですが、質的社会調査について広い視野からかなり網羅的に解説がなされています。それぞれの質的調査の技法と関係する理論的考察も行われており、みずからの関心に照らし合わせてどんな調査方法を選択すればよいのかを思案するさいの手がかりを与えてくれます。

（2）岸政彦・石岡丈昇・丸山里美著『質的社会調査の方法－他者の合理性の理解社会学』有斐閣、二〇一六年刊――質的社会調査の面白み（と難しさ）は、一見すると不合理に見えることもある他者の行動や活動の中に、その他者なりの「合理性」を見いだしていくことであるという主張を軸にして、インタビュー法、参与観察法、生活史法に焦点を当てて解説したテキストで、語り口も平易で明快です。

なお、社会調査については、研究法に親しむとともに、優れた研究成果に直接あたってみる、というのも良いと思います。ここでは質的社会調査の成果として、インタビューと参与観察という2つの代表的な手法に基づく研究例を二点挙げておきたいと思います（（3）がインタビュー、（4）が参与観察によるものです）。いずれも読みやすく、定評のある著作です。

（3）中村英代『摂食障害の語り－〈回復〉の臨床社会学』新曜社、二〇一一年刊

（4）知念渉『〈ヤンチャな子ら〉のエスノグラフィー－ヤンキーの生活世界を描き出す』青弓社、二〇一八年刊

〈ウェブサイト〉

また、はじめて社会学を学ぶ皆さんには、日本社会学会（社会学教育委員会）が作成した「社会学入門」のための次のサイト（日本社会学会「社会学への誘い」（https://jss-sociology.org/school/））が役に立ちます。高校生向けのものですが、社会学とはどんな学問か、社会調査することの意味、社会学を学ぶことで身につく能

力や資格は何か、大学での学習など、社会学の魅力をわかりやすく解説してあります。

また英語のサイトですが、イギリス社会学会（British Sociological Association）の「社会学って何？（What is Sociology?）」のコーナーは、社会学入門用のサイトとして充実しています。

https://www.britsoc.co.uk/what-is-sociology/

11　宗教学　わが国宗教学事始め

――「民間信仰」の誕生――

鈴木岩弓

はじめに

宗教と呼ばれる領域を研究対象とする宗教学は、一九世紀後半にヨーロッパで誕生した。その英語名の一つである"the science of religion"は、一八七〇年に初めて提唱されたとされる。[1] これより宗教学は他の人文社会科学と比して、歴史の新しい学問ということが明らかになる。こう言うと、意外に思う人も多いことだろう。なぜなら、高校までの歴史や地理の授業で習ってきたように、宗教は古代から多くの国々、多くの民族においてどこにでも見出されてきたはずだからである。では一体なぜ、人間の歴史と共に続いてきた宗教を、人は学問の対象としてこなかったのだろう。

その最大の理由は、おそらく宗教が究極的には価値の問題、自己の存在をかけた価値の問題に還元されるためであろう。宗教といわれるものは、いずれも現実の世界とは別の〈不可視の世界〉との関わりのもとに成立している。天国・極楽・地獄・あの世…などと呼ばれる〈不可視の世界〉は、関わりの直接対象となるカミや霊魂などと同様に、不可視であるがゆえに、究緩的にはそれを合理的に説明することは不可能である。従って宗教をとことん追究していくと、最終的には「信じる」か「信じない」か、すなわち信じる価値があるか否かという価値判断に行き当たることとなる。突き詰めるなら、宗教は自己が絶対的価値をおく自己の宗教以外にはありえなかったのである。宗教学誕生以前のヨーロッパ社会に即して言うなら、キリスト教以外の宗教は存在しなかったとまで極論することもできよう。このように考えれば、先の疑問は氷解する。宗教学成立以前、宗教は信ずるべきものであって、これを客観的・科学的研究の対象としようとすること自体、全く無意味なことだったのである。

とはいえ宗教学が生まれる以前においても、ヨーロッパでは広い意味での宗教研究は行われていた。「神学」と呼ばれるものがそれである。この学問はキリスト教の絶対的権威の確立を目指しており、それ以外の宗教に触れたとしても、その眼差しには当然冷たいものがあった。それらを「異教」と呼ぶならまだしも、「邪教」と呼んで蔑視してきた歴史がそれを物語ってもいよう。実は、神学をもつのはキリスト教だけではない。仏教神学・イスラーム神学・神道神学と、多くの宗教はそれぞれの神学をもち、少なからず排他的に自身の宗教の体系化を図ってきたのである。

宗教学は、そのような神学的宗教研究のスタンスを批判的に見直すことから誕生した。異教徒との出会いを数多く経験し、キリスト教の絶対的権威に翳りが見えるようになる中から、キリスト教を相対化し、宗教が人間にとって普遍的な存在であることが、時代と共に次第に認められるようになってきたからである。そうして生まれた宗教学は、宗教を人類に「普遍的現象」と捉え、[2]キリスト教や仏教などの例別宗教はその発現の一部と理解した。従ってこの立場からの宗教研究は、倒別宗教の擁護を日的とするのではなく、事実に基づき、宗教といわれるものの全体像の解明を試みてきたのである。[3]こうしてみると、宗教学とは「他者の宗教に関する科学的理解の学」と考えることができよう。

宗教に対する価値中立的研究を目指す宗教学ではあったが、当初、その目論見の実現はなかなか難しかった。とりわけ経験科学的になされる宗教学では、ダーウィンの進化論の社会科学への適用として生まれた進化主義的考え方が強い影響力を持っており、キリスト教を頂点におくヒエラルキーが厳然と宗教に優劣の差を設けていたのである。そのような観点に立ち、人類における宗教の起源を呪術などとの関係の中から探る研究が数多くなされたが、キリスト教的背景を持つ西欧の学者たちにとって、異教徒の宗教をバイアスをかけずに見ること自体、なかなか大変なことであった。また、そもそも「宗教」という概念自体が西欧で生まれた言葉であるため、キリスト教のような高度に体系化された教義や組織を念頭に置いて定義される傾向があるといった問題点も存在していた。

神仏混交の時代を経て、あれかこれかではなく、あれもこれもと同時に複数の宗教に接する慣行があった日本で、このような西洋生まれの宗教学がどのように受け入れられたのか。特にそのキリスト教中心的な見方や、高度に体系化された組織宗教を重視する姿勢は、日本人の宗教的実践を理解するうえで何らかの支障を感じさせなかったのか。以下では、その黎明期のわが国宗教学のエピソードを見ることにしよう。

1　日本宗教学の黎明と姉崎正治

明治三〇年（一八九七）の五月、仙台市宮城野の八幡神社（現仙台市宮城野区銀杏町）の境内にある、銀杏の巨木周りをうろつく男がいた。この銀杏は樹齢千年を迎える古木で、幹から垂れ下がった多数の気根が乳房のようであることから「乳銀杏」と呼ばれていた。その形状からの連想であろう、母乳の出の悪い女性から篤い信仰を集めていたといわれ、その当時も人々の「祈りの場」となっていた。この男の名は姉崎正治。八年後の明治三八年（一九〇五）、東京帝国大学文科大学に日本最初の宗教学講座が開設された際、初代教授となった男である（京都にも帝国大学が関学したことに伴い、大学名は明治三〇年六月に改称）。

前年に帝国大学文科大学哲学科を卒業した姉崎は、当時、大学院で「宗教の発達」をテーマに研究を進めていた。彼がこのテーマを選んだ背景には、先に述べた進化主義的視点が作用していたことは疑いがない。テーマ選択の背景を、彼は以下のように述べている。

> 兎に角、人間が自分の抱く宗教信仰について一所にとどまらずに、段々発達するものであるという事を考え、それに応じた発達段階という事であり、極めて未開の時代から、高尚に進んだ仏教、キリスト教の間に一連の気脈が通じて、その間に発達という事を認め得る、その発達の事実を研究するという意味であった。[4]

当時を振り返るこの述懐の中からは、「未開」から「高尚」へと進化する宗教発達の解明を目指そうとする、西欧の最新の方法論の影響を受けた姉崎の顔が浮かび上がってこよう。しかしこれを第一の顔とするなら、姉崎にはもう一つの顔があった。後は前文に続け、以下のように述べる。

> ケーベル先生にも相談したが、「同じ宗教を研究するならば、宗教の最上のものを研究したらいい」との事で、勿論それはキリスト教の事であった。しかし、それには自分はのり出せなくて、所謂劣等の宗教も高等の宗教をも包括した意味での宗教を、発達という見地から概括するという方に向った。（同前、六一一七頁）

ケーベル先生とは、当時西洋哲学・西洋古典学を担当し、波多野精一・和辻哲郎など多くの学者を育てたことで著名な帝国大学の外国人教師である。クリスチャンのケーベルは、同じ宗教研究をするなら一番進化したキリスト教を研究すべきとアドバイスしたのである。ところが、姉崎はそうは考えなかった。「所謂劣等の宗教も高等の宗教をも包括した意味での宗教」、すなわち研究対象とする宗教は、劣等・高等といった価値判断の別なく、宗教全般を視野においた普遍理論を志向しようと考えたのである。そしてその際の彼の研究のスタンスは、「宗教の事実に基づいて研究する」という点にあった。

さりげない記述である。しかし、わが国の宗教学にとって、この記述は重要な意味をもつ。確かにケーベルは宗教学者ではないが、彼の反応からは、キリスト教的背景を持つ西欧の学者にあって、一神教的価値観からすっかり自由になることがいかに困難なことであったかが窺われる。これに対し、キリスト教を特別視するような欧米の価値基準を拒否し、宗教を中立的立場から見ようとした姉崎は、まさに宗教学が目指すべき宗教理解に立っていることになろう。ここに姉崎のもつ第二の顔、厳密な意味での宗教学的顔が覗いているのである。

2　「民間信仰」概念の誕生

ところで姉崎が宮城野の乳銀杏に現れたのは、帝国大学の指示のもとに実施された調査のためであった。その調査は「宗教上の事項調査」と「宗教陳列場の端緒として宗教に関する物品採集」を目的としていた。これはおそく間もなく帝国大学に宗教学の講座を開設するにあたっての準備の一環で、姉崎が将来その担当教授となることを踏まえてのことと考えられる。この職務を終えた姉崎は、翌年八月に東京帝国大学講師となって宗教学を講じ始める。そして明治三三（一九〇〇）年五月に東京帝国大学文科大学助教授となって後、二年ほどドイツ・イギリスなどに留学し、明治三八年（一九〇五）の宗教学講座の開講に伴い、その初代教授に就任するのである。

彼のこの時の調査は、仙台市から盛岡市にかけての旧仙台藩及び南部藩の地域で、二三日間にわたっておこなわれた。では一体何故、彼は調査地としてこの地を選択したのであろうか。

この地方は古より文化洽ねからざる辺陬の地なり、其民間の崇拝又古代の状態を保存する者あるべく、特に古より我国一般に行はれて今は漸く廃滅に帰せんとする生殖器崇拝の尚此地方に行はるゝ者多きを以て、此地方の調査は先づ我国全体の民間崇拝を研究するの端緒となるべしと信じたるを以ってなり。

これより、「文化が行き渡らない片田舎」であることが調査地選定の理由となったことは明らかだが、そう判断した根拠が生殖器崇拝の有無であった点は興味深い。当時、果たしてこの地に生殖器崇拝がことさら盛んに行われていたかは不明である。とはいえそのような判断をした彼の背後には、生殖器崇拝はあくまで古代の人々、つまり文化的に遅れた人々の行っていたことで、今なおそれが見られるこの地方は、古代の状態が保存された「今に見る古代」の地と映ったのであろう。かかる現象は、進化主義的な考え方から一役に残存（survivals）と呼ばれる。時代が変わり多くの場所で廃れてしまったものが、ヘビの足のごとくに残っている、すなわち、役立たずだという価値判断が含まれた考え方なのである。このような考え方は、進化主義では何の違和感もなく理解されていたものであり、ここでその是非を云々するつもりはない。ただここには、姉崎のもつ第一の顔が覗いていることが指摘できるのである。

調査の成果は早速、同年六月の哲学会で「中奥の民間信仰」の演題で講演され、さらに同年一二月には『哲学雑誌』第一三〇号誌上に同名論文として発表された。実は、これが「民間信仰」の語の初出論文となるわけで、これは今から1世紀以上も前のことであった。

この論文によると、姉崎は宗教現象の実態は二層構造を持つものと理解していた。

凡そ何れの国にありても、一派の組織をなしたる正統宗教が上に立ちて全般の民心を総括感化する裏面にあると共に民間には又自ら多少正統の組織宗教と特立したる信仰習慣を有するを常とす。[5]

組織性、おそらく教義面・教団面での組織性をもつことを「正統宗教」の要件とした姉崎が、民間にみられる「多少正統の組織宗教と特立したる信仰習積」の存在に着目したことは、先に述べた当時の宗教学の状況からするなら卓見といわざるを得まい。これこそがバイアスをかけずに宗教を見る、姉崎の第二の顔となるのである。

彼はそのような対象をいかなる名称で呼ぶかという点について、次のように述べる。

人或は単に之を「民間の迷信」と称し去れども、若し正統の組織宗教より之を見れば或は迷信と貶し去るべきも、彼等の中には大古純朴の神話的信仰の留存せるあり、又中には合理的の習慣存するあり、学術的に社会学及宗教史の上より見れば漠然たる迷信の語を以て之を概称するは頗る常識的見解たるを免れず、又或は之を称するに弘き意義にてFetischismと称すべきも、此名称は社会学及宗教史上にては無生物特に可触有限の物体に霊ありとして崇拝する一類の信仰に限るを可とするが故に、吾人は他の名を用ひざるべからず、故に今「民間信仰」なる名目を立てゝ、中に民間の宗教即、「民間崇拝」と「説話」（Folklore）とを分つ事となしぬ。[6]

まず当時、西欧から輸入されたばかりの宗教学の用語の中には、かかる現象を言い表す適当なコトバがないことを指摘したのである。そこでやむなく、学的研究の対象を表す用語として「民間信仰」の語を造語して、その使用を宣言したのであった。ここから明らかなように、「民間信仰」の用語は輸入語ではなく、あくまで日本において誕生したテクニカル・タームなのである。このことは逆に、宗教学が誕生したキリスト教的世界においては、このような概念が存在していなかったことを示している。

ならば民間信仰の具体的対象とは何であろう。姉崎はそれを「伝来せる太古天然崇拝の遺物」、「自然に出づる天然崇拝」、「組織的宗教の諸神界（Pantheon）教理理及習慣」にまとめている。これは言い換えるなら、〈原始宗教の残存〉〈自生的なアニミズム的信仰〉〈組織宗教の変化・曲解・混淆〉といったもので、いずれも仏教やキリスト教のような、組織宗教の教義とはズレたところで信仰されている、現実の信仰現象を意味していた。

ここでとりわけ、彼が〈組織宗教の変化・曲解・混淆〉に着目したことは注目すべきことである。宗教学誕生以前のヨーロッパにおいては、このような実態は「異端」「迷信」などと呼ばれてバッサリと切り捨てられる運命にあったが、その誕生以後も宗教学の俎上にあげられることはなかなか困難なことであった。キリスト教の磐石な権威を揺るがすことにも通ずることであったからである。しかしここで改めて考えてみて、変化・曲解・混淆していない組織宗教、いわば「正統な組織宗教」はどこに存在するのであろう。例えばわれわれは、仏教がアジアに広く受容されていることを知っている。その中で、正統な組織宗教としての仏教はどこにあるのであろうか。信侶の妻帯が認められない中国や韓国の仏教が正統なのか、あるいは妻帯を許されている日本の仏教が正統なのであろうか。また一言でキリスト教と言っても、カトリックとロシア正教会とでは十字を切る際の順番が異なっている。そのどちらが正統なキリスト教なのであろうか。こう考えてくると、しばしば世界宗教などと呼ばれてグローバルに広がる組織宗教には、その教えの根本の部分においてすらさまざまな異同が生じていることが明らかになろう。このような事実に思い至るとき、〈組織宗教の変化・曲解・混淆〉を見据えた姉崎の眼はまさに「宗教の事実に基づく」ものであり、さらに言えば彼の民間信仰論は宗教論を意味していたこととなる。姉崎の弟子でもあった、九州大学の宗教学教授を務めた古野清人の「純粋または正統な世界的宗教は、その信奉する教理、教義はしばらく別にして、現実には存在しない」[7]という一節は、そのあたりの事情を的確に表現しているものと言えよう。

3　「民間信仰」概念の展開

こうして始まったわが国の民間信仰研究は、宗教学のみならず、民俗学・文化人類学・歴史学など、多くの人文社会諸科学から宗教現象を研究対象とする際の用語として定着し、この百年の間に一般用語としても通用するまでに至っている。さらにその最初期には、植民地経営の手段として文化人類学者によって海外にも広められた経緯があるため、現在では、中国や韓国などの漢字文化圏においても、全く同じ「民間信仰」の語が宗教研究のテクニカル・タームとして使用されている。

そのように多方面から用いられるようになった民間信仰であるが、その展開の中で多少ニュアンスが異なってきたことも事実である。「民間」の語に引きつけられすぎ、民間信仰の担い手を社会階層や知性の上下関係の枠に組み込んで、被支配者の信仰、非知識階級の信仰といった理解をする研究者が増えてきたのである。そしてさらに、せっかく姉崎が〈組織宗教の変化・曲解・混淆〉として組織宗教との複合状態をその対象としていたにもかかわらず、民間信仰を組織宗教とは重ならない、全く別のカテゴリーと考える研究者すら出てきた。

このような情勢に転換点を与えたのが、本学宗教学の第三代教授を務めた堀一郎である。堀は昭和三六年（一九五一年）に出版された「民間信仰」（後に未来社刊の『堀一郎著作集』第五巻に収録）におき、民間信仰の担い手を特定の社会階層に帰属する実体ではなく、「あらゆる階層の中に程度の差をもって分担されている『常民性（popularité）』」[8]として把握したのである。ある意味でこれは、姉崎の民間信仰概念への先祖帰りともとれる、構造論的な主張であった。そのように見てくると、堀のことを称して、民間信仰研究の「中興の祖」と呼ぶこともできよう。

おわりに

宗教学の未来

とはいえ民間信仰は、まだまだ共通理解が成立しているとはいえない現状にある。そのような中、日本においては「民俗宗教」などの語を用いた、旧来の民間信仰に対する見直しが盛んになっている。また一九七〇年代から、欧米諸国の宗教研究の成果として、popular religion や folk religion の用語でキリスト教の「変化・曲解・混淆」した対象に対する研究が公刊されるようになってきた。[9] また、欧米社会においても、日曜礼拝への出席者減少などに顕著に表れているように組織的宗教としてのキリスト教の求心力が低下する中、そこから

「ある程度特立」した「スピリチュアリティ」の世界への注目が高まっている。「民間信仰」の語で世に現れた姉崎正治の問題関心は、わが国のみならず、世界の宗教研究者の間で芽を出しているのである。

宗教学者の考える人文社会科学の未来

日本の人文社会科学に対し、これまで専ら欧米の学問の輸入にばかり熱をあげて独自の成果をあげてこなかったという批判がある。しかしこれまでの研究の蓄積を注意深く見れば、そこに先学たちが欧米生まれの概念と対峙し、苦闘しながら展開した豊かな成果を見出すことができる。今求められているのは、このような成果をグローバルな議論の場に提示し、多様な思想や文化的背景をもった研究者たちと共有し、深めていくことではないだろうか。

〈注〉

1　以下で述べるような宗教学の成立背景についてはハンス・G・キッペンベルク『宗教史の発見　宗教学と近代』（月本昭男他訳、二〇〇五年、岩波書店）に詳しく書かれています。

2　このような見方には近年、そもそも「宗教」という言葉が歴史的文化的背景の中で創り出されてきたものだという視点から批判がなされています。代表的なものとしてはタラル・アサド『宗教の系譜』（中村圭志訳、二〇一七年、岩波書店）があります。

3　このような宗教学の代表的なものとしてミルチャ・エリアーデ『聖と俗』（風間敏夫訳、二〇一四年、法政大学出版局）があります。

4　姉崎正治『新版　わが生涯』、一九九三年、大空社、六頁。

5　姉崎正治「中奥の民間信仰」『哲学雑誌』第一三〇号、一八七九年、九九六頁。

6　同上

7　古野清人「まえがき」『古野清人著作集』第五巻、一九七三年、三一書房、一頁。

8　堀一郎『民間信仰』、一九五一年、岩波書店、四九頁。

9　例えば、一九七三年に刊行されたラウール・マンセッリ『西欧中世の民衆信仰－神秘の感受と異端－』（大橋喜之訳、二〇〇二年、八坂書房）などがあります。

12　心理学　心はどこにあるのか、いかに調べるのか

辻本昌弘

はじめに―初めて心理学にふれたある学生の物語―

ぼくの名前は東北太郎。入学したばかりの東北大学文学部一年生。大学の書類の記入例にはいつも「東北太郎」と書いてある。それを見るたび、なんだか落ち着かない気分を味わっている。

目下の悩みは、これから何を専門的に学ぶかということ。とくにやりことがあるわけじゃない。文学、歴史、哲学、社会…文学部にはいろんな専修がある。どの専修にするか考えていると自分の気持ちがわからなくなってきた。自分の心って何なんだろう。そういえば文学部には心理学もある。心理学の先生を訪ねてみようかな。

＊　＊　＊

ここが心理学研究室か。えーと。教員室がズラッとならんでるぞ。どの先生に相談するか。ま、いいか。一番手前のA先生にしとこ。

コンコン

「はーい、どうぞー」
入った瞬間、後悔した。書類散乱。こりゃカオスだな。
失礼しまーす。一年生の東北太郎と申します。
「ほぉー。東北大生にピッタリの名前だね。で、何か用？　忙しいからと言いたいけど、今日もヒマだから
ゆっくりしてって。珈琲でも入れましょう」
「はい、ありがとうございます。あのー。自分の心ってどうすればわかるんでしょうか」
先生がジーッとぼくを見つめた。
「心！　ハァ、やだねぇ。そもそも心ってあるの？　あなた、心を見たことあるの？　私はないけどね。あ
るかないかわからないものについて考えたってしかたないでしょ」
な、な、な、なんだ、この答えは。
「そういえば、うちのB先生は、心は手や顔にあると言ってたな。ひどいねぇ。非科学的だねぇ。まァ僕は
心の話は得意じゃないから、心のありかについてはB先生に質問して。すぐそこの部屋にいるよ。どうせヒマ
だからじっくり解説してくれます」
べつに心のありかを質問したかったわけじゃないのに。それと珈琲はどうなったのよ…。

1 心と身体の結びつき

コンコン

「はーい、どうぞー」

B教員室に入った瞬間、来てよかったと思った。フレグランスの爽やかな香り。それに机のうえにお菓子があって「自由にお食べください」ときた。うーん、とってもおいしい。B先生がぼくを見て微笑してる。おっと、お菓子を食べにきたんじゃない。質問をしにきたんだった。

「えーと。心って手や顔にあるんですか。B先生がそう主張していると…」

しまった。自分は心のありかを知りたいんじゃない。

「ははーん、またA先生が暴言を吐きましたね。ホント困ったものです。もちろん手や顔に心があるわけではありません。でも私たちがおこなった研究で、大切な人の最期にさいしてどこに触れたいかをたくさんの人に尋ねたら、手や顔という回答がかなりありました。人は手や顔に人格を感受しているのかもしれません」[1]

そう言われてみればそうだ。友だちの気持ちを知りたいとき脳を調べるわけじゃないもんね。でも先生。心は見ることも触ることもできません。どうやって調べるんでしょうか?

「おぉ! まさに心理学の本質にかかわる問いです。たしかに心は目で見たり手で触ったりできません。でも科学的に調べることはできます。私の専門は感情の心理ですが、怒ったり、悲しんだりしているときには身体も変化します。心拍が早くなったり、血圧が上昇したり。こうした身体変化は精密に計測できます。身体反応の計測により心理学は心の解明を着実に進めてきたのです」

たしかに。目に見えないからといって調べられないわけじゃない。素粒子だって目に見えないけど物理学では調べてる。過去の出来事だって目に見えないけど歴史学では調べてるもんね。ん？　まてよ。たとえ目に見えなくとも素粒子は実在しているといえるけど、心は実在しているといえるのか…。まあ、いいや。

「お菓子、遠慮なくもっとどうぞ」

エヘヘ。ばれてたか。さすが心理学者。

「そもそも心と身体は切り離せません。感情についてジェームズ・ランゲ説という古典的学説があります。それによると、私たちは『悲しい』から『泣く』のではありません。『泣く』という身体変化から『悲しい』という感情経験が生まれるのです。感情経験は身体変化知覚の反映だというわけですね。まあ、ジェームズ・ランゲ説で感情のすべてが説明できるわけではありませんが、現在でも否定されていない面白い考え方で、身体と心の深い結びつきを示すものです。そうそう、心の科学的解明についてはC先生にもぜひ話をうかがってごらん。きっと勉強になるよ」

なんだか心理学っていう学問の雰囲気がわかってきたような気がする。C先生のところにもいってみるか。

2　脳科学と心のはたらき

コンコン

「はーい、どうぞー」

C先生、心を科学的に調べるってどういうことですか。教えてくださーい。

「はいはい。とっても良い質問ですよ。心は目に見えないとA先生が言ったって？　それはそうですが、ずいぶん粗雑なもの言いですね。たとえば私もよく使っているＮＩＲＳ（脳機能計測）という装置を活用すれば、脳表層の活動を特定し、心のはたらきについていろいろわかります。脳を調べる装置はほかにもいろんなものがあって、いまや心のどのような機能が、脳のどこに位置しているのか、かなり推定できるんです」

なるほど。心と脳には深い関係があるもんね。

「べつの観点からも考えてみましょう。トラウマという言葉をご存じですか？」

トラウマ！　ザ・心理学ってかんじだな。

「たとえば交通事故に遭った人は、ずいぶん時間がたった後でも、事故現場の写真を見るだけで恐怖感に襲われます。こうしたトラウマの形成は古典的条件づけによるものと考えられています。ほら、高校の生物でパブロフの犬について学んだでしょう。アレです。事故に遭遇した場所や状況に恐怖感情が条件づけられているわけです。パブロフの実験を学んだ学生は、些末なつまらん研究だと思ったりするようですが、それは大間違い。人間の心を理解するうえでとってもとっても大切な知見なんです。こうした知見の蓄積によりトラウマのような心の問題についてもいろんなことがわかってきています」

心の悩みについても科学的に解明できるって、なんだかすごい。

「それに心理学は実生活でとっても役立っているんです。私は食の心理について研究していますが、たとえば、食物のにおいや色は、風味の感じ方を大きく左右します。ポテトチップスのカリカリ、炭酸飲料のシュワシュワといった音が食感に大きく影響していることもわかっています。わたしたちの心は五感すべてを駆使して味を体験しているんです。すごいですねぇ、人間の心は。こうした知見は、食文化を豊かにする一助になるし、企業の商品開発にも応用されています」

そうか。A先生は心があるとかないとか言ってたけど、そんな抽象談義は空疎だよね。心理学者が汗水流して実験や調査をしていて、その知見が実際の生活で役立っている。そして心理学は人類の文化を豊かにしていくことに貢献している。そこが重要なんだ。

よーし。こうなったら心理学の先生を全員訪ねてみよう。次はD先生のところ。

3　心が構築する世界

コンコン

「はーい、どうぞー」

D先生は新進気鋭の学者って雰囲気。あとでサークルの先輩に聞いたんだけど、あだ名は「研究マシーン」なんだって。ひたすら研究にまい進してるらしい。教師版のイカトンだな。

「心について知りたいって？　良いこと聞いてくれますねぇ。うれしいですねぇ。

私の専門は感覚と知覚の心理です。私たちの心はこの世界をどうとらえていると思いますか？　ありのままにとらえていると思いますか？　そうではありません。この図を見てみてください。

これはコフカのリングと呼ばれる図形です。灰色のリングは一様な明るさなのですが、鉛筆を真ん中に立ててリングを左右に分割すると、左右のリング部分の明るさが変化して見えます。これは対比という心のはたらきによるものです。分割により背景との対比が起こって、左は明るく右は暗く見えるのです。物理的な刺激と

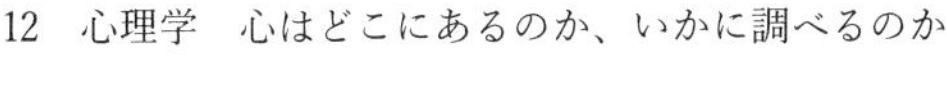

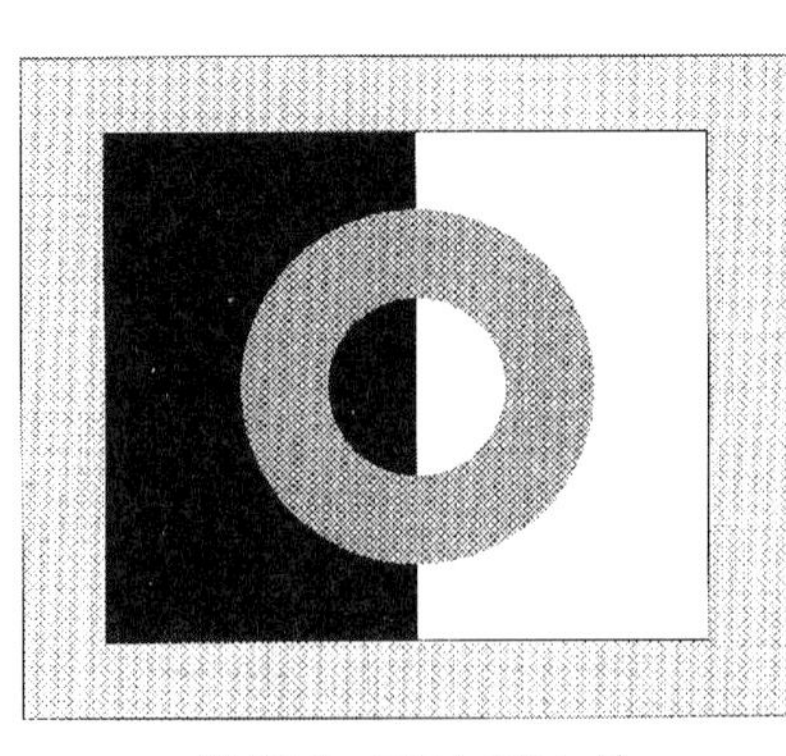
図12-1　コフカのリング

してはなんら変わっていないのに、人間の心のはたらきにより見えが変わるわけです。人間の心は受動的ではなく能動的なんですね。語弊を承知で大胆に言うなら、私たちは心が構築した世界に暮らしているということです」

心の能動性。心が構築する世界。なんだか神秘的。

でも先生。こんな図形について考えることに何か意義があるんですか？　些末な錯覚にすぎないような気もするんですが。

「ますます良いこと聞いてくれますねぇ。うれしいですねぇ。

興味深いことに対比は高次の心理プロセスでもみられます。たとえば、自動車のセールスマンは新車購入の契約を結んでからこまごまとした付属アクセサリーを勧めてきます。数百万円の自動車の購入を決めた直後は、対比により数万円のカーナビなんてタダ同然に感じられるので、ついつい買ってしまう。ふだんはコンビニで数円のビニール袋もケチっているのにね。感覚や知覚といった基本的な心のはたらきを解明することで、高次の心のはたらきについても理解が深まるのです」

ほぉー。キレキレッの説明。チョーわかりやすい。

「モノの見えは心の主観的体験です。ここまでお話したのもそうした主観的体験です。でも主観的体験を記述するだけでは駄目で、主観的体験を生みだしている脳内情報処理についても調べる必要があります。私の研究は脳内情報処理と主観的体験との橋渡しをするものなんです。このあたりはずいぶん専門的な話になるので、私の授業でさらに学んでみてください。

そうそう、高次の心のはたらきといえばE先生のお話をうかがいましたか。きっと勉強になるので訪ねてごらん」

はーい。

4　愛憎と暴力

コンコン
「はーい、どうぞー」

E先生の教員室はとっても清潔で整理整頓がいきとどいている。それになりよりとってもやさしそう。

「なになに。A先生が心なんか調べても意味ないと言ったって。いつもの暴言ですから、真にうけてはいけません。私の専門である犯罪や攻撃性を例に心の重要性をお話しましょう。現代社会で深刻化している問題のひとつにデート暴力があります。ご存じですか」

デート暴力！　こりゃ他人事じゃないぞ。しっかり聴いておかねば。

「デート暴力で不思議なのは、愛する人に暴力をふるうという点です。敵意を抱いたから暴力をふるうのではなく、愛するがゆえに暴力をふるうという逆説。これっていったいどういうことなんでしょう。

アンケート調査によりデータを集めて分析してみたのですが、相手から見捨てられる不安、さらにそうした不安がもたらす支配欲求が関係していることがわかりました。この心理プロセスを図示するとこんなふうにな

図12-2　不安・支配欲求・デート暴力

ります。[2] 交際相手と別れた後にストーカー行為をする人がいますが、その背後にもこうした支配欲求があるのかもしれません」

おぉ。たしかにそうかも。パートナーから見捨てられるかもって不安は愛するがゆえのもの。その不安が強いと相手を束縛して自分の意のままに支配したいと思うかも。それが暴力として現れるっていうわけだ。たしかにそういう心のはたらきってありそうな気がする。ん？　まてよ。この図は因果関係なのかな？　二酸化炭素が増加したら地球温暖化が進行するなんていう物理的因果ならわかるけど、心的因果なんてありえるのかな…。まあ、いいや。E先生、もっと話したくてウズウズしてる。

「心理学は、アンケート、心理テスト、実験、統計分析など、心を探るさまざまな方法を開発してきました。『見捨てられ不安』から『デート暴力』にいたる関係も統計分析により見出したものです。さまざまな方法を駆使して心の仕組みを明らかにし、社会問題の解決に貢献できる―そこが心理学という学問の醍醐味だと思います。

あっ、そうそう。念のためつけくわえておくと、心理学では統計学が不可欠ですが、数学が苦手でも大丈夫。心理学専修では統計学の修得もサポートしますからね」

5　時代と状況のなかの人間

心理学っていう学問がわかってきた。それにしても最初のA先生はひどかったな。よーし、A先生に自分が学んだことを伝えてみよう。

心理学は実験や調査など科学的方法を駆使して心を解明するまさに科学なのである－そうですよね、A先生。

「ほぉー。ずいぶん理解が深まりましたね。えー、お名前は…次朗くんでしたっけ」

太郎です。タ・ロ・ウ。

「失敬。太郎くん。大切なことを確認しときましょう。もう一度、各教員が説明してくれた心理学の知見を思い出してください。こうした知見は、自分で自分の心を意識的に見つめることにより得られたのではありません。身体反応の計測実験やアンケート調査などによりデータを収集し、それを客観的に分析することによって得られたものなのです。

自分で自分の心を完全にわかることはできません。真っ暗な部屋に閉じこもって自分の心を懸命に見つめても、心をわかることはできないのです。もし自分で自分の心が完全にわかるんだったら心理学なんていらないでしょう。自分では自分の心が完全にはわからない。だから心理学という学問が歴史的に発展してきたのです」

なるほど！　たまには良いこと言うじゃん。自分では自分のことがわからない。自分の病気については自分より診察してくれた医者の方がよくわかってる。自分の心は自分が一番よくわかるというのは幻想なんだ。そういえば父さんも傍目八目と言ってたっけ。

「心理学の歴史といえば、わが東北大学はヴント文庫を所蔵しています。ヴントは心理学の開祖の一人で、一九世紀後半のドイツで心理学実験室をつくりました。ヴントの蔵書が東北大学図書館に保管されていて、いまも世界各地から心理学者が見学にきます。心理学を学ぶ文学部生にも見学の機会をもうけています。東北大学がヴントの蔵書を入手した経緯はそのとき話しますからおたのしみに」

やけに自慢げだぞ。よくわかんないけど、とにかくスゴイものを所蔵してるんだな。

ところでA先生はどういう研究をしているんだろう。あんまり期待できそうにないけど、一応、訊いとくか。

「私の研究ですか。だから言ってるでしょ。自分のことは自分ではよくわからないからうまく説明できません。じゃあ、さいなら——と言うわけにはいきませんよね。では、謹んでご説明申し上げます。

私の専門は社会心理学。私のみるところ、心を過度に重視した人間理解は危険です。人間の行動は状況によっても左右されていることを忘れてはなりません。ケシカランことに、うちの研究室の学生はほかの教員の前では神妙なくせに、私には言いたい放題です。もっと極端な例をあげると、ふつうのごく善良な人が戦場では他人を殺します。社会心理学は心だけでなく状況も重視して人間を理解しようとするのです」

えーと。人間のふるまいは時と場合によってかなり違うということか。自分も学校ではおとなしくしてるけど、じつはロックバンドをやっててライブでははじけてるんだよね。

「社会心理学にもいろんなアプローチがあります。私自身は、時代と状況のなかで懸命に生きる人間の姿をとらえるフィールドワークをしています。たとえば、徒手空拳で異国の地に渡った移民たちが助けあいながらどうやって生き延びたのか、現地調査をしたことがあります。言葉も通じない、学歴も資格もない。そういうなかでどういう行動が合理的だったのか。裏切りがどうして発生するのか。それを乗り越えるにはどうすべきか。科学的、すなわち無視点の立場から人間を分析することと、特定の時代に特定の場所に生きる個別の人間の立場から生き方を問うこと。この両者を統合した人間理解が私の目標です」

ふーん。

あれれ。先生の顔が曇っちゃった。リアクション、うすかったかな。

「…ゴホンッ。えー、それはそうとして、太郎くん。あなたさっきから『科学的』『科学的』ってホントうるさいですね。科学的って、そもそもどういうことですか？　科学ってそんなに立派なの？　肝心なことは…」

もう抽象談義はこりごり。では失礼しまーす。

「……」

―人物Ａ～Ｅは東北大学文学部で心理学を担当した歴代教員をもとに造形したものです―

おわりに―心理学のこれまでとこれから

心理学という学問が成立したヴントの時代から、心理学は文系と理系の学際的な研究領域でした。近年の脳科学・人工知能・生物進化の研究は心理学に大きな影響をあたえています。また人間は社会的な生き物であり、社会学・人類学・宗教学・経済学・政治学と心理学の学際研究は昔も今もさかんです。カーネマンという心理学者はノーベル経済学賞を授与されています。心理学・自然科学・社会科学の垣根はこれからますます低くなっていくでしょう。

とはいえ人文社会科学の存在意義がなくなることはありません。人間理解をめざす研究はいかなるものであれ究極的には価値・正義・理想といった問題とかかわらざるをえないし、またかかわるべきです。価値・正義・理想をめぐる問いはまさに人文社会科学がたくさんの洞察を蓄積してきた領域であり、その重要性が失われることはありません。

〈註〉

1　中俣友子・平野大二郎・阿部恒之（二〇一三）人格を代表するのは顔・身体のどの部位か－最期の別れで触れる場所 日本顔学会誌 一三、八七-九八

2　荒井崇史・金政祐司（二〇一九）愛着不安とDaV－恋人支配欲求の媒介効果の検討 日本心理学会第八三回大会発表論文集、二五五

〈学びを深めるための課題〉

1　心理学という学問の創始と深くかかわった人物として、ヴント、ジェームズ、フロイトがいる。この三人の研究は「心と身体」「科学と心理学」「自分では自分のことがわからない」という問題とどのように関係しているだろうか。心理学の文献を調べたうえで論じなさい。

2　脳科学が発展すればいずれ人間の心はすべて解明され、心理学という学問は不要になるのだろうか。ＡＩはいずれ人間の心を完全に再現することができるようになるのだろうか。いろいろな分野の文献を調べたうえであなたの見解を述べなさい。

3　本文に出てくる「イカトン」という言葉は、どのような場面で、どのような目的でつかわれているだろうか。東北大学生がイカトンと呼ばれたエピソードを集めたうえで、社会心理学の偏見やステレオタイ

プの理論をつかって論じなさい。(本課題に解答できるのは東北大学生だけです)

〈ブックガイド〉

下條信輔(一九九九)『〈意識〉とは何だろうか』講談社現代新書

知覚心理学・認知神経科学の第一人者による意識と心の解説。心・身体・世界の不思議な関係がわかりやすく論じられています。知的好奇心をかきたてられる良書。

ジョアンヌ・R・スミス、S・アレクサンダー・ハスラム(編)(樋口匡貴、藤島喜嗣 監訳)(二〇一七)『社会心理学・再入門』新曜社

社会心理学の古典的研究について、歴史的背景からその後の発展にいたるまで解説しています。社会心理学を学ぶ方にお勧めの一冊。

ヴィクトール・E・フランクル(池田香代子 訳)(二〇〇二)『夜と霧』みすず書房

ナチの強制収容所に入れられた心理学者がその体験を綴った記録。極限状況における人間の心理と行動について深い洞察をあたえてくれます。心理学への興味あるなしにかかわらず、すべての学生に読んでもらいたい名著。

13　西洋史　大学で学ぶ西洋史

有光秀行・浅岡善治

はじめに――高校世界史と西洋史学――

高校生や大学一年生にとって、西洋史学に対するイメージは、高校で履修する「世界史」によって形作られるところが大きいであろう。

さてその「世界史」など地歴、また公民の科目は、「暗記科目」であると今でも思われているであろう。これはある程度は仕方ないところがあって、たとえば歴史上の国や王朝の名前、また著名人物の名がひとつも頭の中にないのに「世界史」でよい点を取ろうと思っても、それは無理な話である。

しかしただ単に教科書の内容を暗記するだけではなく、たとえば「世界史」を通して、さまざまな地域で人々が織りなしてきた歴史を理解し、その背景を考え、そして今に至る大きな歴史の流れをとらえ、将来の世界を展望することを、高校の先生方は生徒諸君に望んでいるに違いない。

「西洋史学」も、単なる暗記や、また「世界史」で扱われる事象をただ単に細かく知ることを、めざすわけではけっしてない。四年間の勉学の結果として、「卒業論文」もしくは「卒業研究」にまとめられるのは、結果としては「世界史」に出てくること（もしくはそれに関連すること）をさらに細かく分析し述べるわけではあるが、それはそうすること自体が目的なのではなく、先行する研究をしっかりと理解し意識した上で、一方それらをただ単になぞるのではなく、可能なかぎり批判的に（これは文句をつけるという狭い意味においてではなく）理解し、本文で約二万字くらいという論文の量にまとめようとすると、おのずとそのようになっていく、ということである。

1 「対話」と西洋史学——個人的「対話」のはじまり——

もっとも、筆者（有光）も大学に入るときから、「はじめに」に記したことをはっきりと認識していたわけではない。友人たちのように「世界史」が暗記科目ときっぱり言い切ることには違和感を覚えたが、そうでないなら何かとはっきり提示することも出来ず、ついでに言えば「世界史」の成績も中くらいであった筆者が、西洋中世史に目を見開かされたのは、大学一年の時の「西洋史」という講義であり、担当者は木村尚三郎先生（一九三〇-二〇〇六）であった。

木村先生はたいへん話し上手で、ご専門のフランスの、しかも中世だけではなく現代の事情もあれこれ教えてくださった。著作に残っている部分でいえば、たとえばこのような調子である。「フランス料理は、文句なしにヨーロッパでもっともおいしい。しかし本当のことを言えば、フランスに『フランス料理』はない。あるのはブルゴーニュ風エスカルゴとかニース風サラダ、マルセイユ風ブイヤベース、バスク風ピペラード（トマト入り王子焼き）といった、地方料理だけである。まことに料理とカテドラルこそは、フランス各地の地方文化をユニークに特色づけており、パリとの文化的落差を少しも感じさせない。これらの独自な地方的文化価値の総和こそ、フランス文化、ヨーロッパ文化の実体といえよう」（『ヨーロッパとの対話』日本経済新聞社、一九七四年、九四－九五ページ）。「地方」の個性を大事に思うことは、ヨーロッパと日本とを問わず、木村先生が生涯大切にされたことであったが、それはともかく、ヨーロッパに実際に行くのが今よりずっとたいへんだった時代に、現地での体験を軽やかに鮮やかに語る先生の講義は、まず耳に心地よかった。

しかしそれだけではない。いわゆる中世こそが、今に至るヨーロッパの基礎が形成された成長発展の時代（特に一二世紀を中心に）であり、前述の地方の個性が生き生きとあったのみでなく、教会組織やラテン・キリスト教文化、王侯貴族の人的つながりなど国家の枠を越えたネットワークが活力を持っていた時代であり、多国籍企業や、EU（欧州連合）のような国家間連合が力を持つ現代にとっては、これまで暗黒の時代といわれていた中世こそが手本にすべき時代、私たちにとっての「新古代」である、という先生の時代区分論に接したときは、驚愕した。（ちなみに一七世紀位以降、悲惨な第二次大戦に帰結する時代が、私たちが反面教師とするべき「新中世」であり、通常「古代」とされるギリシア・ローマの古代世界は、これは地中海世界であって今日のヨーロッパの中心をなすアルプス以北とは別個のものと考えるべきである、とされる。）読者の皆さんは、この時代区分論についてどう思うだろうか？　おそらくいろいろな意見があるだろうし、筆者自身も、今となってはこの説に完全に同意する訳ではない。おそらくいろいろな異論があることは、聡明な先生ご自身がまず十分おわかりだったことと思う。しかしながらここで大事に考えたいのは、現在・将来の社会をどう考えるか、いかに展望すべきかということと連動して、過去をどう見るかも不断に問い直されること、である。そしてこの文章の「現在・将来」と「過去」を置き換えることもまた可能である。両者の間には不可分の関係があり、そして「対話」があるわけである。もっともこのような営みが、過去の都合のよい部分のみを安易に拾い上げてなされるのではなく、現存する証拠（史料）に可能な限り合致するよう、いわゆる学問的におこなわれるべきことも、言うまでもない。

2 「対話」と西洋史学――ヨーロッパとの対話――

先に挙げた『ヨーロッパとの対話』から、別の箇所を引用しよう。

「動機はどうであれ、それがいかに単純で幼稚であれ、歴史の道に入ってよかった、といまつくづく思う。異なった時代、異なった地域の人々と、E・H・カーのいう「対話」をすることは、まことに苦しい。ヨーロッパ史のばあいは語学上の苦労が絶えないが、問題はそんなことではない。それら過去の、しかも異国の人々の生活と行動の仕方、物事の考え方があまりにも現代の、そして日本人のそれとは異なり、相手の言動を理解し、また相手にわかるよう自己表現することが、ときに絶望的なまでに難しいからである。

異質なる者と直面するとき、人ははじめて精神的緊張、ないしは恐怖感を覚え、積極的に相手をわかり、自己をわからせようと努力する。そしてその苦闘のなかで、はじめて自己とは何か、現代とは何か、日本とは何かが見え出してくる。そしてそれとともに、はじめて人間性の尊厳についての意識が生まれ、他人にたいする無意識的な傲慢、あるいは一方的な寄りかかりや心酔を脱して、真にヒューマニズムをめざす謙虚な自己、世界性を持つ新たな自己が創り出される」（一九―二〇ページ）。「異質なる」対象と学問的に直面するのは、西洋史学に限らない。人文社会科学のすべての分野がそうである、と言えるかもしれない。その上で、筆者は、学問の苦しさと、その先にある倫理的希望とを説く、この先生自身の研究領域に、ヨーロッパとの「対話」、過去との「対話」の世界に自らも赴いてみたいと、強く感じた。

3 「対話」と西洋史学――先行研究との「対話」――

先行研究を批判的に理解することの大切さを、先に述べた。

歴史学の対象はごく多様である。但し何もかもが研究対象になるかといえば、そうではない。文字で残された叙述・記録を研究の基礎とするため、そのような叙述・記録が残らないことを取り上げるのは困難である。一方で、そのような残された叙述・記録にまず直接に接して研究を一から組み立てようとするのも、よい姿勢とはいえない。というのも多くの場合、そうした叙述・記録に関連する研究を先人たちがおこなっているからであって、そうした研究を無視して独自で何らかの結論に達したとしても、それがすでに先人の明らかにしたことであったならば、せっかくの努力は無駄になってしまう。そのため、あるテーマについて先人が何をどこまで明らかにしているかを知ることは不可欠であり、またそうした先人の思考の努力をたどりながら、史料をどう読むか、議論をどう進めるかといった、歴史学の営みは経験的に体得されるものでもある。先行研究を熟読し、その優れた点、到達点を認めながら、それを鵜呑みにせず冷静に受け止め、さらに研究を先に進めるにはどうするか考える――ここでも「対話」が、先行研究との「対話」が大切である。

筆者は学部学生としての勉学の集大成として、卒業論文で中世イングランドにおけるユダヤ人、とくにその迫害の理由について考察することとした。日本語で書かれた論文だけでなく、外国語の研究書や論文、また現代語に訳された史料にも、可能な限り目を通した。そのうえで、都市共同体の確立と、他者としてのユダヤ人の排除に相関関係があるのではないかという結論を導いた。自分として考えを尽くした自負はあるが、史料の性質上問題を詰め切れていない感も残った。

本格的に研究の世界に入ったと感じたのは、大学院に入ってからである。英国やフランスといった近代国家の枠組みにとらわれない「ノルマン帝国」の存在を指摘する先行研究におおきな衝撃をうけながらも、当のその世界に生きていた人々はそのような観念を持っていたのか、人々が書き残した史書をひもといてことばの意味を探り、分析し、検証する作業が修士論文になった。そこで、先行研究に学びながら、わずかなりとも新しい知見を付け加えた実感を持った。以来、中世ブリテン諸島およびノルマンディの年代記作品や、証書をじっさいに読み解きながら、それらを書きのこした人々と「対話」し、彼らが歴史を、世界を見るまなざし、また人と人とのつながりを、考え続けてきた。それはまた、中世と現代の違いとつながり、日本とブリテン諸島の違いと共通点とを考えつづける時間でもあった。

木村先生がおっしゃるような、無意識な傲慢や一方的な寄りかかり・心酔を脱することはできたであろうか。それはわからない。しかし新たな自己へのあこがれは、いまだに自らのうちにある。過去との「対話」、ヨーロッパとの「対話」、そして先生との「対話」は、この先も続いていくであろう。

（有光秀行）

〈参考文献〉
有光秀行『中世ブリテン諸島史研究』刀水書房、二〇一三年。
木村尚三郎『ヨーロッパとの対話』日本経済新聞社、一九七四年。

同『近代の神話』、中公新書、一九七五年。

4　歴史過程における普遍性と個別性――「トゥキュディデスの罠」？――

現代政治学には「トゥキュディデスの罠」という理論があるという。トゥキュディデスとは、古代ギリシアで「ペロポネソス戦争史」を著した、かのトゥキュディデス（前四六〇頃―前四〇〇頃）である。現代アメリカの政治学者アリソンは、この二五〇〇年近く前のギリシア人が同時代史として描き出すアテネとスパルタの角逐から、「新興国」が旧来の「覇権国」にとって代わろうとする場合、過大な構造的緊張が生じて当事国間でも御し難いような状況が生まれ、些細なことからでも大戦争の危険が生じるという教訓を引き出し、それを「トゥキュディデスの罠（Thucydides's trap）」と名付けた。さらにアリソンは、過去五〇〇年間を精査して同様の事例が一六件あることを確認し、うち一二件で最終的に戦争が生じたとしている。言うまでもなく、この政治学者の眼差しは何よりも現代に向けられており、目下の「覇権国」アメリカと「新興国」中国との対立とその行く末こそが最大の関心事である（グレアム・アリソン『米中戦争前夜』藤原朝子訳、ダイヤモンド社、二〇一七年）。この理論の妥当性を詮索することが本稿の目的ではない。ただここで一点だけ確認しておきたいのは、アリソンの議論は、二五〇〇年分の「歴史の重み」に依拠しようとする姿勢は明確だが、それぞれの歴史的事象の時代的な独自性、いわば「歴史性」を重視しようとする姿勢は著しく希薄であるということだ。

そもそもトゥキュディデスの著作自体にも同様の傾きがあった。彼が自著の作成にあたって強く意識していたのは、その約一世代前にヘロドトスが著した「ペルシア戦争史」である。しばしば「物語的叙述」と評されることこの著作は、読者を楽しませる豊かな内容を誇っているが、考証の不足から多くの矛盾や不正確さをも残していた。トゥキュディデスが目指したのは、かの先達のように「人から聞いたとおりに、また自分に思われたとおりに」書くのではなく、様々な情報とその信憑性を「可能な限り厳密に検討した上で」事態の様相を正確に書き残すことであった。ゆえに自著は「物語めいていないので…余り面白くない」かもしれない、としながらも、トゥキュディデスはその意義を改めて次のように主張する：

しかし、ここに生起したことについて、また人間性に基づいて、いつか再び生起するはずの、これに類似し近似したことについて、明確に見究めようと欲する人がいつか現われて、これを有益だと判断してくれれば、それで充分であろう。これは、一時の聴衆の喝采を争うためではなく、永遠の財産として書きまとめられたものである。

（トゥキュディデス『歴史1』藤縄謙三訳、京都大学学術出版会、二〇〇〇年、第一巻・二二）

残念ながら後代の歴史家は、「史実」を合理的に確定しようとするトゥキュディデスの「科学的」手法の先駆性には驚嘆しつつも、他方で彼が不変の「人間性」なるものに言及して自著の意義を主張したことについては「有益」とは判断しなかった。二〇世紀イギリスの歴史家コリングウッドは、ヘロドトスは「歴史の父」だが、トゥキュディデスは「心理学的歴史の父」であり、そこでは「反歴史的」動機が過大なため、ヘロドトス的な歴史の見方は閉塞する、と批判する（R・G・コリングウッド『歴史の観念』小松茂夫・三浦修訳、紀伊國屋書店、一九七〇年）。すなわち、トゥキュディデスの著作には後に様々な学問分野へと分岐する諸要素がいまだ混然一体となって同居しているのだが、その中の一般性・普遍性への志向こそが、歴史学にとっては「罠」だったということである。他方で現代の政治学者は、こうした傾向をあえて突き詰めていったのだ。

「すべての歴史は現代史である」というクローチェの至言を引くまでもなく、過去に向かう主体＝歴史家(historian)も同時代の一部を構成しており、彼／彼女が最大限に努力したとしても、言わば意図せざる形でその影響を被ることは避けられない。他方でそうして生じた独自の問題関心が「史実」のより豊かな見方や解釈を生み、しばしば「歴史の書き換え」の原動力ともなる。トゥキュディデスの『ペロポネソス戦争史』も時代時代で様々な観点・関心から読み込まれてきたが、例えば二〇世紀後半には、冷戦あるいは米ソ対立という時代状況を多分に反映して理解されるようになった。寡頭的で統制主義的なスパルタはソ連、民主政を掲げて交易で繁栄するアテネはアメリカであり、どちらもオセロ・ゲームのように勢力圏を奪い合い、配下に自らに類似した政体を強要する。当初は前者が陸軍中心、後者が海軍中心だったこともこのアナロジーの説得力を増幅させた。しかし、こうした歴史への関わり方は「今も昔も同じだった」という単純な一般化に行きつくのではなく、時にそうした一般論との緊張関係を維持したままで、過去あるいは翻って現代への豊かな洞察を喚起することにもつながる。これに比べて、単に「覇権国」・「新興国」の枠組みで米中を並べたに過ぎないアリソンの議論はなんと平板なことだろう。そこでは史実の内包する豊かさは切り捨てられ、すぐれて恣意的な範型に、多分に収まりが悪い形ではめ込まれているに過ぎない。ちなみに二〇世紀の米ソ対立の一方の当事者であったスターリンは、対立の直接の起源であり、勝者が敗者に政体変更を強いる先例となった第二次世界大戦について「今までの戦争とは違う」と述べたという（ミロバン・ジラス『スターリンとの対話』新庄哲夫訳、雪華社、一九六八年）。近年の研究では、従来のイメージとは異なり、このソ連の独裁者は大変な読書家だったことが知られているが、何かと一般論に走りがちなアメリカ側に対して、ソ連側の方がはるかに事態を「歴史的に」捉えていた、と言えるかもしれない。

いわゆる「メロス対談」（第五巻・八四以下）やミュティレネ反乱始末記（第三巻・三五以下）など、トゥキュディデスが伝える様々なエピソードが、時空を超えて現代の我々にも強く訴えかけてくるのは事実である。しかし、なおも一歩踏みとどまって、事態の本来の在り方と歴史的な特性を今一度注視・尊重しようとすることがおそらくは歴史家の第一の仕事であり、歴史学の矜持や醍醐味もまさにそこにあると言えるだろう。

5　歴史過程における普遍性と個別性——ランケの罠？——

過去を振り返ろうとする人間の営為が「歴史学」として学問的に結実するのは、他の多くの知的活動と同様、一八－一九世紀のヨーロッパにおいてである。ここで「近代歴史学の父」とされるランケ（一七九五—一八八六）にはローマ史研究のニーブーアをはじめとして何人かの先行者がいたが、彼が、直接的にはトゥキュディデスの学徒として出発したことは特筆すべきであろう。ライプツィヒ大学で文献学を修めたランケは、まずトゥキュディデスを卒業論文のテーマとして選択したのである。しかし、ランケがトゥキュディデスから継承したのはもっぱら方法論——できるだけ本源的な史料を用い、かつ厳密な史料批判を行ってできる限り正確に過去を復元する、という実証的な研究手法だった。同時に彼は、これまで人々が長らく過去の探究に際して期待してきた、いくつかの「高い役目」を放棄する。新たな「歴史学」が引き受けるのは、ただ事態が「本来どうであったか（wie es eigentlich gewesn）」を示すことだけである。すなわち史実を「厳密に叙述する」ことは、たとえそれがいかに限定的で、歴史小説が描く過去の在り方よりも美しくなかったとしても、学問的には「最高の法則」なのだ。

一九世紀半ば、ランケが「近代歴史学」の理念と方法を確立するに際して理論的に対峙しなければならなかったのは、当時のドイツ語地域で隆盛を極めていたヘーゲル学派の歴史哲学であった。それは歴史の中に「正・反・合」の弁証法を見出し、「絶対者の自己実現」の過程として史実を整理する。しかし、「スコラ哲学では精神は滅びる」。それぞれの時代は次に来る時代の単なる「踏み台」ではなく、それぞれが独自の価値を持ち、ゆえに絶対的な考察の意義がある。すなわちあらゆる時代は「神と等しい距離」にあり、言わば全てが「神に通じている」――敬虔なプロテスタントの家系に育ったランケは、このような印象的な比喩を用いて豊かな歴史的個性を恣意的な裁断から救い出そうとする。もし歴史過程に「神の理念」という一般的傾向が反映されているとしても、それは神ならぬ者にとっては不可知であるに違いない、と彼は言う（レオポールト・フォン・ランケ『世界史の流れ』村岡晢訳、ちくま学芸文庫、一九九八年）。

以上のような経緯からして当然と言えば当然だが、「近代歴史学」の成立過程の中で、トゥキュディデス的な普遍的・一般的志向は後景に退いていくことになった。ランケの後継者たちは、さらにこうした傾向を突き詰めて、あらゆる事象は「歴史的に」のみ把握できるとする極端な「歴史主義」、しばしば「歴史相対主義」と揶揄される立場にまで突き進んでいく。しかし、先に述べた通り、実際には歴史過程にはあらゆる時代の歴史家たちに等しく訴えかけてくるような普遍的・一般的要素もたしかに内在するのだから、それらをアプリオリに排除することもまた、究極的には過去の厳密な復元を阻害することになるだろう。その意味では過度の歴史的個性の重視もまた、「ランケの罠」と呼びうるものなのである。

おわりに――歴史学の未来

当のランケは、自らが礎を築いた学問の孕む陥穽をはっきりと認識していた。彼は、その遺稿の中で、「真の歴史家」に必要な属性として、「個物そのものへの共感と喜悦」、そして同時に「全体的なものに開かれた眼差し」の二点を挙げている。二〇世紀以降、様々な理論的試練を経て、「近代歴史学」は「現代歴史学」へと脱皮を遂げた。しかしなおも個別性と普遍性の相関関係は、「歴史学」の永遠の課題であり続けている。

（浅岡善治）

〈参考文献〉


桜井万里子『ヘロドトスとトゥキュディデス――歴史学の始まり』山川出版社、二〇〇六年。

林健太郎責任編集『世界の名著四七　ランケ』中公バックス、一九八〇年。

林健太郎・澤田昭夫編『原典による歴史学入門』講談社学術文庫、一九八二年。

E・H・カー『歴史とは何か』清水幾太郎訳、岩波新書、一九六二年。

溪内謙『現代史を学ぶ』岩波新書、一九九五年。

小田中直樹『歴史学ってなんだ？』PHP新書、二〇〇四年。

14 中国思想　運命と応報

齋藤智寛

はじめに

中国の思想は三千年を超える歴史と、諸子百家、儒仏道三教などと総称される多くの学派を有するが、時代や学派を問わず議論され続けたことの一つに運命をめぐる思索がある。人の境遇は行為の善悪に応じた報いなのか、それとも生まれつきの運命によって定められているのか。こうした問題について、春秋戦国時代から仏教伝来を経て宋代以降に至るさまざまな主張を、時代を追って紹介してみたい。

以下本稿では、寿命の長短や幸不幸の境遇は本人の人格や行為の善悪と関係しないという考えをまとめて運命論と呼び、本人の人格や行為の善悪により未来の境遇が左右されるという考えをまとめて応報説と呼ぶ。子細に検討すれば、運命論の中でも自由意志や努力の意味を認めるか否か、認めたとして人為にいかなる意味を見出すかなど程度に濃淡があるのだが、これらは同じく「命」と呼ばれている。応報説についても、道徳的行為の報いとして富貴や長命などをもたらす人智を超えた法則や力を想定するもののほか、よく読むと学識や人格が評価されて出世する、善政を布いた国が長続きするといった常識的な因果関係について論じているものがあるが、前近代の中国では厳密に区別されなかったと思われるため、ひとまずはこれらを全て応報説として一括りにし、運命論と対比しながら論述を進めたい。

なお、『論語』や『老子』といった中国の古典は成立過程が複雑で、恐らくは一人の作者の手に出るものではなく、複数の人々が数世代にわたって編纂を重ねたと考えられる。したがって、例えば『論語』に記された言葉の全てを孔子の肉声と見なすことはできない。本稿で思想家の言葉を紹介する場合、あくまでも現在に伝わる資料に記録された彼らの思想であることをお断りしておきたい。

1　運命と賞罰―先秦諸子の運命観―

(1)『論語』の運命観

周王朝の権威が衰え、天下に分裂と戦乱が続いた春秋戦国時代にあって旺盛な思索と言論の活動を繰り広げた人々を、後世に諸子百家と呼ぶ。まずは諸子百家の中から有力な学派であった儒家・墨家・道家の三家の主張を概観して、中国における運命論の発端を確認したい。

儒家を代表する典籍、孔子（前五五二～前四七九）の語録『論語』の雍也篇に、次のような一節がある。

冉伯牛（ぜんはくぎゅう）が病気になった。先生は彼を見舞い、窓からその手を取ると、こう言った。「これまでか。〈命〉であろうなあ（命矣夫）。この人にしてこの病が有るとは、この人にしてこの病が有るとは」。

冉伯牛は孔子の門人。孔子が見舞ったこの弟子は、直接の面会も出来ない深刻な病気を患っている。『論語』先進篇には、顔淵・閔子騫・仲弓と並ぶ「徳行」の士として冉伯牛の名が見える。そんな善人が病に倒れたという事実を二度も繰り返して嘆く孔子の口吻からは、冉伯牛のような人物がこの病気にかかるのは不合理だという感覚が裏にあることがうかがえる。善き人が不幸になるのはおかしい、しかし不幸になってしまった。この状況をもたらした何かを、孔子は「命」と呼んでいる。原文では「命」一文字の後に「矣夫」と二つも助字が続けられ、深い詠嘆を表している。「mìng yǐ fū!」「命なるかな」。愛弟子の不幸とその背後に感得せられた世の不条理におののきながら、しかしそれを受け入れた時に発せられた言葉、それが「命」であった。

弟子たちもまた「命」を語る。例えば、『論語』顔淵篇に記された対話――

司馬牛が憂えて言う、「人にはみな兄弟がいるのに、私だけいない」。子夏が言う、「私は聞いている、〈死生 命有り、富貴 天に在り〉と。君子は身を慎んであやまたず、人には恭しくして礼節に当たるようにするなら、世界の人々はみな兄弟となる。君子はどうして兄弟のいないことを憂えようか」。

人の生き死には定められた運命があり、栄達するかどうかは巡り合わせ次第。兄弟の有無もそれと同じ、自分ではどうしようもないこと。そんなことをあれこれ悩むよりも、出来ることをすることだ。人との交際に間違いを犯さず、友とすべき人々に敬意を持って接するなら、人類はみな兄弟のようなものではないか。子夏はこう兄弟弟子を励ますのである。

「死生 命有り、富貴 天に在り」という表現からは、「命」は「天」と密接な関わりを持つことが予想される。この「天」が自然の法則といった意味合いなのか、天上にいます神の存在が想定されているのかはわからないが、孔子の学団ではその二者を厳密に区別しなかったものと思われる。

齢(よわい)七十を過ぎた孔子が一生を振り返った言葉が『論語』為政篇にあるが、そこで孔子は十五歳で「学に志(こころざ)」し、五十歳にして「天命を知」ったのだという。「命」とは、「天」によって与えられるものであることが了解されよう。「知」とは知識として知るのではなく、深く理解すること。天によって定められた運命を理解し、受け入れるのには生まれてから五十年、学問を始めてからでも三十五年かかる。

孔子もその門人たちも、政治参加を通して理想社会を作ることを目指した。「学べば禄(ろく) 其の中に在り」(衛霊公篇)、学問を続けておれば俸禄をもらえるくらいの身分はおのずと付いて来るはずだと孔子は門人に教える。しかし現実にはその孔子自身が生涯の短くない期間を無位無冠のまま諸国を放浪していたのであって、「学」という努力や、「徳行」「礼」といった善き行いではどうにもならない局面があることは身をもって体験していた。孔子とその一門は、幸不幸の境遇をもたらす不可知の力としての「命」を受忍しつつも、学問と人格の陶冶を放棄しない生き方を続けたのである。

(2)『墨子』の儒家批判

戦国時代(前四〇三~前二二一)にあって儒家と並ぶ勢力を持っていたのが、墨家と呼ばれる学派であった。その領袖・墨翟(ぼくてき)の著とされる『墨子』には儒家批判を主題とする篇「非儒篇」、運命論批判を主題とする「非命篇」が収録されている。「非」は、「そしる」、非難する意。

『墨子』非命篇上によれば、いにしえの聖王の統治下では、賞罰が設けられて賢人が取り立てられたので、人々は肉親を大切にし、街には盗みがなく、命をかけて君主を危機から守った。ところが、「命」説に固執する人々は、「お上から褒賞を与えられたのも、〈命〉がもともと賞されることに定まっていたので、賢人だから評価されたわけではない」「お上に罰せられるのも、〈命〉がもともと罰せられることに定まっていたので、人に損害を与えたから罰せられたわけではない」などと言って道徳的行為の意味を否定する。かくて家庭からも社会からも道徳が失われることとなったのである。

非儒篇にはさらに明確に運命論の弊害が説かれる。「命」に固執する人々は、人の寿命も、国家の安定と混乱も、もともと「天命」で定まっており、人の知恵や努力では変更できないと言う。こんな説が信じられれば官吏は職務を怠り、庶民は耕作に勤めず、かくて社会は貧しく、国家は乱れてしまう。「命」が真理だと考える儒者こそは、天下に害をなす人々なのである。『墨子』が「命」説に替わって提唱するのは、人の行為は鬼神によって監視され、その善悪に応じて賞罰が下されるという有神論的応報説であり、それは「明鬼篇」と題する篇に詳説されている。

『墨子』の議論で注意したいのは、本書の関心が運命論と応報説のどちらが事実であるかよりも、人々を職務に精励させ国家を安定に導くにはどちらが効果的かにあるように見えることである。『墨子』非命篇上では、ある説の真理性は「本（歴史上の先例）」「原（現在の実情）」「用（効用）」の三要素によって判定されると言われる。しかし『墨子』の本心は「用」にもっとも重きを置いているのではないか。『墨子』には、当時の論理学の断片を集めた「経」「経説」という篇が備わっている。人間の思考そのものを反省的に吟味する姿勢と、功利的な観点から主張を選択する態度とが同居するのが『墨子』という書物である。

（3）『荘子』の運命観

道家の代表的典籍である『老子』『荘子』には「仁」「義」「礼」など儒家的価値への批判が随所に記されるが、「命を非る」と明言した墨家と異なり、「命」についての一貫した見解をうかがうのは難しい。『論語』では孔子が病身の冉伯牛を訪ねたが、『荘子』大宗師篇にはある人物が飢えた友人を見舞う話がある。

> 子輿は子桑と友人であった。長雨が続くこと十日、「子桑が病気になってしまう」と子輿は言い、飯を包んで食べさせに行った。子桑の家の門に着いてみると、歌うがごとく泣くがごとく、琴をかき鳴らして「父よ、母よ、天か、人か」などと唱えていたが、苦しげな声で、言葉を並べ立てているようであった。子輿は家に上がると、「君の歌は、どうしてそんな風なのか」と聞いた。子桑は言う、「僕は自分をこのどん詰まりに追い詰めた者を考えて、わからなかったのだ。父母が僕に貧乏を望んだだろうか？　天が万物を覆い、地が万物を載せるのにえこひいきは無い。天地が僕だけを貧乏にするだろうか？　この境遇をもたらした者を尋ね求めても、そんな者はいない。それでもこのどん詰まりに追い詰められたのは、まさに〈命〉なのだ（命也夫）」。

貧しいその日暮らしを送っていたであろう友人・子桑の苦境を案じた子輿は、しかし子桑の悟性が今日の食べ物の問題を超えたことわりを触知していたことは理解しなかった。いささか無神経な友人に子桑は、自らの苦悩と悟りを親切に説明する。自分をこうさせた者がついに見つからなかったこと、それは「命」とでも言うほかないこと。
自分をかくあらしめているものが何かはわからない。この諦観が『荘子』の基調にある。同書の斉物論篇に次のような寓話がある。

罔両（うすかげ）が影に問いかけた。「君はさっきは歩いたかと思えば、今は立ち止まり、さっきは坐ったかと思えば、今は立ち上がる。どうしてそう節操が無いのだ？」　影は言う、「僕には依存する者があってこうなるのだろうか。僕が依存している者もさらに依存する者があってそうなるのだろうか。僕は蛇や蝉がうろこや羽に依存して動いているような者なのだろうか。どうしてそうであると分かるだろうか、どうしてそうでないと分かるだろうか（悪識所以然、悪識所以不然）」。

「罔両」とは、影の周りに出来る薄い影のこと。いま机の上に蛍光灯の光が落とした手の影を見てみると、確かに影の輪郭にそってぼんやりした影がさらに有る気もする。うすかげは影の動きに連れて動く。そして影は肉体の動きに依存して動くのならば、影を動かしている肉体も別な何者かの意志に動かされていそうである。でもそうした存在を探しても見つからないから、そんな者はいないかも知れない。自分がこのようである理由、「然る所以」を知ることはできない。自分の身体すら自由なものか束縛されたものかわからないのだから、人生の幸不幸を決める運命についてはなおさらであろう。なお、蛇や蝉のように云々のくだりを、蛇や蝉とそのぬけがらのようにお互いに依存せず自存する者と解する説もあるが、一段の趣旨に変わりはない。
いちいちの引用は省くが、『荘子』は全体として運命に随順する中に精神の安らぎと生命の保全を見出すもののようである。しかし儒家の「命」説には「天」への信頼が残されているのに対し、『荘子』にあっては「天地」に合目的な意志はないし、人も物もなぜそのようにあるのか理由を知ることは出来ない。また道家では、運命を受け入れた上での人為的努力といったことも説かない。知識や言語、ひいてはそれに支えられた学問への懐疑や、官僚としての出世栄達への忌避もしくは無関心から導かれる態度であろう。

2 漢代の運命観

(1) 司馬遷による応報説への懐疑

儒家は『墨子』によってその運命論を批判されたが、実は儒家でも応報説は唱えられる。『論語』の運命論にも背後には本来なら善人が幸福であるべきだという期待が感じられるわけだし、儒家の自然哲学と占いの書『周易』の「積善（せきぜん）の家には必ず餘慶（よけい）有り」、善行を重ねた家にはきっとさいわいが有るというのは、個人ではなく家門を単位とした応報説であると解釈されることがある。運命論に平行して応報説もまた根強く存したと言えるのだが、公正な応報を希求し不条理な現実に憤りを発したのが、前漢の歴史家・司馬遷（前一四五～前八六？）であった。

彼の主著『史記』では、ある氏族や個人の繁栄や破滅の理由を、その徳や罪に求める記述が随所に挟まれる。しかし、歴史の事実はいつも善が栄え悪が滅びるわけではない。殷・周の王朝交代期に生きた清廉の士・伯夷と叔斉は、新王朝に仕えるのを潔しとせず、山中に隠棲してついに餓死してしまった。『史記』は彼らの伝記の末尾に次のように言う。伯夷も叔斉も善人であったが飢えて死んだ。孔子一門きっての篤学家である

図 14-1　孔子と顔淵

顔淵は貧賤のうちに夭折し、大量殺人犯の大泥棒である盗蹠（とうせき）はやりたい放題で天寿を全うした。もし天は善人に味方すると言うなら、私ははなはだ困惑してしまうのだ。天道は是か、非かと。

司馬遷は続いて、汚れた世にこそ賢人の潔白さが明らかになり、孔子が顔淵を称揚したように、他人の賞賛によって名が後世に伝えられることもあるのだと結ぶ。名が伝わることで天道の公正さが死後に実現したと言いたいのか、不公正な天道に替わって名を伝えることが後世の人々の、歴史家の務めだと言うのか、いずれにしても司馬遷は善行が報われないままに終わる生の存在を強く意識している。

(2) 後漢の三命説

後漢の初期、儒教の諸用語について国家公認の学説をまとめた書物『白虎通（びゃっこつう）』では、「命」を「寿命」「随命」「遭命」の三命に分類する。「寿命」は天が王者に与えた人民統治の使命とその王朝の存続期間、「随命」は、行いの善悪に応じて天が下す賞罰、「遭命」は行いの善悪に関わらない自然災害や疾病などの不運で、先に述べた冉伯牛の病も具体例として挙げられる。これは、応報説を「命」の一種として「随命」と呼び、同時に人の意志ではどうにもならない不幸の存在も認めたもので、運命をめぐる従来の諸説と現実への観察を「命」の名のもとに網羅したものである。しかしこれでは人間が際会する運命の諸相を列挙はしても総合はされていないのであって、運命の法則を一つの原理で説明することは放棄したかにも見える。

『白虎通』と同時期かやや遅れる王充（二七～九〇？）の『論衡』は随命説を否定し、人の寿命も富貴貧賤も全ては生まれつき定められた運命なのだと断ずる。これは一時期地方官に就いたのみでその学識に見合った栄達を得られなかった王充の実感でもあろうが、しかし相容れない学説を同じ「命」とした儒家の理論的不備を突くものでもあったのである。

3　仏教と道教―因果と自然―

後漢の「三命」説において運命と応報をめぐる議論は極点に達し、また袋小路にはまり込んだとも言えるが、続く魏晋南北朝時代（二二〇～五八九）において議論は大きな転機を迎える。それは、後漢には伝来していた仏教の受容と隆盛である。仏教は善行には安楽、悪行には苦痛がもたらされるという因果応報を説くが、仏教における応報説の特徴は輪廻転生説と結合していることにある。だから悪人がのうのうと楽しく生きている状態は、恐らく生まれ変わった未来の生において悪行の報いを受けるのだろうと予想されるし、善人の不幸は、前世でなした悪行の報いが今生で現れているのだと解釈される。不条理な現実を認めつつも公正な応報をも望んでいた中国の人々にとって、仏教は永年の課題に論理的解決をもたらす良き知らせであった。これが、インドで生まれた仏教が中国で深く広く受け入れられた理由の一つであろう。もっとも、因果応報と輪廻転生が事実であることを訴える文章は魏晋南北朝の三百年あまりにわたって書かれ続けたから、中国の古典に見える運命論や歴史的事実を根拠とした反発もまた根強かったのである。

仏教の濃厚な影響下に教理を整備した道教――不老不死の仙人を目指す宗教――は因果応報説も受容し、「業報（ごっぽう）」や「因縁」を題名に含む経典群が製作された。しかし、唐代初期（七世紀）に熾烈をきわめた道教と仏教との論争においては、道教は「自然」を説き、仏教は「因縁」を説くと図式化されることが多かった。世界は原因なくして自（おの）ずからそのようにある、これが道教の本義だと言うのである。ある面では同じ認識を持ちながら対立する主張をぶつけ合うことが中国思想史上の論争にはままあり、論争当事者それぞれの自己規定、相手へのイメージと実態とが複雑に絡み合う状況を丁寧に読み解いてゆくことが、思想史研究には必要である。

4　運命と応報のその後

宋代以降、元明清においては、応報説を基礎に善行を勧める善書や功過格と呼ばれる宗教文献が広く行われる。また前世の因縁はしばしば通俗小説の舞台装置ともなるが、現世の境遇が前世の行いによって定まっているという点を強調すれば、応報説は運命論とほとんど変わらなくなる。違いは、不条理として忍従するか、納得出来る理由を聞いて安心を得るための理論とするかであろう。

かくて因果応報説は儒仏道三教や、知識人と庶民の別を超えて広く受け入れられた。同時に、知識人の正統な学問たる儒学においては、「命」をめぐる議論は、応報説との対立ではなく、天から「命」として付与された本性がいかなるものか、持って生まれた善性をいかに涵養し実現するかに重点が移ってゆく。

おわりに

運命と応報をめぐる諸説を最後は駆け足になりつつ紹介して来たが、小稿の内容を、中国思想研究の、少なくとも筆者にとっての方法という視点から振り返ってみたい。小稿では時に原文の文字に触れたが、それは語録や説話においては、何が書かれているか以上に、どのように書かれているかが重要だからである。主張内容の面から見れば、運命論にしても応報説にしても論理的にはどこかに破綻や説明放棄があり（仏教的応報説も生まれ変わりの存在が証明されなければ成り立たない）、どちらを選ぶかは詰まるところ思索者の置かれた時代や社会階層に左右されるとも言える。中国思想の理解にあたっては結論のみならず表現も重要であり、思想家の生きた歴史的文脈も知らねばならないとすれば、中国の哲学や宗教・学術を研究するには思想史的方法、もしくは中国文学や中国語学、東洋史（中国史）の視点を取り入れて対象を総合的に考察する中国学の方法が有効だということになる。

さらに視野を広げて、中国思想研究は人文社会科学全体の中でいかなる位置づけを持つのか、この問題は十九世紀後半以来、中国の人々自身が考え続けて来たことでもあった。もし問いを世界諸地域の哲学と中国哲学という範囲に限定するなら、近代中国を代表する学者の一人・胡適（こせき）は中華民国八年（一九一九）に公刊した『中国哲学史大綱』において、およそ次のような展望を述べる。世界の哲学は東西二派に分かれており、東洋哲学はさらにインド哲学と中国哲学に分かれるが、漢代以後は中国哲学にインド哲学が加わって（仏教伝来のこと）、中国中世哲学となった。そうすると、五十年後や百年後には東西の哲学が融合して一つの世界哲学を産み出しているかも知れない。だが胡適の予想とは異なり、百年後の二十一世紀初頭において一つの世界哲学はいまだ誕生していない。しばらくは、西洋由来の学問体系が人類の共通言語として世界を席巻しつつも、非西洋地域における学術の伝統も時には研究対象として、時には西洋的学問への代替物（オルタナティヴ）として独自の役割を果たし続けることになろう。中国はヨーロッパ、アラビア、インドのそれに比肩する独自の学術伝統を有しており、思想・文化の根幹となるテクスト群を対象とする中国古典学の価値は今後も減ずることはないはずである。対話を拒むことなく、かと言って安易な一体化への批判も忘れず、着実に自分の読書を積み重ねるのみである。

〈図版出典〉

「山西省太原県文廟宣聖尭公小景」（東北大学附属図書館蔵・常盤大定集「中国金石文拓本集」より）大野晃嗣（東北大学文学研究科）氏撮影

〈読書案内〉

※①②以外は、二〇二一年現在で入手が比較的容易なものに限った。

①溝口雄三ほか編『中国思想文化事典』東京大学出版会、二〇〇一
②長尾雅人ほか編『岩波講座東洋思想　中国宗教思想』一・二、岩波書店、一九九〇

③小島祐馬『中国思想史』（一九六八）ＫＫベストセラーズ、二〇一七
④アンヌ・チャン著、中島隆博ほか訳『中国思想史』知泉書館、二〇一〇
⑤井ノ口哲也『入門　中国思想史』勁草書房、二〇一二
⑥吉川幸次郎訳注『論語』上下（角川ソフィア文庫）ＫＡＤＯＡＷＡ、二〇二〇
⑦金谷治訳注『墨子』（中公クラシックス）中央公論新社、二〇一八
⑧福永光司・興膳宏訳注『荘子　内篇』（ちくま学藝文庫）筑摩書房、二〇一三
⑨稲葉一郎『中国の歴史思想　紀伝体考』（中国学藝叢書）創文社、一九九九
⑩森三樹三郎『老荘と仏教』（講談社学術文庫）講談社、二〇〇三
⑪神塚淑子『老子　〈道〉への回帰』（書物誕生　あたらしい古典入門）岩波書店、二〇〇九

15　中国文学　注釈と読解が織りなす魅惑の世界

矢田尚子・土屋育子

はじめに

中国文学が扱う範囲は、空間的には主にヨーロッパ大陸がまるまる入る中国大陸、時間的には紀元前から現代に至るまでとなります。そこに含まれるジャンルはもちろん多種多様で、中国文学の世界にひとたび足を踏み入れれば、高校までの漢文で習う詩や散文はもちろんのこと、賦(ふ)や詞、小説、戯曲といった目新しいジャンルの作品などにも出会うことができます。ここではそれらの中から、紀元前に成立し中国文学の萌芽となった『詩経』と、近世以降発展した通俗小説を取り上げ、中国文学の世界をご紹介したいと思います。

1　「一日会わねば　三月(みつき)のごとし」―中国古典詩の解釈について―

青青子衿　　青青(せいせい)たる子(し)が衿(えり)　　青い色をしたあなたの衿
悠悠我心　　悠悠(ゆうゆう)たる我(わ)が心(こころ)　　はてしなく思い続ける私の心
縦我不往　　縦(たと)い我(われ)　往(ゆ)かざるも　　たとえ私が行かなくても

子寧不嗣音　子　寧ぞ音を嗣がざる　あなたはなぜ便りをくれないのか

青青子佩　青青たる子が佩　青い色をしたあなたの帯飾り
悠悠我思　悠悠たる我が思い　はてしなく続く私の思い
縱我不往　縦い我　往かざるも　たとえ私が行かなくても
子寧不來　子　寧ぞ来たらざる　あなたはなぜ来てくれないのか

挑兮達兮　挑たり　達たり　行きつ戻りつ
在城闕兮　城闕に在り　城門のあたり
一日不見　一日見ざれば　一日会わないだけで
如三月兮　三月の如し　三月も会っていないかのよう

これは、『詩経』の鄭風に収められている「子衿」という詩です。青い衿の服は、古代中国で、若い男性が着るものとされていたことから、詩中の「子」は若い男性を、「我」はその男性を恋い慕う女性であると想像されます。日本で出ている訳注書にも、「恋人をしのぶ女のうたである」（中島みどり『詩経』筑摩書房、一九八三年、六〇頁）、「若い女子の積極的な恋心」（境武男『詩経全釈』汲古書院、一九八四年、二三七頁）とあります。

ところが、この詩の解釈はそれで終わりではないのです。

(1)『詩経』とは

中国最古の詩集『詩経』には、周代初期（前十一世紀）から春秋時代中期（前七世紀）に、黄河流域を中心とする各地から集められた詩歌三百五篇が収められています。

『史記』『漢書』によれば、周王が「民意を知るため」に、「采詩の官」を各地に派遣して、三千余篇の詩を採集し、後に、儒教の祖である孔子が、その三千余篇の中から、三百余篇を厳選し、『詩経』の原型が作られたといいます。この説自体は疑わしいものの、孔子が『詩経』の詩を重視していたことは、『論語』の記述から読み取ることができます。孔子の頃には、ただ「詩」と称されていましたが、漢代に儒家の五つの経典（五経）の一つに数えられるようになったため、後に『詩経』と呼ばれるようになりました。そして、孔子や儒家との関係が、『詩経』の詩篇の解釈に大きな影響を与えることになりました。

(2)「詩」の役割

『詩経』は、前漢初期には四種類の伝本・注釈が存在していましたが、現在まで残っているのは、毛氏（毛亨・毛萇）が伝えた『毛詩』のみで、『詩経』と言えば、普通はこの『毛詩』を指します。

儒家経典となって以降、『詩経』を儒家思想に沿って解釈しようとする独特の解釈学が生まれました。そこでは「詩」とは、社会の状況を反映するものであると同時に、為政者が民衆を「教化」し、民衆が為政者を「風刺」する手段であるとみなされました。

『毛詩』の「序（大序）」には次のようにあります。

先王たちは、「詩」によって夫婦関係を正し、孝敬を行き渡らせ、人間関係を厚くし、教化を立派に成し遂げ、風俗を良い方向に変化させた。……上位の者は下位の者を「教化」し、下位の者は上位の者を「風刺」する。詩を述べる者には罪が無く、詩を聞く者は自らを戒めることができる。

このため、儒家的教養を備えた知識人には、政治への関心を詩によって表現することが求められるようになりました。中国文学の特徴の一つである、政治的関心の強さは、『詩経』解釈学に端を発するといえます。

(3)『詩経』の古注

『詩経』各詩篇には「小序」がついています。孔子の弟子の子夏が作ったと伝えられ、その詩がなぜ作られ、いかなる「美刺」が込められているのかを述べた文章です。

毛氏による注釈を「毛伝」（「伝」は「経書の解釈」の意）といいます。詩篇の文字や語句の意味をごく簡単に解説したものです。

「毛伝」だけでは詩篇の意味がわかりにくいため、後漢末の鄭玄（一二七〜二〇〇）が、「小序」「毛伝」に基づいて注釈をつけました。これを「鄭箋」（「箋」は「注釈」の意）といいます。

さらに時代が下り、初唐の孔穎達（五七四〜六四八）が、それまでの注釈を統一して詳しく解説した「孔疏」（「疏」は「注釈の注釈」の意）を著しました。「毛伝」「鄭箋」「孔疏」をあわせて「古注」と呼びます。

では、「古注」は「子衿」の詩をどう解釈しているでしょうか。

まず「小序」には「子衿は、学校の廃るるを刺るなり。乱世なれば則ち学校修まらず」とあります。乱世に学校が廃れてしまうことを批判した詩だというのです。

そして「毛伝」は「青い衿」を「学子の服する所なり」とし、詩中の「子」を「学生」だといっています。

また「鄭箋」の説明はこうです。「子」と「我」はともに学校で学んでいたが、乱世で学問が廃れ、「我」は学校に留まったが、「子」は去った。「我」が学友の「子」を思う心情を述べることで、学問の衰退を批判しているのだ、と。「古注」では、この詩は「男子学生の友情」をうたったものと解釈されているのです。

かなり無理のある解釈のように思えますが、漢代から唐宋代の知識人たちの頭には、古注による『詩経』解釈が深くしみこんでいたようです。

たとえば、魏の武帝・曹操（一五五～二二〇）は、「短歌行」という詩の中で次のようにうたっています。

青青子衿　　青青たる　子が衿　　青い色をしたきみの衿
悠悠我心　　悠悠たる　我が心　　はてしなく思い続ける我が心
但為君故　　但だ君の為の故に　　ただ君のためにこそ
沈吟至今　　沈吟して今に至る　　心の内をうたって今に至る
……　　……　　……
越陌度阡　　陌を越え　阡を度り　　遠くから野を越え山を越え
枉用相存　　枉げて用て相ひ存さば　　わざわざ訪ねてきてくれたら
契闊談讌　　契闊して　談讌し　　固く交わりを結んで飲みかつ語り
心念舊恩　　心に旧恩を念う　　昔なじみを懐かしむ

「子衿」を男同士の友情の詩と解した上で、有能な人材を希求する心情を描写するために利用しているのです。

また、中唐の白居易（七七二〜八四六）は、友人の牛僧孺に宛てた詩「長斎の月満ちて思黯に寄す」（「長斎」は仏教徒が行う「斎戒」で、一か月の断酒を伴う。「思黯」は牛僧孺の字）で、次のようにうたっています。

一日不見如三月
一月相思如七年
似隔山河千里地
仍當風雨九秋天
明朝齋滿相尋去
挈榼抱衾同醉眠

一日見ざれば　三月の如し
一月相い思えば　七年の如し
山河千里の地を隔つるに似て
仍お風雨九秋の天に当たる
明朝　斎　満つれば相い尋ね去き
榼を挈え衾を抱き　同に酔いて眠らん

一日お会いしないと、三か月もお会いしていないようで、一か月思っていると、七年もお会いしていないようです。（その寂しさは、近くにいるのに）千里の山河を隔てているようで、そのうえ季節は風雨のはげしい秋に当たっています。明日の朝、斎戒が終わりましたら、お尋ねして、酒樽を手に、布団を抱えて行き、飲み明かしてともに酔って眠ることにしましょう。

ここでも「子衿」の句は、男同士の友情をうたうために利用されています。

当時の知識人は、「子衿」の句を目にしたら、即座に男同士の友情を想起したのでしょう。古注による解釈が広く浸透していたことがわかります。

(4)『詩経』の新注

南宋の朱熹（一一三〇〜一二〇〇）は、「小序」や「古注」の説明に疑義を呈し、『詩集伝』を著して、『詩経』全篇に新たな注釈を施しました。これを「古注」に対して、「新注」といいます。古注で政治批判の詩とされていた多くの詩篇が、新注では「淫奔者の詩」（正式な結婚によらず、淫らな行動に奔る男女の詩）、つまり「恋愛詩」としてとらえ直されました。

新注では、「子衿」詩中の「子」を「男子」、「我」を「女子」の自称だとし、この詩も「淫奔の詩」だとしています。私たちと同じ感覚だ、と思いがちですが、少し違います。

朱熹は、なぜ聖人孔子が「淫奔の詩」を『詩経』に入れたのか、という疑問に対して、こう考えました。「淫奔の詩」を読んだ人々は、淫らな男女の行動に嫌悪感を覚え、自らの行動を戒めるようになる。孔子はそのようにして人々を「教化」するために「淫奔の詩」を『詩経』に入れたのだ、と。

(5) 近代的『詩経』解釈学

近代的な『詩経』解釈学は、儒家思想に染まった中国の内部からは起こらず、フランスの社会学者マルセル・グラネ（Marcel Granet 一八八四〜一九四〇）の『中国古代の祭礼と歌謡』（原題は Fêtes et Chansons anciennes de la Chine 初版は一九一九年）を契機に始まりました。グラネは、当時のフランス社会学の視点を取り入れ、各地の「未開民族」の歌謡との共通点から、『詩経』を儒家経典ではなく、中国古代の村落共同体における「古代歌謡」としてとらえようとしました。

グラネの影響の下、宗教学や民俗学等を用いて、「古代歌謡としての詩本来の原義」を明らかにしようとする研究が盛んになりました。日本でも、白川静や赤塚忠（きよし）らが、『詩経』詩篇の背後に古代宗教祭祀を想定し、詩篇の多くを「祭祀歌」ととらえました。

たとえば、赤塚忠は「子衿」について次のように述べています。

> 青い衿の衣をつけ、青い佩玉をつけている若者は、春の神に扮する「春の雅夫」たちである。…この歌は、その若者たちが東の郊外から舞い踊りながら東門を入ってくるのを待ち受けて、社に集まった乙女の合唱隊が唱いはやしたものである。（赤塚忠著作集第五巻『詩経研究』、「中国古代歌謡の発生と展開」、研文社、一九八六年、八頁。初出は『中国文学研究』三、一九六五年）

こうした考え方は、古代に対するロマンをかき立てる興味深いものです。しかし、古代中国に、春の神を祭る行事が実際にあったとしても、「子衿」がその祭祀歌であったと証明することは困難でしょう。

中国古典詩の解釈は、各時代の思想や学術の趨勢によって変化するものです。唯一絶対の解釈というものはないといってよいでしょう。研究する際には、歴代のさまざまな注釈に目を配る必要があります。そこが面倒なところでもあり、面白いところでもあります。

2　中国通俗小説の誕生と発展

（1）明末の文人馮夢龍と「三言」

中国の古典小説と聞いて思い浮かぶのは何でしょうか。例えば、『三国志演義』『水滸伝』『西遊記』『金瓶梅』は「四大奇書」と総称されますが、全編読んだことがなくとも、作品名なら聞いたことがあるという人も多いでしょう。また、唐代の皇帝玄宗とその妃である楊貴妃とのロマンスを思い浮かべる人もいるかもしれません。このように、翻訳または日本人作家によるリライトや、アニメやゲームのスピンオフなどで、今でも一定の人気があります。

ここで取り上げるのは、十七世紀初めの明末に編纂された「三言」と総称される短編小説集で、成立は四大奇書よりやや遅れますが、ほぼ同時代といってよいでしょう。編者は馮夢龍（一五七四～一六四六。ふうむりゅうとも）、蘇州出身の文人で、「三言」以外にも多くの書物を編纂したことで知られます。

馮夢龍という人物のバックボーンを紹介しておきましょう。馮夢龍の故郷蘇州は、紀元前からの長い歴史を持つ経済・文化の都市です。明初には政治的な理由から振るわなくなっていましたが、十六世紀以降、当時指折りの商工業都市へと成長しました。蘇州の経済的な発展は、そこを拠点とする芸術家たちが芸術活動によって暮らしを立てることを可能としました。蘇州の裕福な家の出身であった馮夢龍が、士大夫の正統的な教育を受けて科挙（官吏登用試験）を受験したものの仕官することはなく、著述、出版に専念していたのは、科挙に合格できなかったことだけが理由ではないでしょう。

「三言」とは、『古今小説』（のちに『喩世明言』に改める）『警世通言』『醒世恒言』という三つの短編小説集の総称で、その名称は書名に「言」字が含まれることに由来します。それぞれに四十篇の短篇小説が収められ、恋愛もの、神仙もの、歴史もの、裁判もの等非常に多岐にわたります。これらはいずれも当時の人々の生活や思想を色濃く反映しています。

(2)「小説」と文体

中国には、「漢文・唐詩・宋詞・元曲」という、各時代を代表する文学ジャンルを示す言い方がありますが、明代を代表するのは「小説」であると言われています。

古代中国において、「小説」とは本来文字通り「つまらない言説」という意味で、長らく文学の傍流と見なされていました。そのため、こんにちの私たちから見ればフィクションに当たるようなもの、例えば神秘的、怪異的な内容も、すべて「記録」として記述されました。六朝時代（三世紀〜六世紀）に編まれた『捜神記』などの「志怪小説」と呼ばれる怪談ものは、記録としての性質を強く持っています。それが唐代（六一八〜九〇七）になると、意識が変化し、虚構が積極的に取り入れられるようになりました。この時代の小説は「奇を伝える」というところから、「伝奇」（唐代に書かれたので「唐代伝奇」とも）と呼ばれています。例えば冒頭で言及した玄宗と楊貴妃のロマンスについては、白居易の有名な詩「長恨歌」とともに、陳鴻作の伝奇「長恨歌伝」も書かれ、人口に膾炙することになりました。

宋代（十世紀〜十三世紀）になると、北宋の都開封（汴京、汴梁とも。今の河南省開封市）、南宋の都臨安（今の浙江省杭州市）が商業都市として発展しました。都市の発展によって人やモノが集まり、街のあちこちに瓦子または瓦舎と呼ばれる歓楽街が生まれ、演芸場（「勾欄」と呼ばれました）が作られました。このように宋代には、さまざまな芸能が発展する環境が整うことになりました。当時の都の様子は、『東京夢華録』『夢粱録』といった都市繁昌記からうかがうことができます。「三言」のもととなったのは、まさにこの時代に行われていた芸能、あるいはそれらを文字化した出版物でした。こうして誕生した書物の文体には、話し言葉の語彙を用いた書き言葉、「白話」が使われました。「三言」も「四大奇書」も、この「白話」によって書かれています。

一方、正統的な詩文の文体は「文言」と呼ばれ、「白話」とは当然少なからぬ違いがあります（高校まで読む漢文も「文言」で書かれたものがほとんどです）。「文言」は無駄を省いた凝縮された表現を好む一方、「白話」は講釈師の語り口を残した饒舌な描写を特徴とします。いわゆる書き下し文（訓読）は「文言」を読むために発達してきたもので、「白話」を読む際には十分に対応できない場合があります（まったくできないというわけではありませんが）。新しいジャンルの登場には、新しい社会の形成という変化と、それに伴う新しい文体の成立がありました。

（3）「三言」がめざしたもの

では、具体的に作品を見てみましょう。唐代伝奇「杜子春伝」は、芥川龍之介「杜子春」が拠った物語として知られていますが、その白話版ともいうべき作品が『醒世恒言』第三十七巻「杜子春三たび長安に入る」です。「杜子春伝」のあらすじは次のようなものです。もとは裕福だった杜子春が金を使い果たしてしまい、途方にくれていると、不思議な老人から二度にわたり大金をもらいます。杜子春はそのたびに使い果たしてしまい、三度目に老人に弟子入りを願い出ます。ある日、老人は何があっても口をきいてはいけないと言いつけて出かけます。ほどなく目の前に軍勢を率いた将軍が現れ、口をきかない杜子春に立腹して杜子春を殺してしまいます。杜子春は女性に生まれ変わって結婚し、子どもを儲けましたが、やはり一言もしゃべらないので、夫が腹を立てて子どもを頭から石にたたきつけたとき、杜子春は思わず「あっ」と叫びました。気がつくと杜子春はもとの場所に座っており、老人は杜子春を諭して俗界に帰らせたという話です。
「杜子春伝」の冒頭部分を挙げてみましょう。

杜子春は、たぶん北周か隋の人であろう。若いころから物事にこだわらないたちで、家業にはさっぱり関心がない。その上、大まかなたちで、酒は飲み放題の遊興三昧、すっかり家産を食いつぶし、親族・友人を頼ったが、まじめに働かないため見捨てられてしまった。

一方、『醒世恒言』では同様の場面を次のように書いています。

さて隋の文帝の開皇年間のこと、長安城中に、姓は杜、二文字の名で子春、妻は韋氏、城南に住み、代々揚州で塩商人として商売をし、まこと何万貫もの財産、何千頃もの田畑を持っておりました。ですが杜子春は父祖の資産を頼りにしていたので、家業の困難さをどうしてわかっているでしょう。そのうえ生来豪傑のたちで、石太尉（石崇）の贅沢な暮らし、孟嘗君の（食客を好んだ）気概を真似ておりました。

「杜子春伝」が簡潔に事柄を記しているのに対し、『醒世恒言』のほうは講釈師が語るがごとく、事細かに述べられています。引用箇所の続きでは、杜子春の放蕩ぶりと妻の韋氏の金銭感覚の乏しさが語られ、親族にも見捨てられる過程にかなりの字数が費やされています。白話で書かれた『醒世恒言』は、このような饒舌な語り口が特徴的であると言えるでしょう。

結末では、両者の違いがより明確に浮かび上がります。唐代伝奇「杜子春伝」では、杜子春が喜・怒・哀・懼（く）・悪・欲の六つは忘れ去ったが、「愛」だけは忘れきれなかったので、仙薬はできず仙人にはなれないと老人は杜子春を帰らせ、杜子春が後日再び訪ねて行っても見つけることはできなかったと結びます。一方の『醒世恒言』では、杜子春は一旦老人のもとを去り、三年間修行し直して再び老人を訪ね、今度は神丹を授かって妻の韋（い）氏ともども仙人となったと語られます。「杜子春伝」のように、一度失敗した以上は仙界への道は永遠に閉ざされるほうが理解しやすいと思われますが、『醒世恒言』ではリベンジして成功しているのです。

「三言」などに見えるこのような改編について、当時広く流行していた「善書（ぜんしょ）」の影響が指摘されています（小川陽一「三言二拍と善書」〔『日用類書による明清小説の研究』研文出版、一九九五年〕）。「善書」とは善行を勧め悪行を戒める道徳書で、そこで強調される運命観とは、人間には予定された運命があるが、それは一定不変ではなく、本人の行動次第で変化するというものです。杜子春が仙人となるべく、改めて修行し直して認められたというのは、まさにこの運命観を物語の中で実現させたものということになります。

「三言」は当時大変流行し、さらに江戸時代の日本にも伝わって、当時の日本の文学にも多大な影響を与えました。このことは、「三言」が白話による絶妙な語り口と当時の世相を反映させた、馮夢龍の編者としての力量が十二分に発揮された作品であったことを証明していると言えます。

おわりに

「はじめに」でも述べたように、中国文学には長い歴史があり、その中でさまざまな文学の形式が作られ、名作が生まれました。しかし、それら個々の作品の解釈や形態は、生まれてからこんにちに至るまでずっと固定的であったというわけではありません。古典詩においては、各時代の思想や学術の趨勢に合わせてその解釈に変化が生じました。古典小説においても、新しく形成された社会の要請に沿うように改編がおこなわれました。高校までの学習では、おそらく、中国文学作品をそのように通時的に見る機会はなかったと思います。大学では、是非、時代に合わせて龍のごとく千変万化する中国文学作品の世界に触れてみてください。

「中国文学の未来」

『万葉集』を出典とする元号「令和」の起源が、張衡（ちょうこう）「帰田賦（きでんのふ）」の句にあるように、中国文学は日本文化にとって外なる他人であり、内なる自己でもあります。今後も日本文化にインスピレーションを与え続けるでしょう。

「中国文学研究者が考える人文社会科学の未来」

近年のデジタル化によって、国内外に所蔵される大量の原本資料が、遠く離れた場所からもパソコン上で手軽に閲覧できるようになりつつあります。新しい資料の発見や資料閲覧の簡便化による研究の進展が期待されます。

〈参考文献〉


鈴木修次・高木正一・前野直彬『中国文化叢書5　文学史』大修館書店、一九六八年。

今村与志雄訳、魯迅『中国小説史略』上・下、ちくま学芸文庫、一九九七年。

中島長文訳、魯迅『中国小説史略』上・下、平凡社東洋文庫、一九九七年。

竹田晃『中国小説史入門』岩波書店、二〇〇二年。

目加田誠『詩経』講談社学術文庫、一九九一年。

高田真治『詩経』上・下、集英社、一九九六年。

牧角悦子『中国古代の祭祀と文学』創文社、二〇〇六年。

小南一郎『詩経―歌の原始』岩波書店、二〇一二年。

溝部良恵訳『広異記・玄怪録・宣室志他』(『中国古典小説選』六) 明治書院、二〇〇八年
松枝茂夫訳『宋・元・明通俗小説選』平凡社、一九七〇年。

千田九一・駒田信二訳『今古奇観　上』『今古奇観　下　嬌紅記』平凡社、一九七〇年。

大木康『明末のはぐれ知識人――馮夢龍と蘇州文化』講談社メチエ、一九九五年。

16　哲学　じぶんで考える営み

荻原　理

はじめに

哲学へのイントロとして述べたいことは色々ありますが、ここでは、哲学とはじぶんで考える営みだ、という点を強調してみます。

哲学の問いには、たとえば次のものがあります。

・宇宙には果てがあるか。
・神は存在するか。
・言語と世界はどう関係しているか。
・ものが見えるとはどういうことか。
・ひとが死んでもその魂は残るのか、それとも、死とともにひとは消滅するのか。
・善悪はどう決まるのか。

こういう問題を、大もとにまでさかのぼり、筋道立ててじっくり考えていくのが哲学です。

そういう問題がなにかのはずみで引っ掛かって、あれこれ考え出してしまうことがありますね。いくら考えても堂々めぐりになり、「こんなことを考えても仕方がない」といって断ち切ってしまうこともあるでしょう。しかし、同じような引っ掛かりをおぼえた別の折に、頭が冴え、考えにはずみがついて、そのうちに、さっと光が射した（ような気がした）、ということも起こりえます。

そこで「お」という高揚感を味わったりすると今度は、ときどきそういう問題に立ち戻り、考え続けていく、ということにもなります。

考えていくなかで、「この思考の道を、どうすればしっかりとした足取りで進んでいけるのだろう」といったことを気にするようになるかもしれません。そこで、明確な言葉づかいをするよう心掛けたり、その手の話が好きそうなひとと議論してみたり、哲学書を手に取ってみたりするかもしれません。

このときすでに哲学が始まっています。

みなさんには、気になることへのこだわりを大事にして頂ければと思います。それは、「普通どう思われていようが、偉いとされているひとが何と言っていようが、肝心なのは、じぶんが本当に納得できるかどうかだ」という感覚です。気になることについては、一からじぶんで考えてやろうとするノリ、とも言い換えられます。

ただし、この方向に突き進むあまり、周りが見えなくなってしまうと、「つきあいづらい人だ」といって疎まれてしまいかねません。ですから、だれかれ構わず哲学論議を吹っ掛けることはあまりお薦めできません

（妥協を知らないソクラテスは殺されてしまいました）。ですが、表向きの社交性の陰でひそやかに、同志とともに思索を深めるのであれば、文句は出ないでしょう。

以下で、哲学書からの引用を四つ掲げます。どれも難しいもので、入門にはふさわしくないかもしれません。しかし、著者独特のこだわりが濃厚に匂い立っており、哲学の実例の一級品です。

まずは、すべての引用にざっと目を通してみて下さい。そして、「気になる」というものがあれば、熟読してみて下さい。

各引用文に「練習問題」のようなものを付けました。ただし「解答」は載せません。

1　プラトン『パイドン』より

最初の引用はプラトンの『パイドン』（原語は古代ギリシャ語。紀元前四世紀）の一節（95e-97b）です。

「それでは、私が話すことを聞いてくれ」とソクラテスは言いました。「ケベス君、若い時、私は『自然についての探究』と人々が呼ぶあの知恵を、驚くほどに欲していた。私にはそれがすばらしいものだと思われたのだ。つまり、各々のものの原因・根拠（アイティアー）を知ること、即ち、各々のものが何によって生じ、何によって滅び、何によってあるのかを知ることだ。そして、まず次のような事柄を考察しながら、私は自分自身を何度も上へ下へと変転させていた。

熱と冷がなんらかの腐敗作用を受ける時、或る人々が主張するように、その時に生物が発生するのだろうか。また、私たちがそれによって思考する原因・根拠は、血液だろうか、それとも空気、あるいは火だろうか。それとも、それらのどれでもなく、聞いたり見たり臭いを嗅ぐという感覚を提供する頭脳がそれであって、これらの感覚から記憶や判断が生じ、記憶や判断が平静さを獲得するとそれらから、こんな仕方で知識が生じるのか。また今度は、これらのものの消滅を考察し、天空や大地の様々な状態をも考察したのだが、終(しま)いには、私はこのような考察には素質を欠いており、まったくの役立たずであると、自分自身に思われたのだった。その充分な証拠を君にお話ししよう。

私が以前には明らかに知識を持っていた事柄について――私自身にも他の人々にもそう思われていたのだが――その時、この考察によってひどく目が見えない状態にされてしまっていたのである。その結果、以前には知っていると思っていた物事についてさえも無理解に陥ってしまった。他の多くのこともそうだが、人間が大きくなるのは何によってか、という問いがとりわけそうだった。つまり、以前にはこれは、食べて飲むことのゆえだ、ということはだれにとっても明らかだと思われていた。それはつまり、食べ物から、肉には肉が、骨には骨が付け加わり、この同じ言論に従って、他のそれぞれのものにはそれと同類のものが付け加わる時、その時に少量のものが後に多量になって、そのようにして小さな人間が大きくなるのだと、当時はそう考えていたのだ。私はこれで適切だったのだと、君には思われるかね。」

「私には、適切だったと思われます」とケベスは言いました。

【中略】

「では、今は、それらについて、どう思われるのですか」とケベスは言いました。

「ゼウスの神にかけて、私はこれらのなにかについて原因・根拠を知っていると考える状態からは、はるか彼方にいると思うよ。

私は、自分でこう考えることも受け入れられない。即ち、だれかが一に一を加える時、加えられる方の一が二になったのか、それとも、加わった方の一と加えられた方の一が、一方の他方への付加によって二となったのか、ということもだ。私は驚きを覚える。これらのそれぞれが互いから離れていた時には、それぞれが一であって、その時は二ではなかったのに、互いに近づくと、そのこと、つまり互いのものの近くに置かれるというその接近が、それらにとって二になることの原因・根拠になったというのが、いかにも不思議なのだ。

また、もしだれかが一を切り分けたら、今度がそのこと、つまり切断が二になったことの原因・根拠になっているということも、もう納得できない。それは、前の場合とは反対のことが、二になった原因・根拠となっているからだ。つまり、前の場合には、互いに近くに集められ、一方が他方に付加されたことが原因・根拠であったが、今度の場合は、一方が他方から引き離され、分離されたことが原因・根拠とされているのだから。

さらにまた、何によって一になるのか、その原因・根拠を知っていると、私はもはや自分自身を説得できず、一言で言うと、他のなんであれ何によって生じ、消滅し、それがあるのかについて、探究のこの方法に従って知るのは無理なのだ。私自身、なにかほかによい方法はないか、手当たり次第にひっかき回してはいるのだが、こんな仕方だけはどうしても受け入れられない。」（納富信留訳〔光文社古典新訳文庫、二〇一九年〕を一部変更。）

トピックは、事物は何によって生じ、何によって存在し、何によって滅びるのか、つまり、事物の生成、存在、消滅の「原因・根拠（アイティアー）」です。この箇所でまず、「自然についての探究」（自然哲学）流の、原因・根拠の説明が取り上げられます。そしてこの自然哲学流の説明は、常識としてひとびとに広く受け入れられているような説明（「だれにとっても明らか」な説明）とひとつながりのものとして扱われます。登場人物ソクラテスにとって、アイティアーについてのそれら二つの説明方式は、根本的に発想が同じだと言いたいのでしょう。

常識流（・自然哲学流）の説明によれば、離れていた二つのものを近づけて二が生じたとき、二が生じたことの原因・根拠は、両者が近づいたことであり、一つのものを割って二が生じたとき、二が生じたことの原因・根拠は、分割されたことです。何のひねりもない、当たり前すぎる説明ですね。しかし、ソクラテスにはこの説明を受け入れることができません。

どうして受け入れられないのでしょう。また、それが受け入れられないというソクラテスのこだわりに、あなたは共感できますか。

2　カント『純粋理性批判』より

第二の引用はカントの『純粋理性批判』（ドイツ語）第一版（一七八一年）序文の冒頭です。

人間の理性には、ある種の認識について奇妙な宿命がある。理性は斥けることのできない問いに悩まされる。問いは、理性自身の本性によって理性に課されているからだ。理性はたほうまたその問いに答えることもかなわない。問いは、人間の理性が有する能力のいっさいを超えているからである。
こうした困惑にとらわれるのは、理性の咎ではない。理性がそこから出発する諸原則は、経験の過程にあって避けがたく使用され、同時にその使用は経験をつうじてじゅうぶん保障されている。そうした原則を手に理性は（その本性によるところであるとはいえ）しだいに高みへ、より遠くはなれた諸条件へと登攀してゆく。問いはどこまでもおわることがないから、理性はたほうこうしたやりかたでは、仕事がいつまでも未完結なままであるほかはないのに気づくことになる。だから理性のみるところでは、すべての可能な経験的使用を踏みこえている諸原則に逃げ道をもとめざるをえない。その原則は、にもかかわらずまったく疑念の余地がないものであるかにみえるので、通常の人間理性［常識］すらそれに同意を与えているものなのである。ところがそのことで理性は、昏迷と矛盾とに転げおちてしまう。その昏迷と矛盾とから考えて、理性にはたしかにどこかその根底に隠されたあやまりがあるにちがいないと見てとることはできるけれど、理性がそのあやまりを発見することはできない。理性のもちいる諸原則はあらゆる経験の限界を超えでているから、経験の与える試金石をもはやまったくみとめようともしないからである。こうして果てしのない争いの生じる戦場が、いまや形而上学と呼ばれている。（熊野純彦訳、作品社、二〇一二年）
カントは、人間の理性が斥けることもできず、また、答えることもできないような問題（「形而上学」の問題）について語っています。それはたとえばどんな問題だと思いますか。『純粋理性批判』を開いて調べてもよいでしょう（ただし、その本のどこにそれが書かれているかは、目次を見ただけではわからないかもしれません）。ためしに、この文章だけから推測してみてはいかがでしょう。

3　サルトル『存在と無』より

第三の引用は、ジャン＝ポール・サルトルの『存在と無』（フランス語。一九四三年）の冒頭です。

　現代思想は、存在するものを、それをあらわす現われの連鎖に還元することによって、いちじるしい進歩をとげた。それによって、哲学を悩ましているさまざまの二元論を克服し、これにかえるに現象の一元論をもってしようというのが、その狙いであった。はたしてそれは成功したであろうか。
　まず、存在するものにおいて内面と外面とを対立させる二元論から、われわれが解放されたことはたしかである。もしわれわれが外面ということばで、対象の真の本性をまなざしから隠すような表皮を意味するならば、存在するものの外面などは、もはや存在しない。また、その真の本性なるものも、もしそれが、当の対象の《内面》にあるがゆえに、予感し想定することはできても決して到達されることのないような、事物の秘められた実在であると解されるならば、そういうものはもはや存在しない。存在するものをあらわすかかる現われは、内部でもなければ、外部でもない。それらの現われはすべてたがいに等価である。それらの現われは、他のもろもろの現われを指し示すのであって、それらのうちのいずれも、特権を与えられていない。たとえば、力というようなものにしても、そのもろもろの効果（加速度、偏り、等々）の背後に隠されている形而上学的な未知の種類の働きであるのではない。力はその諸効果の総体なのである。同様に電流も、かくれた裏面をもっているわけではない。電流はそれをあらわしている物理・科学的な作用（電気分解、炭素線の白熱、電流計の指針の移動、等々）の総体より以外の何ものでもない。これらの作用のいずれも、それだけでは電流を顕示するのに十分ではない。しかしその作用は、それの背後にあるような何ものをも指示しはしない。その作用は、それ自身と、全体的な連鎖とを指示するのである。したがって、明らかに、存在と現象の二元論は、もはや哲学においては市民権を得ることができないであろう。現われは、もろもろの現われの全連鎖を指し示すのであって、存在するものの全存在を独占するような隠れた実在を指し示すのではない。（松浪信三郎訳〔人文書院、新装版二〇〇五年、ちくま学芸文庫、二〇〇七年〕を一部変更。）

「現代思想」が「現象の二元論」を打ち出すまでは、哲学は「さまざまの二元論」によって悩まされてきた、とサルトルは言います。哲学を悩ませてきた二元論として、どんなものがありますか。また、哲学がそうした二元論に悩まされる、とはどういうことだと思いますか。

4 ネーゲル「コウモリであるとはどのようなことか」より

最後の引用はトマス・ネーゲル「コウモリであるとはどのようなことか」（英語。一九七四年出版）の第三段落以降です。

意識体験はどこにでも見出せるありふれた現象である。比較的単純な生物にそれが存在するかどうかははっきりしないし、また何がその存在の証拠となるのかについても、一般的に語ることはきわめてむずかしいとはいえ、それは動物的生命の多くの水準に生じているのである。【略】おそらく意識体験は、宇宙全体にわたって他の太陽系の他の諸々の惑星上に、われわれにはまったく想像もつかないような無数の形態をとって生じているのだろう。しかし、その形態がどれほど多様であろうとも、ある生物がおよそ意識体験をもつという事実の意味は一定であり、それは根本的には、その生物であることはそのようにあることであるようなその何かが存在する、という意味なのである。【略】

コウモリが体験をもつことを疑う者はいない、と私は思う。何といっても、彼らは哺乳類であり、ネズミやハトやクジラと同じように、彼らもまた体験をもつことは疑いえないからである。【略】

コウモリが体験をもつという信念の本質を形成しているのは、コウモリであることがそのようであるようなその何かが存在しているということである、と私は述べた。さて、周知のように、大部分のコウモリは（正確に言えば哺乳類翼手目に属する動物は）主としてソナーによって、つまり反響位置決定法によって外界を知覚する。すなわち、高感度で微妙に調節された高周波の叫び声を自分から発して、有効範囲内にある諸対象からの反響音を感知するのである。彼らの脳は、発せられる衝撃波とそれによってひき起こされる反響音とを相互に関連づけるように設計されている。そして、このようにして獲得された情報によってコウモリは、われわれが視覚によって行なうのと同じように、対象の距離、大きさ、形、動き、感触を正確に識別することができるのである。しかしコウモリのソナーは、明らかに知覚の一形態であるにもかかわらず、その機能においては、われわれのもつどの感覚器官にも似てはいない。それゆえに、ソナーによる感覚が、われわれに体験または想像可能な何かに、主観的な観点からみて似ているとみなすべき理由はないのである。この事実は、コウモリであることはどのようにあることなのかを理解するために、障害となるように思われる。われわれは、何らかの方法によってわれわれ自身の内面生活からコウモリのそれを推定することができるかどうか、もしできないならば、コウモリであることはどのようにあることなのかを理解するために、他のどんな方法がありうるのか、を考えなければならないのである。

われわれが行なう想像の基本的な素材は自分自身の体験である。それゆえ、そのおよぶ範囲は限られている。自分自身について、次のようなところを想像しようと試みても、それは無理であろう。腕に飛膜がついていて、それを使って夕暮れや明け方にその辺を飛び回り、口で虫をつかまえているところ、あるいは、視力がひじょうに弱く、周囲を高周波の反響音信号システムによって知覚しているようす、そしてまた、日中は屋根裏部屋でさかさまにぶら下ってすごしているありさま、といったことである。私に可能な範囲では（その範囲もさして広くはないが）、そのような想像によってわかることは、私がコウモリのようなあり方をしたとすれば、それは私にとってどのようなことであるのか、ということにすぎない。しかし、そのようなことが問題なのではない。私は、コウモリにとってコウモリであることがどのようなことであるか、を知りたいのである。だが、それを想像しようとすると、私の想像の素材として使えるものは私自身の心の中にしかなく、そのような素材ではこの仕事には役立たないのだ。この仕事は、私の現在の体験に付加されたものを想像しても、逆にそれから少しずつ除去されていった部分を想像しても、あるいはまた、付加、除去、変様の組み合わせを想像しても、そのようなことではなされえないのである。

（『コウモリであるとはどのようなことか』、永井均訳〔勁草書房、一九八六年〕を一部変更）

人間とは大きく異なった知覚システムをもつコウモリは、世界をどのように体験しているのか。言い換えれば、コウモリであるとはどのようなことか。それをわれわれ人間は理解できない、とネーゲルは論じています（上の引用は、一連の議論の途中までなのですが）。ネーゲルに賛成ですか、反対ですか。また、ネーゲルはいったい何のためにこんな話をしているのだと思いますか。

5　哲学書のわかりにくさ

以上四つの引用はどれも、わかりにくい点を含んでいると思います。

さて、哲学の文章のわかりにくさに、色々な種類のものがあります。

一続きの文章の一部分だけを抜き出してきたためにわかりにくくなっている、というところもあるでしょう。こういうわかりにくさは、前後（や省略部分）を読めば解決します。

また、外国語を日本語に訳したためにわかりにくくなっている、というところもあるでしょう。こういうわかりにくさは、原語を学び、テクストを原語で読めば解消します。

また、用語や哲学体系を学ぶことで解決するわかりにくさもあるでしょう。文章のスタイルに慣れることによって、あるいは、論争状況や哲学史的背景を知ることによって解決するわかりにくさもあるでしょう。

しかし、テクストで問題になっている事柄をじぶんで考えていくことによって、テクストで言っていることがわかってくる、というところがとても大きいのです。

哲学のテクストのなかには、専門の研究者でもわからなくて悩むところがあります。しかし、絶望には及びません。哲学修行の各ステージでわかることが少なくありませんし、修行が進むにつれてわかってくるところも多いのですから。

また「テクストの読み方には必ず唯一の正解がある」と考えないほうがよいと思います。偉大な哲学書ほどさまざまな解釈を誘い出すものだ、と言う人もいるほどです。

かといって、「テクストはめいめいが好きに読めばよい」というわけではありません。明らかにはずしている解釈というものがありますし、また、「私自身はその解釈を取らないが、そう読めることは認める」ということもよくあるのですから。要するに、読みの正確さというものが存在します。

おわりに

哲学の問いを考えることは、わくわくする、すごい営みです。皆さんが哲学に関心を寄せられることを――すでに関心をお持ちの方は、より一層の関心を寄せられることを――願っています。

これから哲学がどうなるのか、正直、わかりません。このわからなさを思うとき、一種の勇気が湧いてきます。哲学の起点が、状況におけるひとりひとりの引っ掛かりにある、ということを再認識させてくれるからです。

未来の人文社会科学はこれまで通り粛々と研究を進めつつも、その意義を社会に説明することばを鍛え上げていくでしょう。それはそうと、人文社会科学が、おかしいことを「おかしい」と言える場であるかどうかはとても大事ですよね。

〈ブックガイド〉

ルクレーティウス『物の本質について』岩波文庫、一九六一年

デカルト『省察』ちくま学芸文庫、二〇〇六年

ウィトゲンシュタイン『哲学探究』講談社、二〇二〇年

大森荘蔵『物と心』ちくま学芸文庫、二〇一五年

17　ドイツ文学　ドイツ文学の研究の仕方

嶋崎　啓

はじめに―ドイツ文学とは何か

ドイツ文学とは何でしょうか。答えはドイツ語で書かれた文学です。ここで「ドイツ文学＝ドイツの文学」ということにはならないということにご注意ください。なぜなら、ドイツ語はドイツ以外の国でも話されているからです。ドイツ以外でドイツ語を母語とする主な国はオーストリアとスイスです。（ただし、スイスではドイツ語の母語率は約六〇％で、フランス語の出版物も少なくありません。スイス語という言語は存在しません。ドイツ語圏はほかにもスイスとオーストリアの間にあるリヒテンシュタインという国やイタリアの北部やブルガリアの一部などいろいろな場所にあります。ルクセンブルクのようにドイツ語が母語ではないが公用語となっている国もあります。）

オーストリアやスイスで出されたものでもドイツ語で書かれていればドイツ文学と呼ばれます。日本語で書かれた文学はほとんどが日本で出版されているので、「日本文学＝日本の文学」と言うことができるでしょう。最近では日本以外の国で刊行される日本語の文学も増えているかもしれませんが、おそらくまだ少数だと思われます。それに対し、ドイツ文学とはドイツという国の文学ではなく、ドイツ語という言語による文学であるということに注意していただきたいと思います。(オーストリアの文学やスイスの文学をひっくるめてドイツ文学と呼ぶことに問題がないわけではありません。)

それでは、ドイツ文学＝ドイツ語の文学にはどういうものがあるでしょうか。

1　児童文学が盛んなドイツ語圏

ドイツ文学の一つの特徴は児童文学が盛んだということです。

ヨハンナ・シュピリ(一八二七－一九〇一年)の『ハイジ』は高畑勲が監督し、宮崎駿が場面設計・美術設計をして『アルプスの少女ハイジ』というタイトルでアニメ化され、日本で大変有名になりました。(ドイツやスイスでもこの物語は何度もアニメや実写で映画化されていますが、二〇一五年のドイツ・スイス合作の実写版映画では、日本の高畑・宮崎版の『アルプスの少女ハイジ』にもとづく描写が多々あるようです。日本のアニメが本家にも影響を与えているのです。)この物語の舞台はスイスの山の中です。(作者のシュピリもスイス人です。)しかし、ハイジは途中でクララのいるフランクフルトに連れて行かれます。フランクフルトはドイツなので、国境をまたいでいるわけですが、同じドイツ語圏なので、外国に行くという感じはほとんどありません。(本当はドイツのドイツ語とスイスのドイツ語はかなり違います。フランクフルトに行ったハイジは東北から九州に行ったくらいに、あるいはもっと、言葉の違いでとまどったはずです。)国境に関して言えば、今でもドイツとスイスの間は簡単に行き来できます(場所によっては歩いて)。国境付近では、物価の高いスイスからドイツに買い物に行くということもあるようです。

さて、この物語の一つのポイントは、スイスで野生児のように暮らしていたハイジがフランクフルトの都会で教養を身につけるというところにあります。ドイツ文学にはゲーテの『ヴィルヘルム・マイスターの修業時代』および同『遍歴時代』を代表とする「教養小説」という伝統があります。これは主人公が、広い意味での「教養」を積んで成長していく姿を描くもので、ハイジもそういう文学の伝統の上にあるのです。(『ハイジ』の正式のタイトルは、『ハイジの修業時代と遍歴時代』と言い、ゲーテを踏まえていることが分かります。) フランクフルトでハイジはアルプスに帰りたいと思うあまりに夢遊病になりますので、決して幸せとは言えません。しかし、勉強して文字を習い、本が読めるようになることは肯定的に捉えられているのです。

ケストナー『エーミールと探偵たち』

『ハイジ』の他にも、エーリヒ・ケストナー(一八九九－一九七四年)の『エーミールと探偵たち』、『点子ちゃんとアントン』、『飛ぶ教室』、『ふたりのロッテ』、あるいはオトフリート・プロイスラー(一九二三－二〇一三年)の『大どろぼうホッツェンプロッツ』のシリーズや、ミヒャエル・エンデ(一九二九－一九九五年)の『モモ』、『はてしない物語』等々、ドイツ文学にはいろいろな児童文学作品があり、多くが日本語にも翻訳されています。

これらの作品に共通しているのは、子どもには子どもの気持ちがあるということを描いていることでしょう。大人から見れば些細なことであっても、子供にとっては深刻な問題となることがあります。ドイツ語圏の児童文学は、子どもの立場から見るというところに特徴があります。

ここでケストナーの『エーミールと探偵たち』の一節を挙げてみましょう。エーミールは母親からお金を預かり、それをベルリンにいるおばあさんに届けようとしますが、その途中でそのお金を盗まれます。

エーミールはお金のために泣いた。そして母のために泣いた。そのことが分からない人、気持ちが強い人はどうしようもない。エーミールは、母があくせく何ヶ月も働いて、おばあさんのために三四〇マルクのお金を貯め、自分をベルリンに送り出したことを知っていた。そのご子息様が列車に乗るや、すぐに席の隅っこに身をもたせて眠りこみ、暴走機関車の夢を見て、そうして、くず野郎にむざむざとお金を盗られてしまったのだ。これが泣かずにいられようか。僕はどうしたらいい？　ベルリンで汽車から降りて、おばあさんに「来たよ。でもお金はないよ。分かってね。それよりすぐに帰りの汽車賃を出してよ。ノイシュタットに帰るからさ。そうじゃないと走って帰らなきゃいけない。」と言う？　そんなばかな！

エーミールは何がなんでもお金を取り戻さねばならないと決意し、ベルリンで知り合った子どもたちとともに犯人を捕まえようとします。物語は子どもによる、子どものための、子どもの世界を中心に進み、大人は子どもたちを手伝うことはありますが、考えて何かを決めて行動するのは子どもたちです。

ヘッセ『デーミアン』

子どもの心理を描いたものは児童文学だけではありません。大人向きの小説にも子どもの微妙な心の揺れを描いたものがあります。その一人がヘルマン・ヘッセ（一八七七－一九六二年）です。ヘッセは日本では中学校の国語の教科書に載った「少年の日の思い出」によってよく知られています。他にも『車輪の下』や『デーミアン』など多くの作品が読まれています。特徴は大人になる前の青少年の悩みや苦しみを描いていることでしょう。

『デーミアン』では、エーミール・シンクレーアという少年が転校生デーミアンとの交流を通して成長していく様が描かれます。ここでは、ヘッセの描写のうまさを知っていただくために、いじめっ子のクローマーとのやり取りの場面を取り上げてみましょう。シンクレーアは不良少年のクローマーに自分を大きく見せるために、りんごを盗んだという作り話をします。

僕は話し終えると、拍手が来ると思った。僕は結局熱中して、作り話をすることに酔っていたのだ。〔クローマーの手下の〕二人の少年はじっと待って黙っていたが、フランツ・クローマーは半分目を閉じて、僕を突き刺すように見つめ、脅迫する声でこう尋ねた。「それは本当か？」「そうだ」と僕は言った。「それじゃ間違いなく事実なのか？」「間違いなく事実さ」と僕は心の中では不安で息が詰まりそうになりながら、言い張った。「誓うことができるか？」僕はぎょっとしながらもすぐに「できる」と答えた。

このあとシンクレーアがどうなるかは容易に想像できるでしょう。彼はクローマーに、窃盗を表沙汰にされたくなければ金を持ってこいとゆすられ、お金を取られつづけます。

少年間のいじめを文学で描くことは現代においてはありふれているかもしれませんが、一九一九年当時においては非常に新しかったでしょう。もしいじめが社会問題化したあとであれば、それを文学に描くことは難しくありません。それが問題であることに社会が気づく前に、そこに文学として描くべき何かがあるということに気づくことができるということがすぐれた作家の一つの印と言えましょう。

2　ドイツ文学の研究の仕方

もしもドイツ文学で卒業論文を書こうと思った場合、どうすればいいでしょうか。

①作品を読む。
②自分が何に引っかかったかを意識化する。
③同じ問題が過去に扱われているか調べる。
④過去の研究に反論できるか考える。

ドイツ文学にかぎらず、文学を研究対象にするのであれば、まず最初にするべきことは、**作品を読む**ということです。（文学ではなく、例えばドイツ語学を研究対象にする場合はまったく別の手順を踏むことになります。文学を選ぶか、それとも語学か、あるいは文化か、歴史か、思想かという選択は論文を書くための大きな分岐点であり、ここを変えると、一からやり直さなければなりません。）

作品を読むと言っても、何を読んだらよいか分からないかもしれません。そういう場合には、過去に読んだドイツ文学作品を読み直すというのも一つの方法です。これまでにドイツ文学など読んだことはないと思うかもしれませんが、上に挙げたケストナーやエンデなどの児童文学もありますし、国語の教科書に載っているヘッセの「少年の日の思い出」もあります。また、『グリム童話』もドイツ文学です。

『グリム童話』はグリム兄弟が編纂した約二〇〇話から成る童話集です。（一八五七年の最終第七版では丁度二〇〇話ですが、一八一二年の初版からの出入りがあるため「約」二〇〇としておきます。）グリム兄弟とは、ヤーコプ・グリム（一七八五－一八六三年、六人兄弟の長男）とヴィルヘルム・グリム（一七八六－一八五九年、次男）の二人で、彼らは学者でしたが、昔話を聞き取って収集し、『子どもと家庭のための童話』というタイトルで一八一二年に初版を刊行しました。中には、「狼と七匹の子山羊」、「ラプンツェル」、「ヘンゼルとグレーテル」、「灰かぶり（シンデレラ）」、「赤ずきん」、「ブレーメンの音楽隊」、「白雪姫」など、誰もが一度は読んだことがあるような話が含まれています。

そのような子どもの頃に読んだ話を改めて読み直してみると、昔読んだときに感じたのとはまったく違う印象を受けるかもしれません。その印象が核になって、研究のテーマが決まる可能性があります。（読んでも特別な印象が残らない場合は、作品とあなたとの間には何も関係がないということです。それ以上その作品にこだわるのはやめましょう。）

「白雪姫」を卒論のテーマにするならば

具体的な例として、多くの人になじみがある「白雪姫」を取り上げてみましょう。ドイツ語の原文が読めればそれに超したことはありませんが、大抵はまず翻訳で読むことになります。（ここで翻案ものを読まないよう気をつけて下さい。翻案は翻訳とは違い、もとの話の内容に手が加わっていますので、ドイツ文学ではなく、もはや日本文学です。）

実際に読んでみると、子どもの頃に抱いていた印象と大分違うところがあると感じるのではないでしょうか。

例えば、

・継母が鏡に尋ねる言葉は「世界で一番美しい人は誰」ではなく、「この国で一番美しい人は誰」である。
・白雪姫は森で小人の家にかくまわれた時、七才であった。（すなわち、王子に会ったときもおそらく小学生の年齢であった。）
・小人は無条件で白雪姫をかくまったのではなく、住む条件として家事をすることを白雪姫に要求した。
・白雪姫は、毒りんごで殺されそうになる前に、三度殺されかけていた。
・白雪姫は、王子の口づけによって目覚めるのではなく、棺を運ぶ人がつまずいた衝撃で喉から食べかけのりんごが出てきたことで息を吹き返した。
・継母は焼いた鉄の靴を履かされ、踊り狂って死ぬが、誰がそうさせたのかが分からない。

等々、引っかかるところがいろいろ出てくるでしょう。こうした「**引っかかり**」を大事にして、それが研究対象になるかを探るというのが次の段階です。（「引っかかる」とはどういうことかというのは説明が簡単ではありません。作品を読んで「感動」し、その感動をもとにして研究を始めるというのが理想なので、そういう形で「引っかかる」のが最も自然ですが、感動をそのまま研究にしようとするとうまくいかないことも多いです。感動は感動として、それとは別に、研究の対象として「気になる」ことを出発点とするのが現実的だということはよくあります。とは言え、感動がなければやる気も起きませんので、この見極めは難しいものです。）

過去の研究を調べる

ここでやるべきことは、**過去に同じ問題を扱った論文や研究書がないか調べる**ということです。そういう作業をやらずに、自分の思想だけで論を組み立てることも不可能ではありません。しかし、それは才能がある人がやることであり、才能がない人がやると、たちまち行き詰まってしまいます。過去の研究を調べることは、遠回りのように（あるいは、純粋な観念に不純物が混入するように）感じられるかもしれませんが、論文を書く実際ということから言えば、これが一番の早道です。なぜなら、過去の研究に反論するのが論文の書き方としては最も簡単だからです。

例えば、上に挙げた「白雪姫」で継母が鏡に尋ねる言葉が「世界で一番」ではなく、「この国で一番」であることに「引っかかった」としましょう。そこを手がかりに、いろいろ調べると、『グリム童話』には出版される前の段階に通称「エーレンベルク稿」と呼ばれる草稿があり、その草稿では「世界」でもなければ「この国」でもなく、「エンゲルラント」と書かれていることが分かります。「エンゲル」とはドイツ語で「天使」の意味で、「エンゲルラント」は「天使の国」を意味することになります。これについてさらに調べると、本当は「天使の国」でもなく、「エングラント」＝「イギリス」ではないかという説にも行き当たるでしょう。

さて、「世界で一番」という表現はどこにもなく、原文では「この国で一番」であり、さらにその前の草稿の段階では「エンゲルラントで一番」であったことが分かり、それが「天使の国」もしくは「イギリス」であることが分かったとして、何が言えるでしょうか。人によっては「天使」という語の意味を追求し、そもそもヨーロッパにおける「天使」とは何かを考察するかもしれません。別の人は、「イギリス」を手がかりに、英国に「白雪姫」の類話がないか調べたり、『グリム童話』全体にどれほど英国の要素があるかを探したりするということもあるでしょう。

反論が大事

こうしてある程度調べていくと、それが論文として書けそうな題材であるかどうかが段々分かってくるでしょう。その際、過去の研究に反論できるか、そしてそれを説得的に論じることができるかを判断しなければなりません。もし、何も反論できないというのであれば、論文を書く意味はありません。同意見ならば、その先に書いた人のものを読めばいいという話になります。また、反論したいことはあっても、それを論証できないのであれば論文の形にすることは難しいでしょう。

「反論」と言うと、大げさな言い方ですが、ここが足りないというように、少しだけ新しい見解を追加するということでも、これまでの説が不十分であることを示すので「反論」になります。今まで言われていない何かを言いたい気持ちになるかがポイントです。そして、そうした気持ちが生じた場合、必要となるのは説得力のある説明です。

どうすれば説得力のある説明ができるのかということは一概には言えませんが、説得の基本は科学です。客観的な事実が最も力を持ちます。ですから、極力、客観的なデータにもとづいて論を組み立てるのが基本ではあります。しかし、同じ根拠にもとづいても、うまく説明するのとそうでないのでは説得力がまったく違ってきます。最後は話術がものをいうのであり、口八丁で言いくるめるのは真理に反するなどとは考えず、むしろ言いくるめるためにあらゆる技術を駆使してもらいたいと思います。

上に述べたことは、あくまで一例です。このような手順を踏めば誰でも論文が書けるという話です。論文をこう書かねばならないという決まりは何もありません。過去の研究など一切無視して、自分の中から出てくるものだけを紡いで、論文に仕立てることも可能ではあります。その方がずっと難しいというだけのことです。どのような方法をとるにしても、一つだけはっきりしていることは、実感が根本であり、心が動かないかぎり、何も始まらないということでしょう。

3　初めに読むドイツ文学

ドイツ文学になじみのない人のために、上に挙げたもの以外のお勧めの作品を挙げてみましょう。（あえて文学史や研究書の類いは挙げません。もし作品に関心を持てば自然とそういうものを読んでみようと思うでしょう。解説本だけ読んで、作品を読まないというのは何の意味もありません。）

ドイツ文学超初心者向け

・「しあわせのハンス」（『グリム童話』の一篇。「しあわせハンス」、「しあわせなハンス」などのタイトルになっている場合もあります。KHM83）

「KHM」はKinder- und Hausmärchen『子どもと家庭のための童話』という『グリム童話』の正式タイトルの略語で、それぞれの話に番号が付けられています。この話はその第八三番目ということです。わずか数ページの話ですので、一〇分もあれば読めるでしょう。この不条理の文学を読んで自分が何を感じるかをどうぞ確認してみてください。（実は『グリム童話』には意味不明なナンセンス作品がいくつもあります。）

ドイツ文学初心者向け

・E・T・A・ホフマン「砂男」（『ホフマン短篇集』岩波文庫、『砂男／クレスペル顧問官』光文社古典新訳文庫などに所収）

人間の狂気を描いた作品です。十九世紀初頭においては精神異常という問題設定自体が新しいものでした。物語の構成が誰でも楽しめるような作りになっています。

・クレーメンス・ブレンターノ「カスペルとアンネル」（『ドイツ・ロマン派全集 第4巻ブレンターノ／アルニム』国書刊行会に所収）

物憂い夏の夜が、一人の老婆の話を聞くことによって急転直下、緊迫の時間に変わります。夜明けまでという限られた時間の中で、悲劇が回避できるかを描いたサスペンス小説です。

・アルトゥール・シュニッツラー「盲目のジェロニモとその兄」（シュニッツラー『花・死人に口なし』岩波文庫所収）

盲目のジェロニモとその兄カルロの心理劇です。他人の心は分からないというテーマをもとに、兄の心理を描きながら、弟の見えない心理を追求します。

カフカ入門

ドイツ文学の中で現在最も読まれている作家はおそらくカフカだと思われますので、その入門となる作品も挙げておきます。

・「掟の前で」（「掟の門」、「掟の門前で」などのタイトルになっている場合があります。『カフカ短編集』岩波文庫ほか多数のカフカの短編集に収められています。またカフカの長編『審判』の中で登場人物がこの話を話中話として語る場面があるので、『審判』の中でも読むことができます。）

わずか数ページの物語です。しかし、その意味をはっきり説明できる人はいないでしょう。意味不明だからこれ以上読みたくないというのであれば、おそらくその人にとってカフカは不要だということです。この作品に引っかかって、もう少し読みたいと思うのであれば、カフカの他の作品もきっと読むことができます。『変身』を読んでもいいし、『審判』の中ではこの「掟の門」の解釈が登場人物たちによって語られますので、そのまま続けて『審判』を読んでもいいかもしれません。

おわりに

ドイツ文学の未来がどうなるかということについて最後に一言触れておきたいと思います。ここで言う「ドイツ文学の未来」とは、「ドイツ文学研究の未来」という意味ですが、研究の未来は作品の未来によって左右される部分が少なくありません。最初に述べたようにドイツ文学とは、ドイツ語の文学です。第二次大戦後ドイツにはトルコ人を中心とした多くの外国人労働者が移住し、何世代かを経た結果、ヨーロッパを出自としないドイツ語母語者がたくさんいます。そういう人々がドイツ語で文学作品を書くことでドイツ文学の質が変わる可能性があります。また、多和田葉子のように母語がドイツ語でない人がドイツ語で書くこともあるでしょう。キリスト教などの従来の文化は受け継がず、ドイツ語という言語によってつながることが文学にどういう影響を与えるかは分かりませんが、それは研究の仕方や意義も変える可能性があります。

ドイツと日本は同じ敗戦国であり、また経済的に成功したという共通点がありながら、向かっている方向はかなり違っています。ドイツ文学を研究することは日本の今後を問い直す契機となるでしょうし、今後の人文社会科学にとっても有効でしょう。

18　東洋史　大学で学ぶ「東洋史」

大野晃嗣

はじめに

ドイツの哲学者ヘーゲル（一七七〇～一八三一）は、『歴史哲学講義』の第一部・東洋世界の第一篇を「中国とともに歴史がはじまります。歴史のつたえるところ、中国は最古の国家であり、しかも、その共同体の原理は、この国にとっては、最古の原理であると同時に、最新の原理でもあるのです」と始めた。ヘーゲルが、時に狭隘な、また時に屈折した中国観を同書の中でうかがわせることからすれば、その歴史の長さにはさほどの意味はないというのであろうが、それでも上記のように学生へ語るところに、「中国の歴史」の持つ世界史的な重みをうかがうことができる。

ただ、「中国の歴史」という言葉について、時間的、空間的な定義を厳密にすることには困難が伴う。ここでは、まさにヘーゲルの言葉が語る最古の文化圏の一つである「中国」、それにまなざしを向けたものはすべて「中国の歴史」を「研究」しようとしたものと言っておこう。十六世紀から十七世紀にかけて中国に訪れた宣教師達の報告書や、それらを材料にしたメンドーサ（一五四五～一六一八）『シナ大王国誌』やデュ・アルド（一六七四～一七四三）『シナ帝国全誌』の如き中国総論なども、広い意味でその範疇に含めても良いであろう。

この「中国の歴史」が、我が国の「東洋史」という名称と結びつけられたのは、それほど昔のことでない。まずその歴史から話を始めよう。

1　「東洋史」という教科の成立

明治二十七年（一八九四）、高等師範学校教授の那珂通世（一八五一～一九〇八）が東洋史に関わる部分の原案を作成し、文部大臣賛成の上、尋常中学校歴史科の要旨が訓令された。曰く、「尋常中学校の歴史科は国史を主とし傍ら世界史を授け歴史上普通の事蹟を教え以て豊富なる経験を得しめ良好なる感情を養はしむ（中略）世界史を分ちて東洋史西洋史とし東洋史に於ては特に支那史を詳にす」「東洋歴史は支那を中心として東洋諸国の治乱興亡の大勢を説くものにして西洋歴史と相対して世界歴史の一半をなすものなり」（「尋常中学校歴史科ノ要旨」（『大日本教育会雑誌』第一五七号））と。これによって、従来の「支那史」（ここでは一国史としての中国史のこと。以下、基本的に「中国史」と称す）を脱却し、国史、西洋史、東洋史という歴史教育の三区分法の一角を占める広範な「東洋史」が成立したのである。そしてそれは、日清戦争の勃発が直接的な契機ではないけれども、少なくとも、東洋の一国としての日本が、西洋に対峙する役割を果たすという理想を象徴する事柄であったことは疑いえない。

そしてこれに応じて、児島献吉郎（一八六六～一九三一）『東洋史綱』（明治二十八年（一八九五））、藤田豊八（一八六九～一九二九）『中等教科東洋小史』（明治三十年（一八九七））、同『中等教科東洋史』（明治三十二年（一八九九））、そして桑原隲蔵（一八七一～一九三一）『中等東洋史』（明治二十九年（一八九八年））といった、教科書兼教師用参考書が陸続と世に問われた。この角逐の中で、那珂に師事した桑原（この時数え年で二十九歳、同書の扉には「大学院学生　文学士　桑原隲蔵編著」と見える）の著作は、これを制したのみならず、学術的な名著として長く「東洋史」の体系に範を与えることとなったのである。

桑原『中等東洋史』は、その総論において東洋史の定義及び範囲について、「東洋史は主として、東方アジアに於ける、古来の沿革を明かにすれども、亦同時に之と幾多直間接の関係ある、南方アジア及び中央アジアの遠隔も略述せざるべからず。北方アジアに至りては、気候寒烈にして、人煙も亦稀少、従うて東方アジアの大勢に、大関係ある事変の舞台とならず。西方アジアは、寧ろ欧州の大勢と分離すべからざる関係を有するが故に、共に東洋史の範囲以外に在り」と述べている（現在の歴史研究の状況から言えば、「北方アジア」の扱いは不当かも知れない）。そして、その対象の中心とされる東方アジアとは、「南はヒマラヤ、西はパミール、北はアルタイの三大山脈により囲繞されたる一帯の土地」であり、中国や朝鮮がこれに含まれるという。また、桑原は同書の総論第二章「地勢」において、「中央アジアの地は、其位置アジア大陸の中央に当るが故に、東に西に、大帝国の興起するに遇へば、早晩其直接の影響を受け、歴史上尤も重要なる位置を占むる」と述べ、中央アジアの地理的、歴史的意義を強く主張し、後を継ぐ東西交渉史の研究者達に大きな影響を与えた。

続いて明治四十年（一九〇七）、京都帝国大学文科大学の史学科に東洋史学第一講座がおかれた。着任したのは内藤湖南であり、明治四十二年（一九〇九）には、東洋史学第二講座に桑原が教授として着任した。もとより、すでに東京帝国大学には支那史学科がおかれていたが、これによって、高等教育において、さらには広義の歴史学の学問分野において、「東洋史」が定着したと見なせよう。以上のような事情が、松本善海（まつもとよしみ）によって「東洋史学は、厳密にいうと、日本独自の学問であって、すでに体系化されたものをそのまま欧米より直輸入して成立したものではない。日本における学問のあり方としては、他に類例の乏しいこうした特異性は、実はそれが教育の面でまず誕生し、教学一体の建前からやがて大学への講座設置にまで進んだという、逆立ちした経歴におっている」(『東洋史料集成』、第一編、一般書、平凡社、一九五六)と概観される所以なのである。

さて、上述のように「東洋史」の成立に大きな役割を果たした桑原隲蔵の薫陶を受けた宮崎市定は、第二次世界大戦後、この「東洋史」を更に進めて、「アジア史」という壮大な構想を土台に歴史研究を行った。その代表的な成果の一つである『アジヤ史概説』(一九四九。二〇一八年には『アジア史概説』として中公文庫に入っている)は、今日においても、東洋史を学ぶものにとって最初に読むべき著作とされている。彼の言葉を借りれば、「東洋史にはどこかに中心、乃至は重心となる所が存在し、全体として漠然とした統一感が感ぜられるが、アジア史は複合体であって、始めから中心が存在しない。故にアジア史は東洋史とは異った原理の上に立って、その存在の理由を考えなければならない。その点でアジア史は、東洋史よりもむしろ世界史に近い。すなわちそれは地域と地域との間の関係史として始めて存立し得るのである。それは複数の異質の地域を想定し、各地域間の異同を論じ、その由ってきたるところを歴史的に把握し、更に出来れば一段と高所より、それらの変遷を統合しようと試みるのである」(『宮崎市定全集2　東洋史』自跋、一九九二)。途中の「世界史」という言葉は、現在盛んな「グローバルヒストリー」という用語と置き換えても全く文意を破綻させない。彼は「アジア史とは世界史全体の一つの郷土史」とも述べ、その歴史観は今日の歴史研究において、益々重要なものとなっている。

また、戦後高等教育に、東洋史と西洋史を統合する形で登場した学科目「世界史」が登場し、現在の東洋史のあり方に大きな影響を与えたことにも触れておきたい。杉山正明の言葉を借りれば、「世界史は西欧による統合にいたる道だとされ、西欧史と世界史がほとんど等価で叙述されることとな」り、現在においては「実際にあった歴史よりも、はるかに西欧中心のイメージが、頭に刷り込まれてしまっている」（『遊牧民から見た世界史―民族も国境もこえて』（日本経済新聞社、一九九七年、のち同増補版、日経ビジネス人文庫、二〇一一）。このようなことは、逆に「東洋史」「アジア史」を目指した先人の歴史を知る後継の研究者達の自覚を強いものとし、今日「東洋史」の範囲が、アジア全体を対象とする要因ともなった。なお、今では、さすがに西欧文明のはじめからの「優越」を主張し、それに根ざした西欧中心主義の世界史像などを描く歴史研究者は存在しなくなった。また二〇一八年に改訂された高校新学習指導要領における「世界史探究」の謳う「目標」と「内容」（以上『要領』）や「科目の性格と目標」（『解説』）からは、宮崎や杉山が志したものを見ることができるように感じられ、その意味で、先掲した松本善海の言葉に歴史的な興趣を添えるものともなっていよう。

無論、次の現実も押さえておく必要がある。桑原は、自身の学問を「支那史」と言われるのを嫌い、つねに「東洋史の研究者である」と自任していた。このことは、平たく言えば旧来の中国史から離れて、より広い「アジア大陸」という視点から歴史を捉えようとする彼の学問の広さ、志の高さを示している。しかし一方で、一般の人々にとっては、その区別を定義の水準で理解することには感覚的な困難が伴っていたのであろう。そのことは一九三〇年に書かれた松井等『東洋史概説』が、「東洋史は中国史の別名でない」という態度をわざわざ示していることや、そもそも先述した明治二十七年の訓令に「特に支那史を詳らかにす」とあることからも容易に理解されよう。長きにわたってほとんど一方通行であった中国文化の日本への影響や江戸時代から続く漢学の伝統、そして「教育」においては短期間で効率的に知識を教授することが要求されること、これらどの点からしても、中国史が柱とならざるを得なかった。桑原『中等東洋史』も、その目次を見れば、やはり中原に覇を競った国家の興亡を軸にしていることは一目瞭然である。また、宮崎市定の「アジア史」の構想についても、彼の高弟である礪波護(となみまもる)が言うように、「全体の潮流とはなら」なかった。すなわち「東洋史」は上述のような経緯を含みつつ、研究者それぞれが対象とする地域、時代、分野をそれぞれ異にしながら、今なお新しい東洋史像を構築している途上なのである。

続いて、「東洋史」の領域の中でも最大の研究蓄積を有する「中国史」研究について、ごく簡単な手引きを記す。

2　中国史研究の手引き

さて、「手引き」である。実のところ、「習うより馴れろ」という部分があるのだが、それで済ませては手引きにならないし、遁辞を弄すると思われるのも本意でない。中国史研究を大凡「漢文文化圏」の歴史とした上で、実際に授業の中で起こった事柄を織り交ぜながら、初歩的な研究の方法を紹介しよう。前節で述べた「東洋史」の話からすると、あまりに調子の低いと思われるかもしれないが、これも大学における、確かに歴史研究の一コマである。

中国史の研究を行う上で、何をおいても基礎となるのは、中国古典文（所謂「漢文」）と現代中国語の能力である。まず後者に関して言えば、会話はともかくも中国語で書かれた研究書や『歴史研究』（中国社会科学雑誌社）、『中国史研究』（中国史研究雑誌社）といった学術雑誌、更に『漢語大詞典』のような辞書・辞典の類の記述を読んで理解できることは実に大切である。ただ、これははっきりと外国語の習得ということであり、執筆者には胸を張って語れるような習得方法はない。

そして前者である。政治闘争、官僚制度、芸術・文化、そして戦争・軍事、どのような範疇に興味を持っても、余所様が書いた説明書を鵜呑みにするだけでなく、やはりその時代の人間が直接書いたもの（一次史料）を、自分で理解できた方が必ず楽しい。そのためには漢文が読めなければならない。無論、これとて、上記の中国語と同様で、漢文の権化のような研究者や同僚を目の当たりにしてきた執筆者にとって、「どのようにすれば、漢文が読めるようになるか」という問いは、自己の劣等性を抉られるようなものである。しかし、それでも確実に言えることは、その第一歩は、どの漢字についても（それがたとえ小学校の時に覚えた漢字であっても）面倒と思わずに「漢和辞典」を引くということ、これは間違いないと思う。何も諸橋轍次『大漢和辞典』や中国で出版された『漢語大詞典』のような高額の辞書を備えよというのではない。角川『新字源』のようなコンパクトなものでかまわない。多くの高校生が口を揃えて言うのは、古語辞典と漢和辞典とは所有しているが、後者はほとんど授業で利用したことがない、ということである。これは実に不公平な話である。「即」「則」「輒」「乃」、これらは「すなはち（すなわち）」と訓ずるが、意味は全く異なる。「但」という字は、「ただ」という訓の印象が強いが、「およそ」という意味で頻用される。「且」などは、高校で漢文を習ったものであれば誰でも、再読文字（まさに〜せんとす）か、「かつ」であることは知っている。しかし、それ以外にも「しばらく」や「ほとんど」という意味もある。ともかく辞書を引かなければ始まらない。

二つ目に言えることは、あるいは矛盾しているように聞こえるかもしれないが、一般的な漢和辞典の教えてくれる漢字の意味とは、代表的な語義を簡潔な表現で膨らみを持たせたものであり、これだけでは具体的な解釈にはあと一歩という場合が多いということを経験し、自分だけの辞書を作ることである。学生の方と一緒に、明代における長江デルタ地域の経済発展と社会階層の問題に関する英語の論文を読んでいたところ、明の人徐復祚（じょふくそ）による『花当閣叢談』の一節が引用されていた。話の筋としてはこうである。明代の中頃、蘇州の銭という有名な家が左前になった。その家の商才に長けた家人、主を救うべく長江沿いに商売の種を探し、そこで「王府装花百餘艦」（王府（明朝の親王や郡王のこと）が多くの船に「花」を荷積みしている）を見て、これを商機と察して取引を行い、見事に利益を上げて主を救う。そして、その功績から主家の先祖とともに祭られるようになったのであった（巻四、銭経歴）。

さて、この文章に出てくる「花」とは何であろう。英語の論文はこれを「fresh flowers」と翻訳していた。王府が、道楽で栽培した美しい花をもって販売益を当て込み花屋へ卸そうとしていた様子といったところであろうか。しかし、この地域では十二世紀から綿業が盛んであり、その品質の高さが、下って清代においてイギリス自慢の工場製綿織物の流入を阻み、アヘン戦争の一因となったとされることを想起すれば、これは「棉花」であると考えるのが自然であろう。同地域に関する史料には、他にも「花行」（棉花売買の仲介業者）、「花田」（棉作地）、「花租」（棉花の現物を小作料とすること）といった用語が見える。僅かに「花」一字の解釈の相違により、文章の印象は大きく変わるであろう。つまり文脈にそって意味を掘り下げて理解するには、文章の書かれた時代に関わる様々な知識も必要になるのである（ちなみに、『漢語大詞典』の「花」の項目には、しっかりと「棉花的簡称」とある）。

そこで、自分の興味を持った時代について、踏み込んで知識を得たいと考えた場合に、入門となる著作を以下に紹介する。

1. 島田虔次ほか『アジア歴史研究入門』一〜五・別巻（同朋舎、一九八三〜一九八七）
2. 山根幸夫編『中国史研究入門』上・下（山川出版社、一九八二）
3. 礪波護、岸本美緒、杉山正明編『中国歴史研究入門』（名古屋大学出版会、二〇〇六）
4. 岡本隆司、吉澤誠一郎編『近代中国研究入門』（東京大学出版会、二〇一二）

それぞれ、中国史の各時代についての研究状況や、基本的に読むべき史料を紹介している。1、2などは出版されてからかなり時間が経ったが、手引きとしての価値が衰えることはない。特に、島田虔次による1の「序論」は、読み物としても別格に面白い。また、通史的な概説書は膨大にあるが、以下のものを挙げておく。

5. 〈世界歴史大系〉『中国史』一〜五（山川出版社、一九九六〜二〇〇三）
6. 『シリーズ　中国の歴史』一〜五（岩波書店、二〇一九〜二〇二〇）
7. 熊本崇編著『中国史概説』（白帝社、一九九八）

特に5は教科書の親分のような詳細さであり、知識をまとめる上での有用さという点では類を見ない。

また、ことのついでに、「お薦めの中国史研究の本はありますか」という、よく学部生に質問される内容に答えておきたい。一つ目は、滋賀秀三『清代中国の法と裁判』（創文社、一九八四）、二つ目は、何炳棣著、寺田隆信・千種真一訳『科挙と近世中国社会：立身出世の階梯』（平凡社、一九九三）、最後は荻生徂徠著、内田智雄、日原利国校訂『明律国字解』（創文社、一九六六）である。いずれも古いため本屋に並んでいるというものではない。しかし、どの大学の図書館にも必ず入っていよう。是非どのような内容かを見て欲しい。

おわりに

ここまで読んできた読者諸氏の中には、世に人文社会科学の現代的価値や如何と叫ばれている中で、このような「東洋史」の学問を、おおまじめに大学で学ぶことにどのような意味があるのかと思われる向きもあるかもしれない。真実、凡百の教員としてこれに答えることは容易ではない。ただ、二つのことを伝えることはできるように思う。まず卑近なこととして、現在の世界にあって、「中国」は政治、ビジネス、更には文化交流などあらゆる面で重要な位置にある。そして、かの国家が、(我々現代の日本人の感覚以上に)「歴史」というものに大きな価値・判断基準をおき、また時に牽強付会と思われるようなこともなすのは、等しく感じるところであろう。それは習近平の「歴史決議」のような国家に関わる大きな問題から、「七月七日」に新製品を発表しようとしたソニーの中国法人が一〇〇万元の罰金を受けた事件(共に二〇二一年)といった新聞面の小さなビジネスの記事にまで及ぶ。相手の考え方、価値観を知るということはすべての対話の基本であるから、この点において、「東洋史」において学ぶことは将来に具体的に有益であるといえよう。

ただ、それだけではない。少なくない中国人留学生が、自分の国の歴史を学ぶために本研究室に訪れ、幾分かは建前であるとしても、「より自由に歴史を学ぶために」という言葉を述べる。執筆者は、この言葉を聞く度に、人間が知的好奇心の赴くままに学ぶこと、そのことが如何に本質的なものであるかを思い知らされる。そして同時に、この環境は誰の指図も受けず、この先も守られるべきであるとの気持ちを強くする。恐らくは、そのような中でしか、自らの置かれた、時に不条理ですらある環境に対する批判的精神は養われない。その上で、先人が様々な困難に直面した際に、そのような精神の発露として導き出したあまたの選択肢への理解を深めることは、歴史学を学ぶ重要な意義であるに違いない。そしてそれは、人文社会科学が、現代社会の抱える困難な課題へ立ち向かう際に、間違いなく必要となる羅針盤であるように思われる。

〈参考文献〉

・岸本美緒ほか編『東洋学の磁場』（岩波講座「帝国」日本の学知、第三巻、二〇〇六）
・窪寺紘一『東洋学事始―那珂通世とその時代』（平凡社、二〇〇九）
・宮崎市定『宮崎市定全集』二十五冊（岩波書店、一九九二～一九九四）
・桑原隲蔵『桑原隲蔵全集』六冊（岩波書店、一九六八、第二刷は一九八七）

19 東洋・日本美術史 人はなぜ「美術」を作ってきたのか

長岡龍作・杉本欣久

はじめに――「美術史」とはどんな学問？

東洋・日本美術史専修の始まりは、大正一一年（一九二二）八月に開学した東北大学法文学部に、翌年の大正一二年（一九二三）五月に設置された文化史学第二講座に遡ります。ですから、まもなく一〇〇年という節目の年を迎えることになります。

この間に在籍した教員は、福井利吉郎（一八八六～一九七二、在籍一九二四～一九四六）、亀田孜（一九〇六～一九八二、一九五〇～一九六九）、高田修（一九〇七～二〇〇六、一九六九～一九七二）、辻惟雄（一九三二～、一九七一～一九八一）、上原昭一（一九二七～二〇一〇、一九八一～一九九〇）、小川裕充（一九四八～二〇一九、一九八二～一九八七）、有賀祥隆（一九四〇～、一九九〇～二〇〇四）、泉武夫（一九五四～、二〇〇七～二〇一七）という方々で、いずれも、東洋日本美術史分野に大きな功績を遺された研究者です。これらの方々の専門分野は、仏教美術史、近世絵画史、中国絵画史にわたっており、東北大学の東洋・日本美術史研究室が伝統的に関心を向けているのが、こうした分野であることを示しています。そしていま教員として在籍しているのが長岡龍作と杉本欣久ですが、二人はそれぞれ、仏教美術史と近世絵画史を専攻しており、やはり東洋・日本美術史研究室の伝統に連なっています。

さて、東洋・日本美術史と聞いて、皆さんは、どのような学問の世界を思い浮かべるでしょうか？

東北大学文学部には、東洋・日本美術史専修のほかに、美学・西洋美術史という専修もあり、このふたつはともに「美術史」という分野に属しています。では、「美術史」とはどのような学問なのでしょうか。素直にこの言葉を分解すれば、美術の歴史ということになるので、美術史とは美術の歴史を学ぶ学問である、ということになります。もちろん、この理解は間違っていません。しかし、そう納得する前に、「そもそも美術とは何だろう？」ということに思いを馳せてもよいかも知れません。

この言葉を理解しようとするとき、大半の人は、中学時代や高校時代に習った美術の授業を思い出すことでしょう。石膏像を見ながらおこなったデッサン、構図を決め像を配置し色を塗った着色画、粘土を捏ねかたちを造り出した彫塑などの経験は、多かれ少なかれ皆さんにあるはずです。多くの場合「美術」は、そういう制作の経験とともに理解されるだろうと思います。この場合「美術」は、制作者にとってのものということになります。

けれども、今日では、制作以外の仕方で「美術」を経験する機会も増えています。つまり、頻繁に開催されている美術展覧会や、さまざまな趣向を凝らした美術番組・美術出版を目にすることで、多くの人は、鑑賞者として美術を経験しているはずです。

今日の「美術」はこのように、制作者の側あるいは鑑賞者の側から理解されるものになっています。制作者として「美術」に向き合うときは、授業での好成績を得るためになんとかしてそこに創意を込めようと努力することでしょう。また、鑑賞者として美術を見るときには、作品から感じられる美しさや崇高さに心を打たれることになると思います。

ところで、東洋や日本の美術世界にはどういうものがあるのでしょうか？この分野でいわゆる古美術とされるものには、仏像・神像・肖像、仏教絵画、寺院障壁画、絵巻物、屏風絵、掛軸といった彫刻・絵画群があり、また、陶磁器や金属・漆による工芸品などがあります。

ここで、このような東洋や日本の美術が造られたとき、「美術」という言葉はすでにあったのだろうか？ということが疑問に思えてきます。容易に想像できるように、その答えはノーです。近年の研究によって、「美術」という言葉は、明治六年（一八七三）に西洋の概念の翻訳語として出来上がったことが明らかにされました。つまり、明治以前の東洋のすべての「美術」は美術以外の何ものかであり、それらはすべて近代に「美術」になったわけです。学校教育で学んだり、展覧会で鑑賞するという「美術」との付き合い方は、すべて、日本に「美術」という概念が生まれてから始まったことです。

では、今日「美術」と呼ばれている作品は、本来何ものだったのでしょうか。それらは、何のために作られ、人々とどのように付き合ってきたのでしょうか。また、それらはどのように作られたのでしょうか。

「美術史」という学問があきらかにしたいのはそのような問題です。今日の「美術」に与えられた価値観を一度相対化して、歴史的に「美術」が何であったのかを問い直すことを目標にしています。つまり、「美術」を自明なものとは考えず、それ自体が何だったのかを問い、それを歴史の中に位置づける研究ということができます。言い方を変えれば、「美術」と人の付き合い方の歴史を考えるということです。美術史が人文学のひとつである以上、かならず人間の問題として、美術史は追究されて行くことになります。

1　日本の「美術」のありよう

このことをもう少し具体的に見てみましょう。日本の「美術」の代表としてしばしば取り上げられるのは仏像です。仏像には、古代以来さまざまな技法が用いられてきました。土で原型を造りそれを鋳型として鋳造し金メッキ（鍍金）する金銅仏、木芯に塑土を盛りつけて造る塑像、漆を染みこませた麻布を土の原型の上に張り合わせて固める乾漆像などは、7世紀から8世紀にかけて多くおこなわれた技法ですが、時代を通じてもっとも多く生み出されたのは木を刻んで造る木彫像です。どのような木材をどのように製材し、どのように組み合わせて彫り出したのか、あるいは像の表面に布や漆をどのように張り付け、どのような色を塗って仕上げたのかというような技法の実態をなるべく詳細に観察し復元的に考えることで、ひとつの仏像が完成するまでに費やされた人と素材の動きが浮かび上がってきます。詳細な観察、これが像の制作に直接関わった人と触れあう最善の手段です。

けれども、仏像のような「美術」は、例えば仏師や例えば絵師というような、個人の作家のみの力で生み出されるものではありません。つまり、一口に「美術」の制作者といっても、その実態はより複合的な人の営みとして存在していました。それゆえ、仏像を個人の才能が発揮されたものとして評価することはできないのです。

優れた仏像が多く生みだされた天平時代を例に見れば、仏師は当時の政治体制（律令制）内の一役所に所属する技術官人であり、彼らは朝廷や寺の求めに応じて像を造りました。その際、材料が朝廷や他の官庁から支給されると同時に、像の下図（様）が与えられたりもしています。仏像の大枠のかたち（図像）を決めるそのような下図は、有力な僧侶によって決定されることがあったようです。つまり、仏像のかたちを仏師が独創するというようなことはありえませんでした。むしろ、施主や僧侶の意向の方が大きく作用していたと考えられます。「美術」の制作を作家個人の手に帰趨させる考え方は、すぐれて近代的なものなのです。日本において「美術」の制作者は特定の個人ではありません。施主や僧侶はかたちを決める仕組みの中にいる制作者です。そして同時に、その価値を判断する鑑賞者でもあります。「美術」は、そうした人間のネットワークの中から生まれたと考えると、制作者と鑑賞者というように美術との関わり方をふたとおりに分けることも難しいということがわかるでしょう。こうした分け方もやはり近代的なものなのです。

　では、彼らは何のために仏像を造ったのでしょうか。古代の仏像の多くは、誰かが亡くなった時に造られました。例えば、日本で最も有名な仏像と思われる興福寺の阿修羅像は、光明皇后が母橘三千代の一周忌の供養のために建てた西金堂の一尊として造られました。西金堂の仏像は、釈迦如来像を中心とする大きな群像で、阿修羅はその末席に連なる仏像に過ぎません。けれどもこの像は今日、多くの人びとの心を惹きつけています。恐らくそれは、この像の表情に憂いとともに強い意志が表現されているからだと思います。阿修羅の表情は奈良時代の人びとが仏像に求めたものをはっきりと伝えています。亡くなった方が無事に成仏を遂げるためには、遺された者が真摯に仏道に励まなければなりません。阿修羅像は、そうした信仰心を持つ模範的な存在として造られたと思われます。光明皇后は自身の信仰の導き手として阿修羅像に祈ったのです。このように多くの仏像は、信仰のために役立つというはっきりとした役割を持っていました。古代の人びとがくり返し仏像を造ったのは、篤い信仰心ゆえだったのです。

2 仏教美術を研究する

日本の古代から中世の「美術」のほとんどは、仏教に関わるものです。このことは同時に、仏教信仰に「美術」はなくてはならないものだったということも意味しています。仏教に限らず宗教は、超越者の存在を前提にした世界観を構想します。そうした超越者の世界は、往々にして実際には見ることはできません。「美術」は、そうした世界を見るという体験を可能にするものです。仏教美術もまた、仏教の世界観を視覚的に表現するものとして作られました。それは、仏像という彫刻でも、仏画という絵画でも、事情は同じです。見えないものの代わりとなって、人間の前に現れるものが仏像であり仏画です。

したがって、仏教美術には、往時の人びとが構想していた世界観の反映があります。そのため、仏教美術を研究するためには、そうした世界観を理解しなければなりません。つまり、現代人の目で美術を見るのではなく、往時の人びとが理解していた世界観を踏まえ、往時の人びとの目で作品を見ることが求められるのです。

しかし、そうは言っても、そうした目を持つことは実はとても難しいことです。現代を生きている我々は、なかなか現代的な囚われから自由になることはできません。そのことを自覚するならば、いきなり往時の人びとの目になることを目指すのではなく、そうした囚われをなるべく排除し、虚心になって美術を観察することが大事になります。答えは美術作品それ自体の中にあることは間違いありません。虚心に作品を観察することと、それが美術史の研究の第一歩です。どのように作られているのか、何が表現されているのか、そうしたことを詳しい観察から把握していきます。その時、他の類例と比較することが大事になります。ひとつの作品だけを見ていてもわからないことが、関連する他の作品を見て、比較することによってわかることはたくさんあるのです。

その上で、少しずつその作品が生まれた文脈を復元していきます。制作に関わった人間、作品の伝来などを資料に基づいて確かめます。さらに、作品が安置されている場所、あるいはもともとあった場所を自分の足を使って確認します。作品の意味は場所と切り離しては理解できません。宗教美術にとって土地が重要な意味を持っていることは、霊場を思い浮かべれば容易に想像できるでしょう。巡礼者はその土地にある聖像に出会うために長い旅をするのです。宗教美術研究がフィールドワークであるのは、特にこのことが理由だと言っていいと思います。こうした作業をおこなったのち、作品をその時代の精神や人間のあり方と摺り合わせていきます。前節で述べたように、仏教美術には必ず存在意義があります。そしてそれは多くの場合、信仰に関わっています。その時代の人びとがどのような信仰を持ち、何を求めていたのかをよく考えると、きっとその作品の意義が浮かび上がってきます。作品をそうした文脈に正しく置けたと実感した時は、往時の人びとと心が通ったような思いになります。そうした経験を、この文章を書いている長岡自身は何度もしてきました。美術史という学問の醍醐味は、そこにあると私が思う所以です。

このように、美術史という学問の役割は、美術作品を通して人間の精神を浮かび上がらせることだと私は考えています。そしてそれは、文字資料からだけではわからないことを多く含んでいます。他の人文学と並んでも、美術史という学問が独自の意義と役割を持っているのはそのためです。そうした学問にともに携わる学徒が、この分野をさらに継承して行ってくれることを私は願っています。

3　日本絵画へのアプローチ－「感性」？「理性」？

美術史が明らかにすべき対象とその方法については上記で詳しく触れましたので、以下では作品を「観る（観察）」ということについて、杉本がバトンを繋ぎ、少し踏み込んで述べてみたいと思います。

かつて本校へ入学した一年生に、「美術史」に対してどのような印象を抱いていますか、と尋ねたところ、次のような感想が寄せられました。

Ⅰ　美術品の歴史のみを研究する偏った学問

Ⅱ　感性の優れた人でなければできない学問

「美術史」を含む「文化史」全般は、中学や高校の日本史の教科書においては「政治史」の後ろに付されるのが通常です。歴史の中心では語られない、「おまけ」と思っている人もいるかもしれません。複雑な背景を説明されることなく、いきなり「ほうりゅうじこんどうしゃかさんぞんぞう（法隆寺金堂釈迦三尊像）」などといった語句を暗記させられた経験があれば、狭い領域の特殊な学問と感じるのは無理もないことでしょう。

そこでこのような認識は大きな誤りであり、むしろ実態は正反対であることを、実際の絵画研究に即して説明していきましょう。

まずⅠについて、「美術史」が追究すべき一丁目一番地は、先にも説明がありましたように、その作品を生み出した背景に存在する時代や作者の「精神」です。いつ、どこで、誰が、何の目的で制作したのか（５Ｗ１

H）を明らかするのはもちろんのこと、それがどのような「価値観」に基づいて制作されたのか、作品の歴史的意義を掴まなければなりません。

たとえば、平安四大絵巻のひとつに数えられる「源氏物語絵巻」は、平安中期の紫式部による『源氏物語』の場面を抽出し、絵画化したものであることはご存知でしょう。とすれば、まずは『源氏物語』を通読して内容を理解し、底流に存在する「もののあはれ」といった観念や、それを支える宗教観を把握したうえで、なぜその場面が絵画化されたのか、その表現にはどのような「価値観」が反映されているのかを論じなければならないわけです。

美術作品の多くには、その背景に「宗教」や「思想」が存在し、詩文をはじめとした「文学」、ときには物理に裏づけられた「科学」が反映される場合も少なくありません。いわば美術作品とは歴史的に醸成された文化の「うわずみ」であり、「宗教」「思想」「哲学」「文学」「科学」などの諸要素によって支えられています。それゆえ「美術史」の研究を十全のものとするためには、あらゆる分野の素養を身につけなければならず、総合的学問と位置付けることも可能でしょう。確かに美術作品を入り口として歴史研究を行うのには違いありませんが、それを構成する背景は複雑で多岐にわたっています。その構成要素が何であるのか、ひとつひとつ解きほぐしていかなければ明らかにすることはできないのです。

次にIIについて、ここで言う「感性」とは、一般的に理解されている「物事を感覚的に感じる能力」、つまり「感受性」のことでしょう。仮に「美術史」という学問が「感性」の優れた人でなければできないのだとすると、生来的に備わった「素質」がすべてということになります。いくら大学において熱心に教育を受けたところで意味がなく、わざわざ「美術史専修」などとして講座を設ける必要もなくなってしまいます。

また、一方で美術作品をみるにあたり、「直感」や「第一印象」が大切という人も現に存在します。経験則として、確かに瞬時の判断が正しいと思うこともしばしばありますが、実はそれも経験に基づいた判断を瞬時に行っているに過ぎないのです。そのよって来たるところの経験を手繰り寄せ、自己分析できたなら、言葉によって論理的に説明するのは可能なはずです。

むしろ、なんとなくみている状態を「感性」「直感」「第一印象」の言葉で片付けるのではなく、いったい自分が何をみているのか、それを自覚的な「観察」に切り替えるべきであり、その読み取った「情報」を論理的に「分析」することこそが重要なのです。

そこで絵画作品の「分析」に必要な、「情報」を引き出す「観察」ポイントを列挙するとおよそ次のようになります。

A 経年変化
B 本紙（紙、絹）
C 筆墨（筆づかい、墨づかい）
D 彩色（染料、顔料）
E 金箔、金砂子、金泥
F 画面構成（構図）
G 形態表現
H 落款

I　賛
J　付属品、付属情報

　このうちAとCは特に重要であり、対象とする作品が優れているかどうか、あるいはほんものかどうかを判断するうえで、たくさんの「情報」を提供してくれます。ただし、これについて理解するためには多少の知識と経験が必要となり、また紙面も限られていることから、ここでは試みにFとGを「観察」し、「分析」を加えてみようと思います。

　取り上げる作品は、みなさんも一度は目にしたことがあると思われる俵屋宗達の「風神雷神図屏風」（江戸前期・一七世紀前半）です（図19－1）。

たとえば、この作品について、「優れた点を感じるままに記述しなさい」と提示されたとしましょう。果たして、手応えを感じるような充実した文章に仕上げることができるでしょうか。この問題設定では、先に触れた「感性」に頼る部分が多く、感想文程度の印象批評となってしまうのが関の山です。

けれども、ここにもう一点、尾形光琳という別の画家が模写した「風神雷神図屏風」（江戸中期・一八世紀前半）を加えてみます（図19－2）。この二つをならべ、「表現としてどちらが優れているか」と問われたなら、しばしば新聞や雑誌などに掲載される「間違い探し」と同様の方法、つまり「比較」によって違いが発見でき、何らかの答えが導き出されるはずです。

　実は問題意識を持たずに漫然と眺めるだけの「観察」では、具体的な「情報」を引き出すのは困難です。けれども「比較」という方法を用いれば違いが炙り出され、「分析」と呼ぶに相応しい手応えのある「観察」

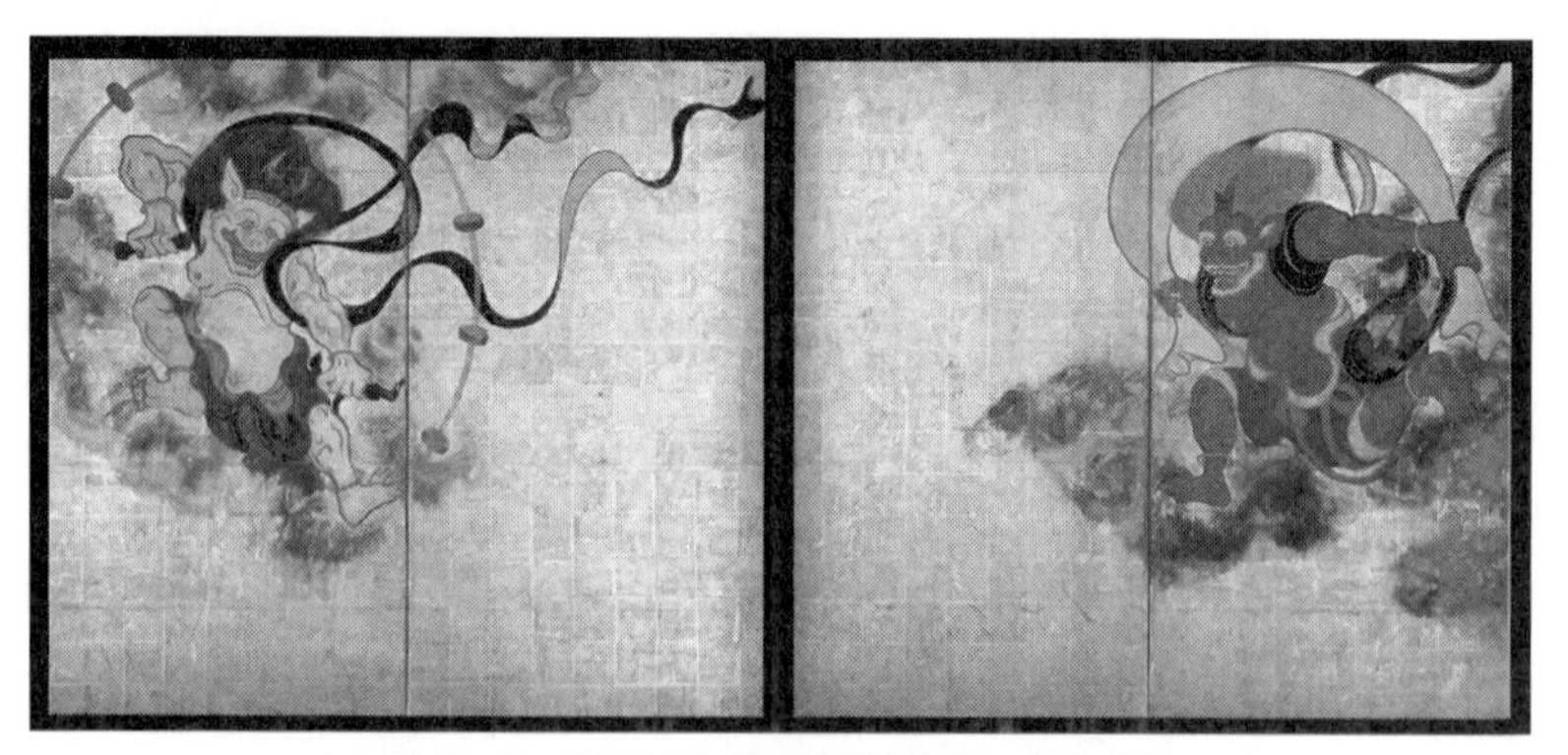

図 19_1　俵屋宗達「風神雷神図屏風」建仁寺蔵

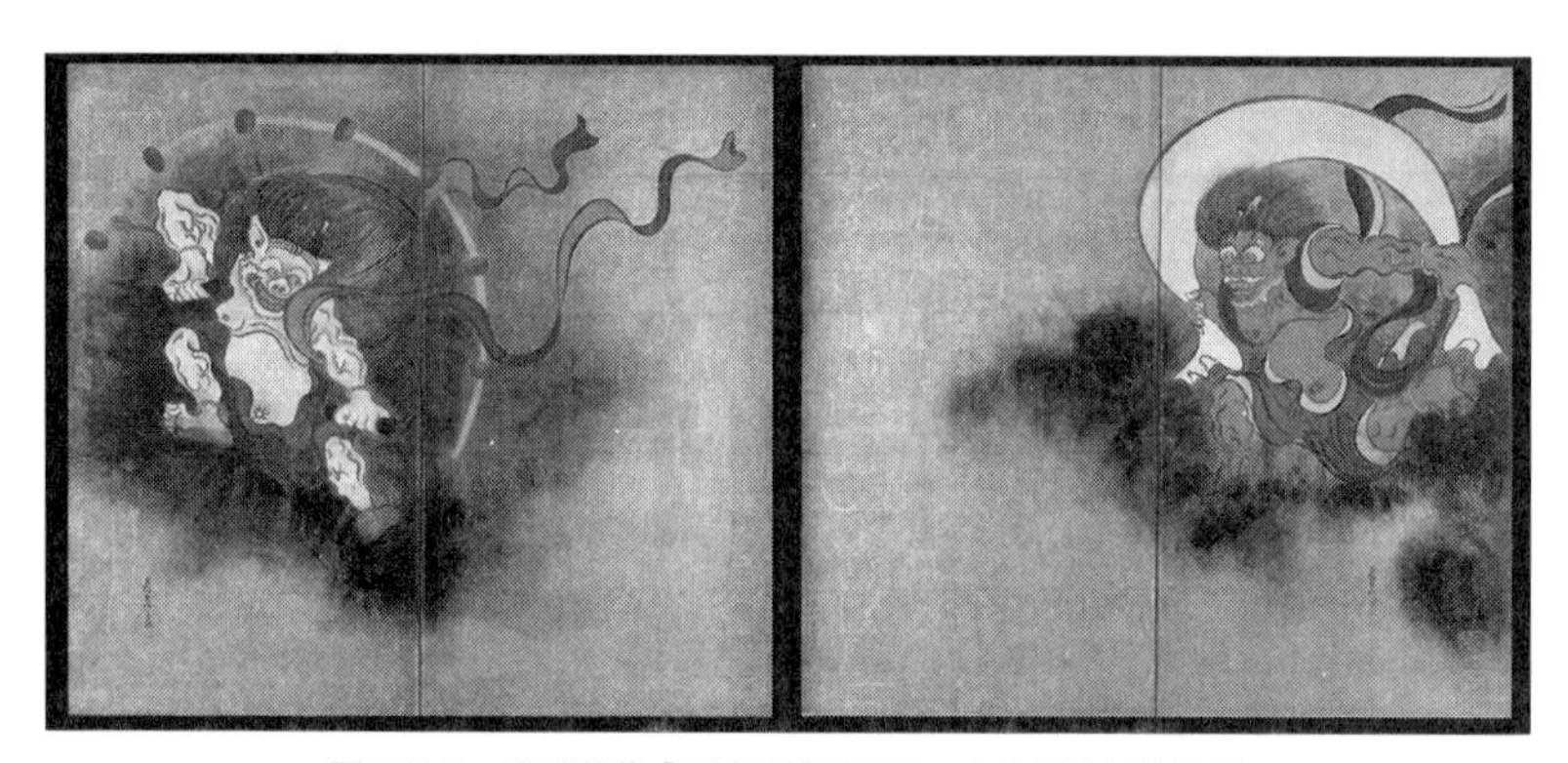

図 19_2　尾形光琳「風神雷神図屏風」東京国立博物館蔵

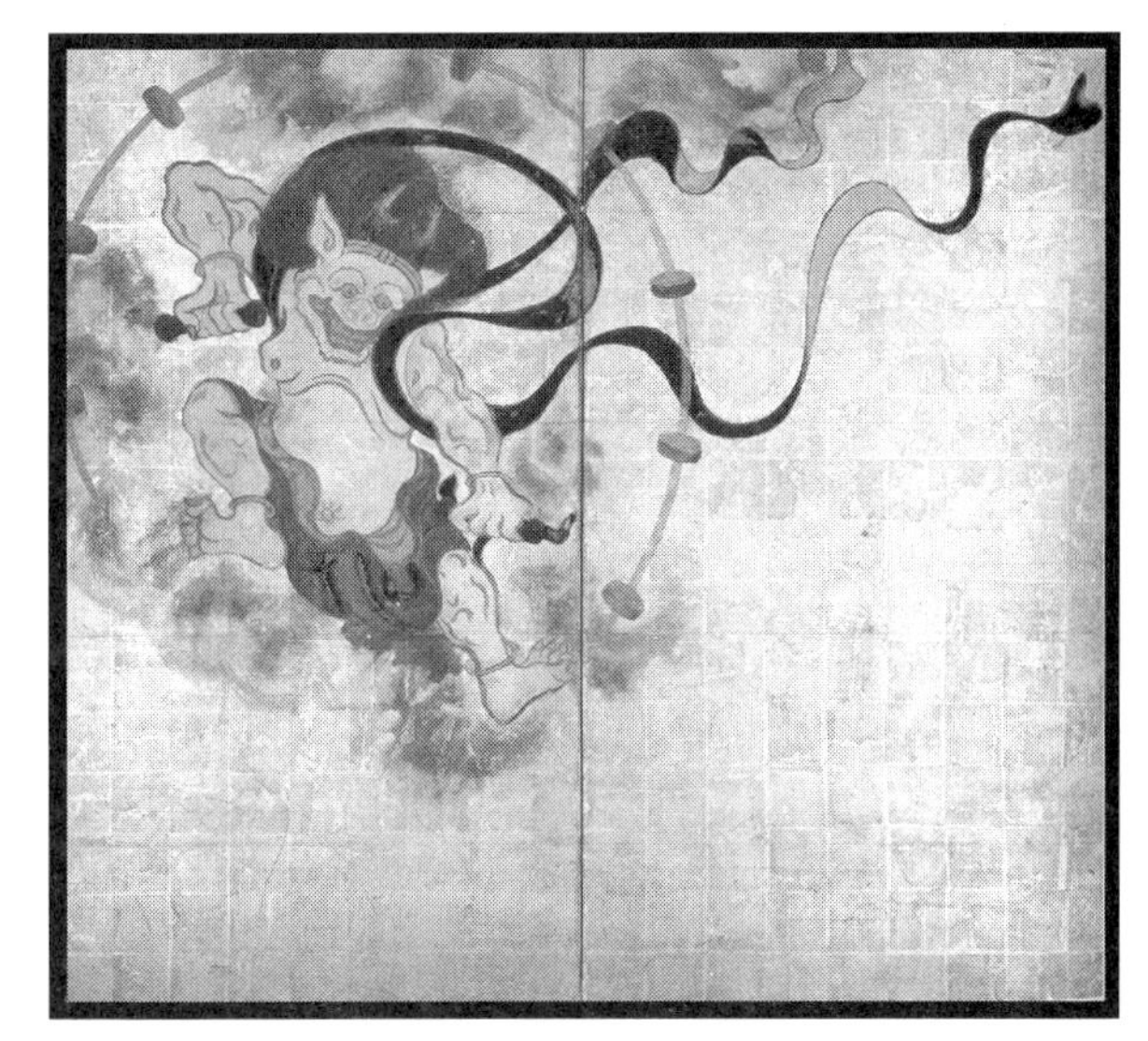

図19_3

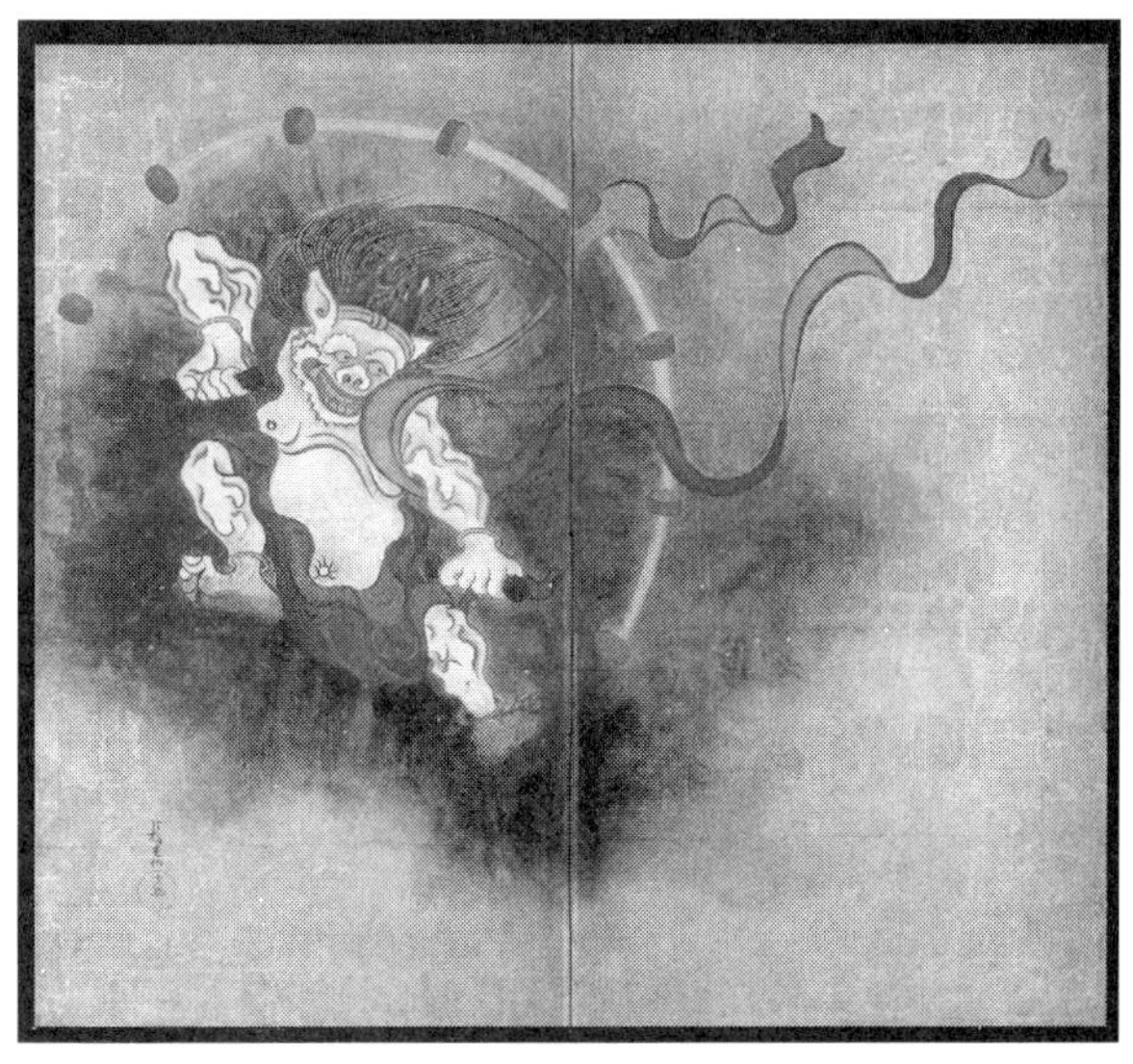

図19_4

が可能となります。

では、実際に風神と雷神が乗る足元の雲を比べてみましょう。いったい、どのような違いが浮かび上がるでしょうか。

左の雷神に着目してみます。宗達の雲は左と上の部分にボリューム感があらわされ、薄い部分と濃い部分がまだらになっているとわかります（図19－3）。一方、光琳の雲は主に体の左と右で濃淡を塗り分けられ、中央から外側に向けて放射状に塗布した痕跡が認められます（図19－4）。

それでは私たちが知っている実際の雲と比べたとき、果たしてどちらが雲らしくみえるでしょうか。かたちと濃淡のグラデーションから、もくもくと沸き起こっているようにみえる宗達の方、という判定には異存がないでしょう。さらに言えば、宗達の方は孫悟空の乗る筋斗雲のように、足元から「く」の字の曲線を描きつつ、右上にたなびいているようにみえます。それは雷神が動いてきた軌跡をあらわし、早い速度で右上から左下へと下降しつつ、右下へと方向転換した、まさにその瞬間とみることができます。つまり、この雲の表現により、宗達の雷神には動きが生じている、と判断できるわけです。

では、それと比べ、光琳の作品はどのようにみえるでしょうか。宗達に比べると動きが少なく、腕に巻き付いた天衣も、空気を帯びて旗めくような闊達さに乏しいとわかります。風神についても、足元の雲や風をはらんだ両手に持つ布を比較することにより、同様の結論が導き出せます。

このように「比較」に基づく「観察」によれば、画家が何を重視し、どのような「価値観」で描こうとしたのか、論理的に説明することが可能となります。あとは画家の伝記や制作背景を示した文字資料と付き合わせ、作品の素性を明らかにしていく、という歴史学の手順に移っていきます。

以上、作品の「観察」には「感性」ではなく「分析」が重要であると、ご理解いただけたのではないかと思います。もちろん美術作品は「感性」による鑑賞でも十分に楽しめますが、さらに高次の「分析」を行えば、それとは異なる姿を私たちの目前にあらわすこととなるのです。自身の認識がみるみるうちに変化していく経験を、ぜひみなさんにも味わっていただければ幸いです。

おわりに―東洋・日本美術史の意義とその未来

ここまで読み進めてきたみなさんにとっては、「美術史」がどのような学問なのか、おおむねご理解いただけたのではないかと思います。けれども、それを学んだからといって、果たして実社会に、あるいはみなさんの将来にとって何の役に立つのか?と疑問に思われる方もいらっしゃるでしょう。実はこの東洋・日本美術史研究室の卒業生のなかには、実物の仏像や絵画を手にしながら、全国の美術館や博物館で展覧会を行なって活躍している人たちが多数存在しています。そのような仕事を「学芸員」と言いますが、これまで伝えられてきた美術作品にはどのような意味が込められているのか、まさに東洋人や日本人が有した伝統的な「心」をそこから読み取り、社会や後世に伝えていく文化の伝道師的役割を担う職業と言えるでしょう。

また、そのような美術作品がなぜ生まれたのか?いったい何が表現されているのか?それを知りたいと思うのは人類共通の欲求でもあります。それゆえ、その答えを探究する「美術史」への期待は決して小さくなく、作品一点からでもその背景となる時代の価値観に通徹するような、より包括的な歴史観の提示が求められるようになっていくでしょう。

さらに人間の創作活動においては、しばしば神の領域に達したと見紛うほどの作品が生み出されています。そのような作品に触れた際に生じる最大の疑問は、果たして「人間とは何者なのか？」ということです。人間は物質的に満たされたとしても、「心」まで満たされるとは限りません。美術作品自体は物質であっても、そこにはかつての人々が込めた「心」が存在します。その「心」に触れることにより、私たちは人間を知り、さらには自分を知り、自らの「心」を満たすためのヒントが得られるのだと考えます。

（「はじめに」、1、2を長岡が、3、「おわりに」を杉本が執筆しました。）

〈図版出典〉

図19－1〜4　村重寧編『琳派　第四巻・人物』（紫紅社　一九九一年）

20　日本語学　日本語を観察する旅へ出かけよう

小林隆・大木一夫・甲田直美

はじめに

日本語学とは、現在使われている、あるいは過去に使われていた日本語を分析する分野である。「国語学」という名称でも呼ばれる。

日本語学の研究分野には、現代や過去の一時期における日本語、または過去から現代に至る日本語の歴史について研究する分野、また、語彙論、文法論、文章論などさまざまな分野がある。言葉だけではなくて、言葉と社会との関わりや、女性語、若者言葉、キャンパス言葉のように言葉の担い手の属性との関わりから考察するテーマもある。言葉の音声に特化した音声学や、大量の電子化資料を用いた研究、フィールドへ赴いてそこでの言葉の使用と生活・文化を記述する研究もある。日本語学は、現代を含め、ある時代、ある地域、世代等において実際に使用される／た言葉を分析する学問であり、非常に身近な、しかし観察してみると、新しい発見に出会える学問分野である。

以下では、日本語学における三つの研究分野を取り上げる。第二節では、現代において私たちが使っている現代語への洞察、第三節では、歴史的研究である日本語史、第四節では、地域による言葉の様相を扱う方言学を取り上げ、それぞれの具体的内容について説明することを通して日本語学の一端を紹介する。

1　現代の日本語への洞察

私たちは普段から日本語を使っているので、現代の日本語について、どのようなルールが存在するか、意識に上ってこないことが多い。また、国語の授業で動詞の活用や修飾語の係り受けについて学んだ際は、難なく使用できるものを、あえて整理し直すことの必要性に疑問視したことがあるかもしれない。しかし、観察してみると、これまで気づかなかった言葉の使い分けや、意外なルールの存在に気づかされることがある。

例えば、助詞「は」と「が」は次のようにどちらも述語の主体である点で共通している。

（1）a　男が駅の前に立っていた。

　　b　男は駅の前に立っていた。

しかし、次は「桃太郎」の冒頭であるが、「は」と「が」が用いられているところをみると、それぞれ置き換えにくく、何らかの使い分けがあることに気づく。

（2）むかしむかし、あるところにおじいさんとおばあさんがいました。おじいさんは山へ芝刈りに、おばあさんは川へ洗濯に行きました。

初出の新情報には「が」が用いられ、いったん定まった旧情報には「は」が用いられていることがわかる。ということは、日本語では動作主と述語の関係だけではなくて、文が続くときの関係で、「は」と「が」の使い分けがあるということである。「おじいさんは山へ芝刈りに行く」という行為自体は、「が」で表現してもよい事態であるが、物語での連鎖の中で「は」と「が」の使い分けがあるのである。このような現象は、一つの文だけで表現が決まるのではなくて、一定の長さの中で表現が決まる例である。もちろん、「は」と「が」の使い分けは情報の新旧だけではない。

（3）　私は田中です。／私が田中です。

「私が田中です」の場合には、「他の誰でもなくこの私が～」など、噂や前評判を前提にしたようなニュアンスを与える。「は」と「が」の使い分けは、実際にはかなり入り組んでいる。

このように、普段難なく使えるけれども、どのようなルールが根底にあるかを考える分野が現代語の研究である。言葉は、私たちの中にあり、私たちの生活や思考と切り離すことはできない。言葉への省察は自分への省察でもある。

文の終わりにつく終助詞に「ね」があるが、どのような場合に「ね」が付き、どのような場合につかないかということも、普段は気にとめていないが、次のような例を観察すると、何らかのルールが存在することがうかがえる（不自然な表現にアスタリスク＊を付す）。

（4）（出身大学を聞かれて）

A　どちらなんですか？

B*　東北大学ですね。　↓東北大学です。

（5）（外に積もる雪を見て）

A　かなり降りましたね。

B*　そうです。　↓そうですね。

（4）のような疑問文への答えでは一般に、「ね」がつかないが、（5）のように同意を示す場合には必要となる。

次の表現では、「太郎」も「誰か」も人物ではあるが、aは不自然な表現となっている。

（6）a* 太郎が誰かにお金をくれた。

b 誰かが太郎にお金をくれた。

これは、やりもらいの動詞（授受動詞）には恩恵の方向性があり、「くれる」は主語よりも、恩恵を受ける人物（この場合、a：「誰か」／b：「太郎」）に共感する視点がある表現である。しかしaでは名前を知っている「太郎」よりも、「誰か」という名前も知らない人物に共感する視点をもつことは通常ありえないため、不自然となる。

このように見ると、表現の自然さは共感する視点と関連していることがわかる。言葉は、それ自体の中に閉じたルールだけではなく、それが用いられる状況と関わって存在する。

次も同様で、指示詞の使い分けには会話参加者の知識の配分が関連している。もし話者AとBが共通して知っている情報であれば、指示詞の中でも「この」を用いることはできず、「あの」「その」が用いられる。

（7）A うちの近所にシャルルっていうかわいい喫茶店があるのよ。

B ああ、*この喫茶店なら、私も行ったことあるわ。 ↓あの／その

以上見てきたように、似た表現であっても、日本語らしくない表現が存在し、そこに何らかのルールがあることがわかる。

私たちの日本語の能力の中には、表現の自然さを判断する言語知識がある。このような言語知識に基づ

いて言葉の事例を考察する研究がある。これに加えて、自分の内省だけではなく、周囲にある言語の使用例に目を向けることも必要である。近年では、言語の事例を電子化し、大量の資料をコンピューター上に蓄積し、検索、利用する研究も増えてきた。例えば、国立国語研究所による『現代日本語書き言葉均衡コーパス』、『日本語話し言葉コーパス』など多くのコーパス（何らかの観点で言葉を集め、電子化した言語資料体）が整備されている。詳しくは国立国語研究所のウェブサイト（https://www.ninjal.ac.jp/database/type/corpora/）を参照されたい。

以上、部分的にではあるが、いくつかの例を提示しながら、日本語のしくみの一端をみてきた。現代日本語の研究には、文法性を研究する分野のほかに、音声、語彙など、言葉のどの側面に光を当てるかによって、さまざまな分野がある。

私たちは、（母国語の場合には）無意識に使っているので気づかないことが多いが、言葉の使い分けやその背後に潜む原理・原則が、どのようなものであるのか、改めて考えさせられることが多いと思う。対象となる資料の性質や規模を考慮しつつ、試行錯誤しながら考えを積み重ねていってほしいと思う。

2　日本語史研究の出番

ここまでみてきたような言語が日本語なのであるが、みなさんが中学校や高等学校の国語の時間に読んだ古文もやはり日本語である。その古文において、我々が普段使う現代日本語とは異なる現象として、次のようなものが知られている。

（8）　ほととぎすなく声きけば　わかれにしふるさとさへぞ恋しかりける（『古今和歌集』巻三）

問題となるのは、「ぞ 恋しかりける」の部分で、文中に「ぞ」という係助詞があると、文末が通常の終止形（「恋しかりけり」）ではなく、連体形（「恋しかりける」）で結ばれるという呼応現象である。これは、よく知られた係り結びという現象である。さて、この係り結びとはどのようなはたらきをしているのだろうか。古文を学習した際には、係助詞「ぞ・なむ・こそ」がある場合は強調、「や・か」がある場合は疑問・反語だと習ったであろう。だから、強調、ということにはなるのであるが、では、この強調というのは、どのようなはたらきなのだろうか。

たとえば、次のようなものも強調だろう。これらは係り結びの強調と同じだろうか。

（9）　そんなこと、しーらない。　　これ、とぉーっても大きいね。

この（9）は傍線部の箇所に長音（ー）や促音（っ）を入れて、時間を保って「知らない」「とても」の部分を強めるものである。これは強調ということができるが、係り結びの強調とは、どうも異なるように思われる。では、係り結びの強調とは、どのような強調なのだろうか。これは日本語の歴史（とくに文法史）の問題である。

（10）「院の殿上には誰々かありつる」と人の問へば、それかれなど、四五人ばかりいふに、「また誰か」と問へば、さて、「往ぬる人どもぞありつる」といふもわらふも、またあやしきことにこそはあらめ。

（『枕草子』方弘は）

（11）（手紙には）法師のいみじげなる手にて、

これをだにかたみと思ふに都には葉がへやしつる椎柴の袖

と書いたり。いとあさましうねたかりけるわざかな、誰がしたるにかあらん、仁和寺の僧正のにや、と思へど、よにかかることのたまはじ、藤大納言ぞ彼の院の別当におはせしかば、そのし給へることなめり、

（『枕草子』円融院の御はての年）

これらはいずれも平安時代の『枕草子』の例で、（10）は、方弘は院の御所にいた人は誰か、と訪ねられたので、誰それと四五人ばかりを答えたところ、さらに「他に誰がいたか」と問われて、方弘は「帰った人がいた」という滑稽な返事をした場面である。（11）は、手紙を見ると法師らしい筆跡で書いた歌であった。それを見て「この歌は誰が書いたものだろう」という疑問をもち、「仁和寺の僧正かと思うが、こんなことはおっしゃるまい。藤大納言が…なさったようだ」と考えているところである。

では、これらの「ぞ」はどのように用いられているだろうか。（10）の場合「他に誰か（いたか）」という問いに「帰った人がいた」と答えたものである。また、（11）の場合も「これは誰が書いたのか」という疑問に「藤大納言がなさった」と答えたものである。これらの「ぞ」は、いずれの例でも、疑問に対する答えの部分についていることがわかる。

このようなものがどのようなはたらきであるかを考えるために、現代語に立ち戻って考えてみよう。実はこれは、先に見た（1）～（3）の問題である。

（12）　私は田中です。

（13）　私が田中です。

これは、いずれも「私」という人物が「田中」であるということを述べた文であるが、よく考えてみると、この二つの文はまったく同じではなく、使える場面が違うことがわかる。

(12) a　あなたはどなたですか？　↓　b　私は田中です。
(13) a　どなたが田中さんですか？　↓　b　私が田中です。

この（12）aは「あなた」というここにいる人物はわかっているが、それが誰であるかはわからないので、それを尋ねたもので、それに対して、「田中です」と新しい情報を付け加えたのが（12）bだといえる。このような（12）a・bの「あなた」「私」は、この場面で既にわかっている情報といえるから、これは旧情報である。そして、「田中」や疑問詞の「どなた」は、付け加えられた新しい情報であるから、これは新情報である。一方、（13）aは、「田中」という人物は評判を聞いて知っているが、ここにいるどの人かはわからなく、それを尋ねたという状況で、それに対して、「私」だと新しい情報を示したのが（13）bである。この場合には「田中さん」「田中」が旧情報、「どなた」「私」が新情報ということになる。このように考えると、「は」は既にわかっているもの、すなわち旧情報につくといえ、「が」は、聞き手のわからないもの、すなわち新情報につくといえるのである。

以上をふまえたとき、「ぞ」の係り結びは（12）と（13）のどちらに近いだろうか。それは、（13）である。さきの（10）は「往ぬる人どもぞありつる」、（11）は「藤大納言ぞ」のように「だれが」の答えに「ぞ」がついているからである。つまり、係助詞「ぞ」は新情報について、その文のなかでもっとも伝えたい部分、つまり、伝達の中心点（焦点）を示すはたらきがある。これが「ぞ」の係り結びの「強調」の中身なのである。

国語の古文の時間には、もしかすると、古文の現象はあたかも総てわかっているかのように教わってきたのではないか。しかし、実はわかっているように思えることでも、まだわかっていないことは多い。このようなところに日本語の歴史の研究の出番があるのである。

3　方言研究の魅力

日本語研究の中には方言の研究も含まれる。このように言うと、驚く人たちがいるにちがいない。方言は、規範的な標準語や、伝統的な古典語と異なり、あまりにも日常卑近なものである。そのため、多くの人たちにとって、方言が研究対象になるなどということは思いもよらないことかもしれない。

しかし、身近な方言の世界は、いったん足を踏み入れてみるとなかなか奥が深い。まず方言は、標準語と同じく文法書や辞典にまとめられるような言語としての体系をもっており、同時に、地図の上に描くことのできる地理的広がりも有している。また、そうした体系や地理的広がりは歴史の産物であり、古典語の世界へ連続している。さらに、各地のさまざまな自然や文化と密接に関わり、社会のしくみや人々の行動を反映している。このように見てくると、方言について知ることは、言葉について知ることと等しいことに気づく。方言の研究は、さまざまな分野と連携した総合的な言語学としての性格を備えているのである。

ここでは、方言と古典語との関係に焦点をあてて考えてみよう。

高校で古典文法を勉強した人ならば、係助詞の「こそ」と聞いて「已然形で結ぶ」と答えることができるかもしれない。いわゆる「係り結び」である。これは受験生を悩ませるやっかいな現象であるが、幸い現代文法には出てこない。ということは、古典語から現代語に移る間に滅びてしまったということである。これまでの研究によれば、係り結びの崩壊は中世に一気に進んだと言われている。

それでは、「こそ－已然形」係り結びは、日本語の世界から本当に消えてしまったのだろうか。答えは「否」である。兵庫県但馬地方の方言に耳を傾けてみよう。

(14) アノウチニャー山コソアレ、田ンボヒトツ有リャーヘン。〔あの家には山はあるけれども、田ひとつありはしない。〕

（岡田壮之輔『但馬ことば』）

この言い方は、古典の次のような表現に似ている。

(15) 中垣こそあれ、一つ家のやうなれば、望みて預かれるなり。〔中垣はあるけれども、一続きの屋敷みたいなものだから、自分から望んで預かったのである。〕

（『土佐日記』）

すなわち、係り結びは但馬方言の中にはまだ生活語として生きながらえている。この事実は見逃すわけにはいかない。もっとも、これだけだと、古典語の化石を方言の中に発見したというところで終わってしまう。しかし、方言の中には、係り結びが大きく変化を遂げている様子が見られる。熊本県南関町の方言を覗いてみよう。

(16) ソンクライノコツァー、子供デン分カルクサイ。〔そのくらいのことは子供でもわかるさ。〕

（吉岡泰夫『南関町史（方言編）』）

この「クサイ」は実は「こそあれ」が自らの形を変え、接続も変じ、あげくは終助詞にまで発展したものである。たいそう変わり果てた姿になったものだが、変化が進むことで古典語にはない方言独自の世界を作り上げている。みなさんの故郷の方言にも、ルーツをたどると古典の言葉に行き着くものがたくさん見つかるはずである。

別の事例を紹介しよう。

「こま（駒）」と聞いて「馬の歌語」と答えられる人はさすがである。古典語の学習辞典には、確かにそのように書いてある。「鶴」に対する「たづ」、「蛙」に対する「かはづ」のように、「こま」は「馬」の歌語として古典の和歌に頻繁に登場する。

しかし、方言を調べてみると、「こま」は「雄馬」の意味で使われていることがわかる。「雌の馬」に対する「雄の馬」である。一箇所や二箇所の方言でなく、日本の東西にそうした地域が広がっている。偶然あちらこちらで「雄馬」の意味が発生したとは考えにくいから、日本語において、「こま」はもともと「雄馬」を指した可能性が浮上する。方言に反映されるのは和歌などとは無縁の庶民の話し言葉の歴史である。そのことを考えると、一般の人々の日常語において、「こま」は古くから実用的な「雄馬」の意味だったのではないか。

われわれは、古典文学から読み取れる言葉の世界を、無意識のうちに過去の日本語のすべてだと思い込んでしまっている。ところが、古典の文章とは、簡単に言ってしまえば京都や江戸という限定された土地の、しかも貴族や知識人といった一部の階層の人々のものに過ぎない。歴史の視野を日本列島全土に広げると、何が見えてくるのか。古い時代、一般庶民はどんな言葉づかいをしていたのか。方言を通して歴史を見ることは、古典だけでは知ることのできない過去の日本語を掘り起こすことにつながる。

方言の研究はこのように日本語の歴史ともリンクする。また、近年ではドラマや漫画で方言が流行し、土産物など方言グッズも製作されている。みなさんの中には、ＬＩＮＥスタンプの方言バージョンを使う人もいるのではないか。こうした現代社会における方言の活躍についてテーマにすることも、方言研究の新たな魅力と言える。

4 日本語学の未来

以上、日本語学の領域について、事例を挙げながら紹介してきた。最後に、日本語学の未来について考えてみたい。これからの日本語研究はどのように発展していくだろうか。

一つは、他分野との融合、共同研究による研究の推進である。例えば、大規模で電子化された言語データは、データベースやコーパスと呼ばれているが、その企画、編纂、整備には工学、人間工学、自然言語処理等、多くの学際的分野が関わっている。現在、関連のある分野が相互に貢献しあうことによって、世界的規模の電子化コーパスの整備が進められている。このような学際的研究は、今後も続くものと思われる。これ以外にも、会話の研究はコミュニケーション研究、社会学、心理学などともつながりをもっており、学際的に研究が進められている。その際、学際的研究を進めながらも、自らの学問の立ち位置、強みを意識することが求められるであろう。

もう一つは、言葉の研究を他分野に応用していくというものである。例えば、コミュニケーション研究ではその実態を明らかにするだけでなく、その成果を医療や教育でのよりよいコミュニケーションに生かそうとしている。また、実践方言学は社会・経済の活性化に向けた方言活用を扱ったり、災害や医療福祉の現場で起こる方言による相互不理解の問題を研究したりしている。

おわりに

最後に人文社会科学全体の未来について考えてみる。

人文学は、英語ではhumanitiesであり、humanityすなわち「人間性」の追求を学問分野の土台としている。人間の特徴として、二足歩行、火を操るというのがあるが、何と言っても、言葉を操る、言葉を持っているということは、人間の特徴であると思う。

我々は言葉を持ち、何気なしに言葉を使ってはいるが、その仕組みについては知らないことが多い。日本語学は、日本語の解明をその目的とするが、それはとりもなおさず我々の言葉の仕組みについて知るということであり、我々の内面を問うことにも通じる。すなわち、言葉の探索は自分自身の探索でもあるわけである。

これからの人文社会科学は、日本語学における前述の傾向から考えると、一つには隣接領域との共同的、学際的研究がより一層進んでいくと思われる。学際的研究の中で、日本語学分野の特徴や独自性、強みが何であるかを求められるであろう。もう一つは、解明を主にした研究だけではなく、研究を応用し、私たちの生活との関わりを追求する研究に光が当てられるであろう。その際、人文社会科学は、私たちの生活から隔たったものとしてではなく、日常へのまなざしを含んだものとなるであろう。

〈参考文献〉
大木一夫『ガイドブック日本語史』（ひつじ書房、二〇一三年）
小林隆・篠崎晃一（編著）『ガイドブック方言研究』（ひつじ書房、二〇〇三年）

小山哲春・甲田直美・山本雅子（著）『認知語用論』（くろしお出版、二〇一六年）

21　日本語教育学　人をつなぎ、社会をつくる

小河原義朗・島崎　薫

はじめに

日本語教育学とは、一般に「日本語を母語としない人、主に外国人が日本語によるコミュニケーション能力を高めるための研究を行なう分野である」と捉えることができます。このように捉えると、日本語を外国語、あるいは第二言語として学習する人、すなわち日本語学習者（以下、学習者）の実態を知るということが大切な第一歩になります。そこで、まず「学習者」とは一体どのような人たちなのかということから、具体的に考えてみましょう。

1　問1：「学習者」とはどのような人たちだと思いますか？

「学習者」というと、私たちが外国語として英語を学習しているように学校や大学で日本語を勉強している人を思い浮かべるかもしれません。

現在日本の人口は約一億二千万人です。そのうち外国人の数はどれくらいだと思いますか。身の回りに外国

の人々が増えていることは日々いろいろな場面で実感していると思います。その数は年々増え続けており、二〇二一年時点で約2％です。つまり、日本に住んでいる人の五〇人に一人は外国人ということになります（最新の在留外国人数は、法務省出入国在留管理庁HPを参照）。増加している背景には、もちろんグローバル化が挙げられますが、日本の喫緊の社会問題である少子高齢化により、労働力人口を外国人材に頼らざるを得ない状況も大きな要因になっています。日本はすでに多文化共生社会に向けて動き出し、日本人と外国人がお互いに認め合い、社会の一員としてともに生きていく必要に迫られています。

そのため、外国人材を適正に受け入れ、多文化共生社会の実現を図ることにより、日本人と外国人が安心して安全に暮らせる社会の実現に寄与するため、二〇一八年の「外国人材の受入れ・共生のための総合的対応策」で、外国人材の受入れ・共生に関して目指すべき方向性を示し、二〇一九年の「改正出入国管理及び難民認定法」で、様々な分野で外国人材の受け入れが拡大されました。同年六月には「日本語教育の推進に関する法律」が施行され、国や地方自治体に日本語教育を進める責務があると明記し、外国人が日本社会で暮らしやすくするために日本語教育を受ける機会を最大限に確保することを基本理念に掲げています。つまり「学習者」とは、大学のキャンパスで専門の勉強をするために日本語を勉強している、あるいは日本語学校で日本語を学んでいる留学生だけでなく、日本で様々な分野の現場で働く、あるいは働いている人、そういった人たちの家族である配偶者や子どもたち、そして現在あるいは今後も日本で生活を続けていく定住する人たちなど、日本国内だけでも多様な人がいることがわかります。

では、このような学習者はどのような日本語の学習が必要になるでしょうか。例を挙げて具体的に考えてみましょう。図21-1を見てください。

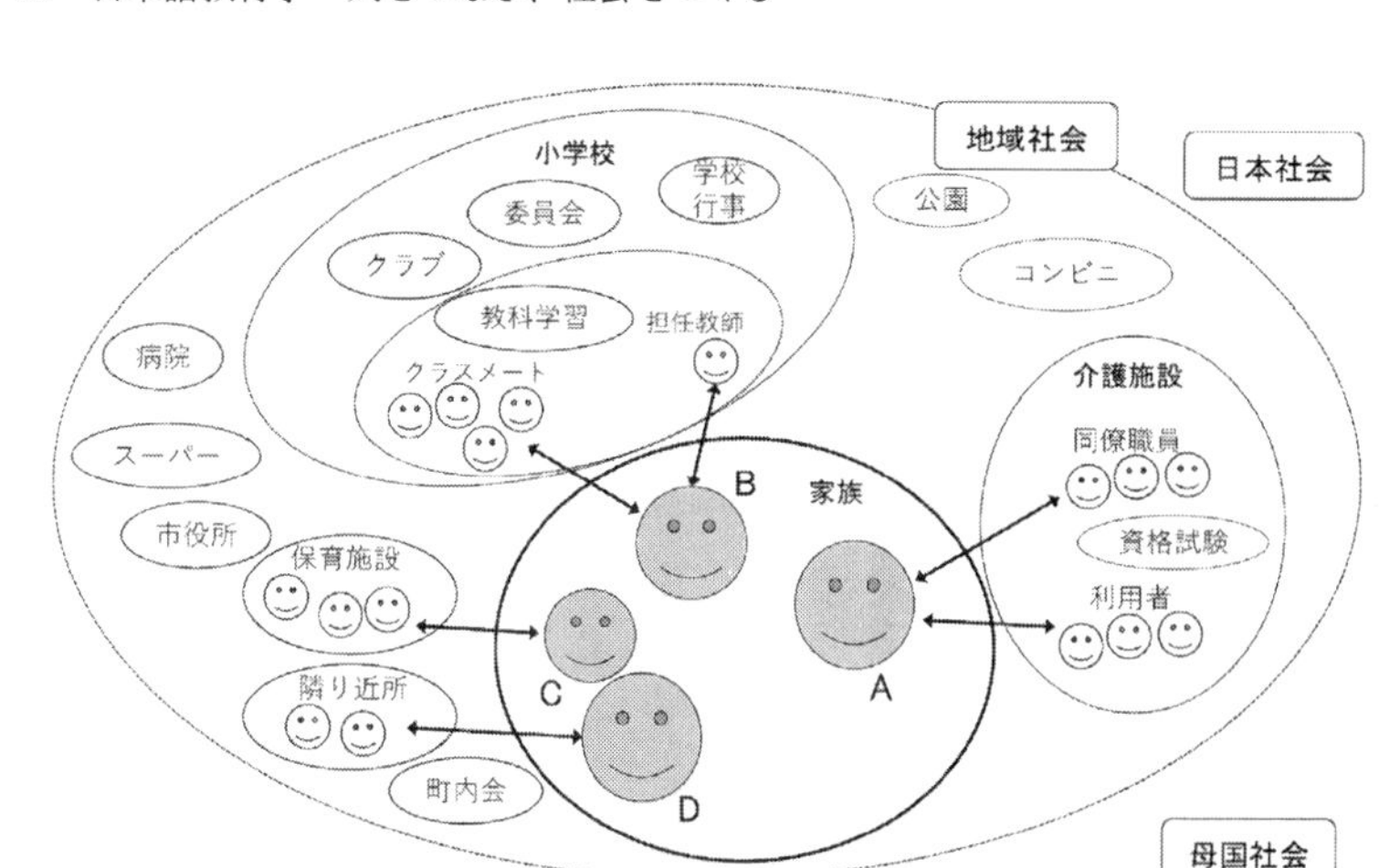

図21-1　Aさん家族を取り巻く社会の状況

図21－1のAさんは東南アジア出身で、日本の介護施設で働いていますが、国で来日前の半年間の日本語研修しか受けていません。毎日利用者の介護や他の同僚職員と仕事を通して日本語によるコミュニケーションをしています。日本での介護士国家資格を得るために日本語による受験勉強も必要です。最近Aさんは国から家族を呼び寄せました。小学生の子どもB君は、毎日日本の小学校で様々な教科を学習し、担任の先生やクラスメート、クラス外では委員会やクラブ活動、学校行事などで日本語を使わなければなりません。妹のCちゃんは就学前の幼児で、いつも母親のDさんといっしょにいますが二人とも日本語がまだ話せません。市役所や病院、保育などの公共施設を利用したり、町内会や隣り近所の人と日本語でやりとりしたりすることも必要です。

　この4人に日本語を教えるとしたら何をどのようにしますか。日本語学校に毎日通うことはできませんし、同じ内容を同じやり方で教えることもできないでしょう。二人の子どもは日本人の友だちができて毎日日本語によるコミュニケーションの環境にいれば、日本語をどんどん吸収していくかもしれません。しかし、大人の二人はそう簡単にはいきません。日本語環境に慣れ、急速に日本語を吸収する子どもたちはこれまで使っていた母語を忘れたり、話したがらなくなったりして、両親と十分なコミュニケーションができなくなってしまうことも起こり得ます。日本語の問題で、子どもを通じた親同士の交流や、地域での日本人との交流ができなければ、家族は孤立したり、同じ国のコミュニティーで固まったりして相互理解が得られずにいつしか見えない壁ができ、無用なステレオタイプや偏見、差別に結びついてしまう危険性もあります。さらにこの家族はいずれ国へ帰るかもしれません。すると子どもたちの言葉はどうなるでしょうか。母語を忘れ、あるいは母語も日本語も十分に発達しないまま帰国することになるのであれば、日本語だけでなく母語教育を考えることも必要でしょう。

このように外国人が日本で暮らしていく上では、日本語によるコミュニケーションが不可欠であり、そのためには日本語教育が重要な役割を果たします。しかし、日本語教育といっても、このように対象となる学習者の出身国・地域による言語・文化、生活習慣、社会制度、価値観、来日理由・経緯、年齢、将来設計、家庭生活環境といった背景や状況は様々であることから、その多様性に応じて最適な日本語学習を柔軟にデザインして行なうことが必要になります。つまり、これが日本語教育学に求められている専門性なのです。

2　問2：日本語の学習は教室で日本語教師だけから教えられるのでしょうか？

このような多様な現状に対応するためには、教室で教科書を使って言葉を教える「日本語教師」だけでは不十分です。図21－1の全体を踏まえた日本語教育プログラムの策定・運営・改善、日本語教師等に対する指導・助言を行うほか、多様な関連機関との連携・協力を担う「日本語教育コーディネーター」が必要です。そして、Aさん家族を取り巻く地域や日本社会において日本語教育の内容とその社会的意義を理解し、その促進をサポートする「日本語教育サポーター」も必要です。さらに、「日本語教師」「日本語教育コーディネーター」「日本語教育サポーター」を養成し導く「日本語教師教育者」、それら全体をミクロ、マクロの両面からより良い日本語教育を追究し方向づけるための根拠を示していく「日本語教育研究者」も不可欠です。これらの日本語教育人材が連携し、有機的につながることがこれからの日本語教育の基盤となり、多文化共生社会の構築に向けた原動力になります。

3　問3：日本語教師に必要な資質・能力とは何だと思いますか？

どうしたらこのような日本語教育人材になることができるのでしょうか。それらに共通して求められる基本的な資質・能力として、文化庁（二〇一九）は以下の3つを挙げています。

(1) 日本語を正確に理解し的確に運用できる能力を持っていること。
(2) 多様な言語・文化・社会的背景を持つ学習者と接する上で、文化的多様性を理解し尊重する態度を持っていること。
(3) コミュニケーションを通じてコミュニケーションを学ぶという日本語教育の特性を理解していること。

表 21-1　日本語教師の「養成」段階で求められる資質・能力（文化庁（2019））

知識	1．言語や文化に関する知識（例：外国語、日本語の構造、言語使用や言語発達、言語の習得過程等に関する知識を持っている） 2．日本語の教授に関する知識（例：日本語教育プログラムやコースにおける各科目や授業の位置付けを理解し、様々な環境での学びを意識したコースデザインを行う上で必要となる基礎的な知識を持っている） 3．日本語教育の背景をなす事項に関する知識（例：外国人施策や世界情勢など、外国人や日本語教育を取り巻く社会状況に関する一般的な知識を持っている）
技能	1．教育実践のための技能（例：学習者の日本語能力等に応じて教育内容・教授方法を選択することができる） 2．学習者の学ぶ力を促進する技能（例：学習者が多様なリソースを活用できる教育実践を行う能力を持っている） 3．社会とつながる力を育てる技能（例：学習者が日本語を使うことにより社会につながることを意識し、それを教育実践に生かすことができる）
態度	1．言語教育者としての態度（例：日本語教育に関する専門性とその社会的意義についての自覚と情熱を有し、自身の実践を客観的に振り返り、常に学び続けようとする） 2．学習者に対する態度（例：指導する立場であることや、多数派であることは、学習者にとって権威性を感じさせることを、常に自覚し、自身のものの見方を問い直そうとする） 3．文化多様性・社会性に対する態度（例：異なる文化や価値観に対する興味関心と広い受容力・柔軟性を持ち、多様な関係者と連携・協力しようとする）

では、中でも学習者に直接日本語を指導する現場の日本語教師に必要な資質・能力はどのようなものでしょうか。特にこれから日本語教師を目指す場合、大学などの日本語教師の「養成」段階で求められる資質・能力として文化庁（二〇一九）では、表21－1のように知識・技能・態度の3つの観点からまとめています（詳細は文化庁（二〇一九）を参照）。

さらに、この資質・能力を育成するために必要となる教育内容として、日本語教育とはコミュニケーションそのものであり，教授者と学習者とが相互に学び，教え合う実際的なコミュニケーション活動であることから、コミュニケーションを中心として等価に5区分し、それぞれ必須となる基礎的な50項目を表21－2のように明示しています。

問1では、主に国内での学習者の例を挙げましたが、上記の項目からもわかるように海外ではさらに多様な目的とニーズで日本語を学習する学習

表 21-2　5区分と必須となる基礎的な 50 項目（文化庁（2019））

社会・文化・地域 （1）世界と日本の社会と文化、（2）日本の在留外国人施策、（3）多文化共生（地域社会における共生）、（4）日本語教育史、（5）言語政策、（6）日本語の試験、（7）世界と日本の日本語教育事情
言語と社会 （8）社会言語学、（9）言語政策と「ことば」、（10）コミュニケーションストラテジー、（11）待遇・敬意表現、（12）言語・非言語行動、（13）多文化・多言語主義
言語と心理 （14）談話理解、（15）言語学習、（16）習得過程（第一言語・第二言語）、（17）学習ストラテジー、（18）異文化受容・適応、（19）日本語の学習・教育の情意的側面
言語と教育 （20）日本語教師の資質・能力、（21）日本語教育プログラムの理解と実践、（22）教室・言語環境の設定、（23）コースデザイン、（24）教授法、（25）教材分析・作成・開発、（26）評価法、（27）授業計画、（28）教育実習、（29）中間言語分析、（30）授業分析・自己点検能力、（31）目的・対象別日本語教育法、（32）異文化間教育、（33）異文化コミュニケーション、（34）コミュニケーション教育、（35）日本語教育と ICT、（36）著作権
言語 （37）一般言語学、（38）対照言語学、（39）日本語教育のための日本語分析、（40）日本語教育のための音韻・音声体系、（41）日本語教育のための文字と表記、（42）日本語教育のための形態・語彙体系、（43）日本語教育のための文法体系、（44）日本語教育のための意味体系、（45）日本語教育のための語用論的規範、（46）受容・理解能力、（47）言語運用能力、（48）社会文化能力、（49）対人関係能力、（50）異文化間調整能力

者がたくさんいます。養成段階であれ、どのような資質・能力が必要なのかについては、そもそも「資質・能力」という観点を含めて今後検討、検証が進んでいくことになります。しかし、日本語教師といってもかなり広範囲な領域をカバーしなければならないと感じられるのではないでしょうか。上記の枠組みであれば、本専修では主に「言語と教育」領域を中心に学習します。その他の領域については、26専修という多様な分野から構成される本学部の特色を十分に活かして計画的にバランスよく学習することができます。

4　問4：これから求められる日本語教育人材とはどのような人だと思いますか。

以上を踏まえて、これから求められる日本語教育人材について考えてみましょう。私たちは日々ことばを使い、様々な人やモノ、場や情報と関わりながら生活を営んでいます。このようにことばは、教室の中だけで学ばれるものではなく、日々の営みの中で多様な関わり合いを通して学ばれていきます。つまり、日本語教育とは、日本国内外で日本語を母語としない人、主に外国人がそれぞれの人生において、日本語によるコミュニケーションを通じて、自ら日本語を学んでいけるような教室内外の学習環境をデザインすることであると言えます。

そのために必要な日本語教育学の研究とは、まず日本語を学ぼうとする学習者ひとりひとりの人生とそれぞれが生きる社会では、何が起きているのか、その中でことばやコミュニケーションがどのように位置づけられ機能しているのか、その実態について興味関心をもって客観的に明らかにする必要があります。このことから日本語を母語としない人、主に外国人と積極的に関わること、そのような機会に参加すること、そしてともに何かを体験すること、ともに目的を達成するために活動すること、その成果をともに共有することを勧めます。そのような接触や参加、交流を通してその実態に直に触れ、理解を深めることができます。

そして、国内外で日本語を教えている、あるいは日本語学習を支援している場を直接見たり、実際に教えたりする機会があればぜひ積極的に参加してください。そのような機会を通じて、学習者はどのようにことばを学んでいるのか、日本語は外国語・第二言語としてどのような考えからどのように教えられているのか、日本語とはどのような構造や体系をもったことばなのかについて、学習者の視点から考えることができます。それは、普段当たり前のように使っている日本語や日本語によるコミュニケーションを外から俯瞰して眺めることになり、より柔軟な視点を身につけることができます。そして、日本語を教えるとはどういうことなのか、どうあるべきなのかを具体的に考え、自らのことばで論じるための基盤づくりになります。

おわりに

これからの日本社会では、外国の人々とともに暮らし、お互いが地域の一員として新たな社会を創っていくことになります。日本語教育学はその多文化共生社会の構築を最前線で支える基盤となる学問領域です。今後みなさんがどのような分野で活躍するのかにかかわらず、大学で日本語教育学を勉強した上で一社会人として社会に漕ぎ出して行ってほしいと思います。そして、日本語教育学を通して学んだマインドを持って、日本語教育を支える良き支援者として日本の多文化共生社会の構築に貢献してほしいと思います。

日本語教育学専修は、今後より一層多様化、グローバル化の進む社会において、学習者に応じた学習環境をデザインできる優れた日本語教師を育成するだけでなく、異なる文化背景をもつ人同士の関わりに際して、互いに人として尊重しあいながら、課題を共有し、ともに解決していくための資質・能力を備えた国際的な人材の育成を目指しています。

タスク

（1）みなさんが住んでいる、あるいは出身の地域（地方自治体）にはどのような外国人がどれくらい住んでいますか。また、どのような日本語教育支援が行われていますか。調べてみてください。

（2）みなさんが図21－1のAさん家族の日本語学習を支援するとしたら、どのようなことができるでしょうか。考えてみてください。

（3）より良い多文化共生社会の構築のために私たちができることは何だと思いますか。考えてみてください。

〈引用文献・日本語教育学を知るためのオススメ入門文献・HP情報〉

○マンガを通してちょっと日本語教育学の世界に触れてみたい人へ

蛇蔵&海野凪子（二〇〇九）『日本人の知らない日本語』メディアファクトリー

「外国につながる子どもたちの物語」編集委員会編（二〇〇九）『まんが　クラスメイトは外国人　多文化共生二〇の物語』明石書店

○日本語教育学と社会のつながりについて興味がある人へ

川上郁雄（二〇一〇）『私も「移動する子ども」だった』くろしお出版

嶋田和子（二〇二〇）『外国にルーツを持つ女性たち：彼女たちの「こころの声」を聴こう！』ココ出版

田尻英三編（二〇一七）『外国人労働者受け入れと日本語教育』ひつじ書房

西日本新聞社編（二〇二〇）『【増補】新　移民時代　外国人労働者と共に生きる社会へ』明石書店

山田泉（二〇一三）『多文化教育Ⅰ』法政大学出版局

○日本語教師の仕事に興味がある人へ

文化庁（二〇一九）『日本語教育人材の養成・研修の在り方について（報告）改定版』

義永美央子・嶋津百代・櫻井千穂（二〇一九）『ことばで社会をつなぐ仕事―日本語教育者のキャリア・ガイド―』凡人社

○日本語教育学の今を知りたい人へ

東北大学文学部日本語教育学研究室（https://www2.sal.tohoku.ac.jp/nik/）
公益社団法人日本語教育学会（http://www.nkg.or.jp）
独立行政法人国際交流基金（https://www.jpf.go.jp）
文化庁日本語教育（https://www.bunka.go.jp/seisaku/kokugo_nihongo/kyoiku/）
公益財団法人仙台観光国際協会（https://www.sentia-sendai.jp）
公益財団法人宮城県国際化協会（https://mia-miyagi.jp）

22　日本思想史　未来に橋を架けるために

片岡　龍

はじめに―「日本思想史」とは？

みなさんのなかには、「日本思想史」という学問名をはじめて耳にした、という人も多いと思います。そこで、ここでは「日本思想史とは何か？」について一緒に考えながら、この学問の特色を明らかにし、また勉強法の提案もしたいと思います。

ところで、「日本思想史とは何か？」について学界の中で明確な定義が決まっているわけではありません。学術というものが、つねに変動する社会のなかで発展あるいはパラダイム変化することから言えば、どの学問分野も多かれ少なかれそうした傾向はありますが、「日本思想史」の場合はとりわけそうです。

むしろ、固定的ではないという点が、「日本思想史」の特色であると言ってもいいほどです。つねに、みずからの枠組みを問い直しつづける学問、未来を開く「日本思想史」と格好よく言いたい気もします。しかし、それではみなさんの頭の中は「？？？」でしょうから、もう少していねいに説明してみます。

1　日本史などとのちがい

新入生の研究室訪問のときによく聞かれるのは、日本思想史と日本史ではどうちがうのか？　哲学・倫理学、宗教学とのちがいは？　といった質問です。

哲学・倫理学とのちがいは比較的かんたんです。「日本の哲学・倫理学は主に西洋中心で、日本は基本的にふくまれない（最近は、必ずしもそうではない）」。そう答えておけば一件落着です。

宗教学との異同になってくると少し微妙です。しかし、ちがいという点に限っていえば、「宗教学のフィールドには日本もふくまれるが、フィールドは日本だけではない（世界各地）。また日本思想史の研究対象は日本の宗教をふくむが、宗教以外もふくむ（思想・文化一般）。」。いちおうこれで納得してくれます。

問題は、日本史とのちがいです。もしも「日本思想史」をことばの表面的意味にしたがって、「日本の思想の歴史」くらいに常識的に理解するなら、日本思想史は日本史のなかの一特殊分野にすぎなくなってしまいます。

狭義の日本思想史の理解としてはそれでもよいのですが、「日本思想史」には日本史の一分野にはおさまりきらない何かがあります。その何かを説明しようとすると、案外むずかしいのです。

2　思想史とは？

ポイントは、「日本思想史」の「思想史」という部分をどう理解するかです。これを「思想の歴史」と考えると、思想史学は歴史学の一分野になってしまいます（狭義の「思想史」）。しかし、「思想史」は歴史学にはおさまりきらない、独立した学術意義をもっています。それでは、「思想史」の独立した学術意義とは何でしょうか？

一言でいえば、「思想史」（広義）独自の学術意義は、〈専門横断性〉です。

一般に、思想史は、20世紀初めにアーサー・O・ラヴジョイ（一八七三〜一九六二）がアメリカのジョンズ・ホプキンス大学に創設したヒストリー・オブ・アイディアズ・クラブに始まると言われます。ヒストリー・オブ・アイディアズ・クラブというのは、ジョンズ・ホプキンス大学の異なった学部に所属する学者たちが、大学の制度とは別に、非公式に集まって「ヒストリー・オブ・アイディアズ」、すなわち思想史について対話したクラブ（社交団体）です。

なぜ、そのような専門を越えた学際的対話をおこなう社交団体が二〇世紀初めころに必要になったかというと、一九世紀になって学問の専門分化が急速に進んだからです。それまで「知識」の総体を意味していたサイエンス（Science）が、科学（「分科の学」）という意味に変化したのは一九世紀と言われます。

専門分化は、学術が発展していくための必要条件ですが、同時に専門があまりに細分化すると全体が捉えにくくなる弊害（木を見て森を見ず）も生じます。その弊害を克服するために、〈専門横断性〉を特質とする「思想史」が生まれました。

「思想史」創設者の一人とも言ってよいラヴジョイの主著の名は、『存在の大いなる連鎖（*The Great Chain of Being*）』（一九三六。邦訳は一九七五）。あらゆる存在は、すべて連鎖している、一見ちがった物どうしも、見方を変えれば実はつながっているとする立場です（たとえば赤と青の色のちがいも、可視光線の波長という点では連続しているように）。そもそも「思想史」とは、物事を分断的にではなく、相関的に見ようとする学問なのです。

「思想史」の独立した学術意義としての〈専門横断性〉、そのことをわたしはふだん次のように説明しています（東北大学文学研究科・文学部のホームページ「教員のよこがお：片岡龍」より）。

〈思想史とは、橋を架けること〉

思想史とは、今を生きるわたしたちと過去を生きた人びと、異なる文化を生きた人々との時空を越えた対話です。また、文学・歴史・哲学などの人文学と社会科学のあいだ、さらには文系と理系の垣根も乗り越えて、……学問と社会の橋渡しにも積極的なのが思想史の持ち味です。

したがって、思想史を研究するには、一つの専門分野をひたすら掘り下げるだけでは足りない、ということです。しかし、現在のようにこれだけ細分化した星の数ほどもある専門分野のなかで、これから学びはじめようとするみなさんが、異なる分野に橋を架けるなどということは、はたして可能なのでしょうか？

3　思想史と「指揮者」の共通点

一つの専門分野ですら、それを一生かけて追究している研究者が多くいます。本来、研究とはそういうものでしょう。したがって、これから日本思想史を学ぼうという人も、まずは狭義の意味の日本思想史の研究から出発しなければならないのは、当然です。

しかし、深い穴を掘るためには、穴幅を広くしなければ、すぐにシャベルが底に届かなくなるように、一つの専門分野を深く掘り下げるためには、どんな専門の場合も、やはり幅広い知識が必要なのです。

思想史は、音楽で喩えてみれば、指揮者のような存在と言えるかもしれません。指揮者の役目は、「作曲家たちの想いをオーケストラから引き出して聴衆に伝えること」です。

たとえば、カント（一七二四－一八〇四）や西田幾多郎（一八七〇－一九四五）の著述にこめられた彼らの想いを引き出そうとするという点では、哲学・倫理学とちがいはありません。しかし、指揮者が作曲家の想いを引き出す際に、みずから楽器を演奏するのではなく、他の演奏者たちを指揮することを通じて全体のハーモニーを導き出すのと同様、思想史家もカントや西田の想いを引き出すために、哲学・倫理学・歴史学・文学などの人文科学、政治学・社会学・教育学などの社会科学、さらには地震学・生物学などの自然科学の研究まで縦横に用いて、その全体像を浮かび上がらせるのです。

指揮者には、バイオリンやピアノなどの熟達した演奏者ほどには、各楽器の演奏技術は要求されませんが、彼らを指揮するためには、やはり各楽器の演奏経験がある程度なければできません。そうした引き出しをどのくらいたくさんもっているかで、豊かなハーモニーを生み出せるかどうかが決まります。ここに指揮者のもつ専門性があるのです。

思想史も、多くの専門分野を横断するからといって、専門性に欠けるわけではありません。指揮者同様、どのくらい多様な引き出しをもって、過去の思想家や時代精神の全体像を浮かび上がらせられるか、そこに思想史の専門性があります。

もう一つ、指揮者の比喩で大事なのは、指揮者はオーケストラの中でただ一人、聴衆に背中を向けているという点です。聴衆に背中を向けているということは、指揮者は聴衆と同じ目線の方向で立っている、つまり聴衆の代表でもあるという意味です。

ですから、指揮者の役目は、作曲家たちの想いをオーケストラから引き出すだけでなく、それがちゃんと聴衆に伝わるようにしなければなりません。〈思想史とは、橋を架けること〉の文章のなかで、「学問と社会の橋渡しにも積極的なのが思想史の持ち味」と言っているのは、そうした理由からです。

一つの専門分野だけをくわしく追究していると、どうしてもその分野の専門家だけに通じる用語（ジャーゴン）を使って語る傾向が、避けられません。それは、その専門分野を専門家どうしで究めるという点では有効ですが、一般の社会の人々がそれを理解することは困難です。一般の人どころか、同じ研究者でも専門が異なると話がまったく通じない状況が、現在では一般的になってきています。

しかし、学術というのは本来、社会の安寧・人類の福祉のために存在する（今すぐ役立つという意味ではなく）のですから、みずからの研究の意義や成果を社会に伝える責任があります。思想史はとりわけ、学術オーケストラの指揮者として、積極的にそうした責任を担おうとする心がけが求められます。

もちろん、これはあくまで「思想史」の理想の姿です。実際に大学で学ぶときには、まずは狭義の日本思想史をきちんと修学しなくてはなりません。しかしそれとともに、国内外の新聞や雑誌などにも積極的に目をとおし、現在の社会ではどんなことが課題となっているのか、それにたいして自分たちの日本思想史研究がどうつながることができるのかといった問題にも、敏感でなければならないのです。

異なる専門分野の研究の概要を把握するためには、いわゆる「書評論文」や「研究動向論文」を心がけて読むと良いと思います。そうした習慣を積み重ねていけば、異なる分野どうしのつながりまで、だんだん見えるようになります。そうした学問地図、学問相関図のようなものを何枚もちあわせているか、それが卒業論文を書くときに、道に迷わず無事に目的地まで到着できるかどうかを左右する重要な鍵になります。

4　「日本」にこだわるワケ（狭義の場合）

さて、ここまでで、歴史学の一分野だけにはおさまりきらない思想史の存在意義については、ある程度わかってもらえたと思います。

しかし、「日本思想史とは何か？」を考えるには、もう一つやっかいな問題が残っています。それは「思想史」の前についている「日本」という問題です。

常識的な理解としては、思想史といっても幅広いので、研究対象とする範囲を、いちおう「日本列島」で展開した思想的営み、あるいは「日本語」で表現された思想的作品に限定する、その意味で「日本」を冠す、といったところでしょう。

しかし、学問は厳密性を尊ぶので（何をもって厳密とするかという問題はさておき）、広すぎるからとりあえず日本に絞るといった説明では、とうてい学問的とはいえません。たとえば、宗教学の研究対象は、日本に限られるわけではなく、いくら広くても世界中の地域が宗教学の対象になっています。

実は、この問題は日本思想史だけでなく、日本史、日本文学、日本語学など、いわゆる「日本学」に属する専門分野がともに抱えている問題です。

近代以来の日本の各専門分野の名称を眺めてみると、「日本」がついている分野は人文学に限られています。社会科学のなかにも「日本政治分析」や「日本経済」といった語はキーワードとしては登場しますが、それらは「政治学」や「経済政策」分野の一項目にすぎません。まして自然科学系の中に、「日本数学」とか「日本医学」といった分野は存在しません。

しかし、江戸時代には「和算」とか「(日本)漢方」といった学問はあったのですから、そうした学問分野がそもそも存在しないということではなく、近代になって西洋から輸入された学問が、現在の日本の制度的な学問の主流を占めている、ということです。

そうした中で人文学だけに「日本」を冠する専門分野があるワケは、近代とは「国民国家」の時代であり、国民国家は「国民意識」(ナショナル・アイデンティティ)を必要とするからです。そして、国民意識はその国の文化(日本の文学、日本の歴史、日本語など)の「伝統」の上に表れると考えられた。そのため、それを専門的に研究する「国文学(日本文学)」「国史(日本史)」「国語学(日本語学)」などが、制度的な学問体系の中に組み込まれたのです。

もちろん、現在では「国民国家」自体の想像性や、「国民意識」や「伝統」の創作性に関する認識が広く共有されてきましたが、それでもなお、「日本」という国民国家(かなり制度疲労が目につくようになってきたものの)の中で生活している以上、日本史、日本文学、日本語学などの研究によって、日本文化の「アイデンティティ」を探り、同時にそれを明らかにしつつ異文化との比較を通じた相互理解を深めることには、やはり学問的意義があります。狭義の日本思想史も同様です。

しかし、広義の「日本思想史」の場合は、どうでしょうか?広義の「(日本)思想史」の学術意義は〈専門横断性〉、つまり橋を架けることでした。その点では、「日本」という国民国家に専門を限定（分断）して、日本文化の「アイデンティティ」を明らかにするという学問的意義とは、そもそも相性が悪いようです。広義の「(日本）思想史」において「日本」にこだわるワケは、もう少し別の角度からの説明が必要です。

5　「日本」にこだわるワケ（広義の場合）

広義の「(日本）思想史」における「日本」とは、それにこだわることで、むしろ社会の安寧・人類の福祉のために〈橋を架ける〉思想的可能性をもつのでなくてはなりません。

国民国家としての「日本」にそうした可能性はあるでしょうか?アジアの中で日本はいち早く「近代化」に成功した。一時は、アジアのエリートにとって、そうした「日本」が希望の星となりました。しかし、「近代化」の弊害も目立つようになった現在では、もはや「日本」は人類の希望の星ではありません。

憲法第九条の存在は、たしかに人類の福祉のために〈橋を架ける〉可能性を大いにもっています。しかし、それが「押しつけ」られたものであって「日本」自生の価値であるかどうかの議論も紛糾したまま、最近は改憲を良しとする国民の声も高くなってきました。国民国家としての「日本」には、やはり社会・人類に〈橋を架ける〉ような積極的可能性は認めにくいのではないでしょうか。

ところで、国家の三要素（主権・国民・領土）の領土とは「国境」によって限られます。広義の「思想史」は、この「国境」による分節と相性が悪いわけですが、「国境」による領土画定のもつ意味をあらためて考え直して見ると、「国境」は外の世界にたいして国を画すと同時に、内にあるさまざまな境界を取り払い、国内を一つの領土として一体化させる働きをもちます。実は、国民国家「日本」の誕生によって失われたのは、そうした国内のさまざまな境界が織りなしてきた地域（風土）的多様性（たとえば江戸時代の藩の数は、時代による増減はあるが約三〇〇）なのです。

日本は、東西・南北ともに長さ三〇〇〇kmにわたり（面積が日本の約25倍のアメリカ合衆国は、東西四五〇〇km・南北三〇〇〇km）、多様な気候と複雑な地形をもった七〇〇〇の群島からなる、まさに花綵（かさい／はなづな）列島の呼び名にふさわしい風土的特徴をもっています。

したがって、かつては地域ごとにさまざまな特色をもった文化が、この群島には存在していました。それが、明治における国民国家の成立を大きな契機として、だんだんとその多様性を喪失していき、とりわけ戦後の高度経済成長期の列島改造ブームや、現在のグローバル化の大波によって、いまではどこの地方の都市にいっても似たような景色ばかり目につくようになったのです。

こうした趨勢は、日本に限らず、世界の多くの地域で進行しています。もちろん経済発展やグローバル化の進展も、人類の福祉のためには大事です（しかし、国民国家「日本」がそれを率先してリードできる思想的可能性の少ないことは先述のとおり）。経済発展やグローバル化（「文明化」）がもたらす負の側面の重要な一つである、文化的な多様性の喪失。花綵列島「日本」の記憶を掘り起こすことは、むしろその回復に貢献できるのではないでしょうか。

かつて存在した、また忘れられかけている「日本」の各地域の文化的多様性を発掘、再評価、再活性化すること。それこそが、広義の「(日本）思想史」における「日本」の学術意義ではないでしょうか。

6　日本思想史の勉強法

以上、「日本の思想の歴史」という以上にはあまり理解のされていない日本思想史（とくに広義）の学問の特色を明らかにすることを中心に述べてきました。最後にもっと現実的に、大学生としての日本思想史の一般的な勉強法を記しておきます。

まずは、日本思想史という学問に関心をもつことが、出発点です。そのためには、過去の日本の思想史家の実際の作品に触れるのがいちばんです。

代表的な思想史家や作品について知るには、**苅部直・片岡龍編『日本思想史ハンドブック』**（新書館、二〇〇八）の「思想史家たちの横顔」や「ブックガイド」の項目が便利です。前者には津田左右吉（一八七三～一九六一）、村岡典嗣（一八八四～一九四六）、和辻哲郎（一八八九～一九六〇）、小林秀雄（一九〇二～一九八三）、家永三郎（一九一三～二〇〇二）、丸山眞男（一九一四～一九九六）、島田虔次（一九一七～一九九六）の7名、後者には64の作品（図書63、映像1）が取り上げられています。

同書は紙幅の制約もあり、また一〇年以上前のものなので、今から見れば他にも取り上げたい思想史家や作品がたくさんあります。たとえば、加藤周一（一九一九～二〇〇八）『日本文学史序説』は中味は「思想史」と言ってもよい作品です。日本思想史における「思想」は、哲学や宗教的なものばかりではありません。むしろ「文学」的な著述に、日本の思想の特色がよく表れます。

また、**花綵列島「日本」の多様性**を考えるには、宮本常一（一九〇七－一九八一）『忘れられた日本人』も、思想史の参考として、ぜひ読んでほしい作品です。『宮本常一とあるいた昭和の日本』1～25などを参考に、日本のいろいろな地域を実際に訪れてみるのも、日本思想史の良い肥やしになります。

日本思想史の代表的なテキストを読む際には、「**日本の名著**」（**中央公論社**）**シリーズ**を活用するのがお薦めです。同シリーズは、第一巻『日本書紀』から第五〇巻『柳田国男』まで、古代から近代にわたる日本の名著にたいして、わかりやすい現代語訳（明治以降は原文）と思想史的な解説を付しています。専門的な研究をおこなうには、もちろん原資料に当たることが必要ですが、思想史の場合は、幅広い視野を獲得するために、現代語訳など利用できる便利な道具は、上手く活用すればよいのです。二〇世紀末の問題意識から近代中心に編まれたものとしては、「**思想の海へ：解放と変革**（**社会評論社**）」**シリーズ**全三一巻が、テキストの選択・解説ともに特色があります。

幅広い視野を得るには、辞事典類の利用が必須です。**日本思想史辞典**は複数刊行されています。先学の論文を読んだり、先輩や後輩の発表を聞くときなど、知らない用語が出てきたら必ずその場で辞書を引くクセをつけるとよいと思います。思想史でよく用いられる概念については、『西洋思想大事典』1〜4巻＋別巻（平凡社）も参考になります。

思想史研究を志す場合、手もとに備えておきたいのが、**平凡社**『**世界大百科事典**』のCD－ROM版です。CD－ROM版は紙の本に比べて、様々な方式の検索が可能です。指揮者としての「思想史」の引き出しを備えるのにとても貴重な宝箱のような事典です。

おわりに

最後に、日本思想史の勉強法として最も大事なのは、**さまざまな物事（とりわけ忘れられた日本の多様な地域の歴史）にたいする知的好奇心**です。日本思想史の扱う幅はたいへん広いので、自分が関心をもって行っている研究テーマと友人たちのテーマとは、一見バラバラです。自分とは異なる研究テーマにも積極的な好奇心をもつこと。そうした努力を積み重ねていけば、バラバラに見えていた問題群のあいだに、しだいに橋が架かりはじめます。異なるものどうしのあいだに、虹のような橋が架かったときの驚きと喜びを、日本思想史をとおして学んでもらえることを願っています。

○日本思想史学の未来

日本の今を生きるわたしたちと過去を生きた人びと、異なる文化を生きた人々との時空をつなぎ、学問分野の垣根を乗り越え、自己と世界を開新しつづける、それが日本思想史学の開く未来です。

○〈日本思想史学研究者が考える人文社会科学の未来〉

人間とは何か、社会とは何かを明らかにしようとする人文社会科学は、現在まさにその人間や社会のあり方が根源的に揺らぎつつある状況にどう答えるかが、問われています。人間といってもこのわたし、社会といってもあなたとわたし。身近な足元を徹底的に見つめ直すところから、人文社会科学の未来を共に開きましょう。

23 日本史 ——未知の過去から、いまを問う——

堀　裕

はじめに

歴史研究とは、現在を生きる人からは、想像もできない多様な過去の人々の活動を読み解くことで、未知の世界をつかみ出し、いまを生きる人たちに問いかけることです。ことに日本で日本史を学ぶ場合、関係する文字の史料や考古・美術の資料等を実際に見たり、歴史の現場を訪れたりすることができる機会も多く、より身近に研究できることが魅力のひとつです。

1　日本史からの問い

古生物研究が行う化石調査や、遺伝子研究における地道な解析は、ときに生物の特色やその全体像に迫ることができます。歴史学も、先人が残した史料を読み解くことで、それを書き残した人の人間像のほか、その人の人間関係や地域社会、さらに国家や世界の姿に迫ることもできるのです。またもし、化石資料などと同様に、歴史の史資料が失われてしまえば、存在していたはずの人や社会等を知る術はなくなってしまいます。

忘れさられることは、生き物の定めでもあるのですが、多様性のひとつを失ったともいえるでしょう。

では、残された史料を手にして、歴史的な多様性や、時代の特色を見出すとはどのようなことなのでしょうか。そこで、正田美智子が関わった、人の誕生と死をめぐる身体的な出来事から例示したいと思います。彼女は、一九五九年に、皇太子明仁（のちの平成の天皇）と結婚しました。結婚報道は好意的でしたが、明治以降、皇族・華族でない人が、皇后となったことはなく、旧皇族・旧華族を中心に、結婚に対する強い反対がありました。こうした対立は、徳仁（のちの令和の天皇）が産まれることでも表面化します。現在の子育てでは、かなえられるなら、母親自らが、母乳で育てるべきだと考える人は、多いように思います。皇太子妃美智子もそう考え、実行に移したのですが、当時の天皇家では、母親ではなく、乳人（めのと）が、こどもを育てる習慣だったため、反対の声もありました。

乳母の風習は、世界史的にも珍しいことではありません。日本でも、奈良時代には、天皇をはじめ有力者のこどもに、乳母（めのと）が付けられていましたし、江戸時代の春日局も、徳川家光の乳母でした。昭和の天皇家の乳人も、こうした風習のなかにあったともいえます。

他方で乳母は、古代から時代を下るに従い、徐々により広い階層で確認ができます。沢山美果子『江戸の乳と子ども―いのちをつなぐ―』（吉川弘文館、二〇一七年）から、江戸時代の様子を見ていきましょう。産後の母親は、さまざまな理由で母乳が出なかったり、亡くなってしまうことも珍しくありませんでした。このような時、養育料を付けて里子に出したり、村の助け合いの仕組みのなかで貰い乳をしていたほか、乳母を雇うことも一般的でした。また、重罪ではあったものの、さまざまな理由から捨て子が行われると、都市では、そのような捨て子を育てるため、仲介業者が里親を探す仕組みがあったことも知られています。このような乳母を含む子育てのための助け合いの習慣も、大正期ころになると、母性や衛生が強調され、母親でない人の授乳が否定されていくと指摘されています。

沢山の研究は、母親が母乳で育てるという考えが、常識ではないことを明らかにし、母乳への強い思い入れが、現代の母親を苦しめる原因になっていることにも言及しています。改めて美智子が、自身の母乳で育てることを選択した背景を考えてみると、母親が子育てをする、という家族モデルの登場を背景にしているとともに、現代的な子育ての問題と表裏一体の関係にあるとも指摘できそうです。

さて、長く皇后を務めた美智子は、人生の終点が見えるころになると、天皇の明仁とともに、自身の死後の埋葬方法について、天皇家の習慣を変更する意向を示しました。二〇一二年、葬儀の簡素化や、陵と呼ばれる大きな墓の規模を縮小するため、天皇家の習慣であった土葬ではなく、火葬を希望することを公表したのです。現在の日本の火葬率は、九九％を超えており、天皇や皇后が土葬すると聞けば、驚く人もいると思います。しかし、伝統を重視する一部の人からは、さまざまな点を挙げ、火葬に反対する声があがりました。では、土葬が、天皇の伝統的な埋葬方法かといえば、必ずしもそうではありません。飛鳥時代の持統天皇から天皇の火葬が始まったのち、平安時代中期から江戸時代初期の間の天皇は、ほとんどが火葬でした（皇后の場合は、やや異なる展開をみせるのですが、ここでは省略します）。

なぜ、平安時代中期に天皇の火葬が定着したのでしょうか。このころの火葬は、仏教的な信仰に由来するのですが、仏教の浸透だけが原因ではありません。時を同じくして、天皇が死んでも、すぐにはその死を公表しなくなったことが関係していると考えられます。死を隠している間に、あたかも生きているかのようにして譲位を行い、天皇ではなく、一般の人と身位が同じ上皇が死んだことにしていました。当時の在位中の天皇の死は、土葬が原則でしたが、この結果、すべての天皇が、死後上皇として、仏教信仰に従って火葬を選択することが可能になったという訳です。別の観点からみれば、天皇の地位が、死から解放されたということもできるでしょう。このような制度は、今のところアジアでは確認できないのですが、かつてのヨーロッパでは、類例がみられたことも注記しておきたいと思います（堀裕「天皇の死の歴史的位置―如在の儀を中心に―」『史林』八一巻一号、一九九八）。

美智子と明仁の火葬の選択にもどって考えてみると、天皇の土葬は、江戸時代に再開され、明治に固定された制度に過ぎません。天皇の伝統的な埋葬方法は、土葬とも火葬とも言えないのです。もうひとつ大事な点があります。象徴天皇は、政治に関与しないことが必須です。そのため、喪葬の変更や、さらにそののち天皇が譲位の希望を発信したことなどには懸念が残ります。ただこれこそが、王の身体の問題を考えるヒントがあるようです。王という制度は、一般に身体を欠いては存在しえず、それゆえ王の身体とは、その人のものであるとともに、国家のものでもあるのです。このことは、平安時代の天皇が、奇妙な方法をとってでも、天皇であることからまぬがれ、埋葬方法の自由を得たこととも関わります。譲位や埋葬方法といった問題は、個人と国家との間で揺れるものなのです。自分の身体の処分について自由が認められないならば、現代は、中世よりも厳しい制度であるということもできるかもしれません。

母乳や死など、人間の生き死には、歴史を考えるための根本です。個人の問題はもちろん、そこから社会や国家の問題へも連なっていくことが可能なのです。再び古生物や遺伝子の研究の比喩に戻りましょう。これらの研究は、歴史学と同じか、それ以上に客観的な解析が可能な反面、何を研究し、どう評価・利用するのかは、歴史学と同様、人間の判断にゆだねられています。サイエンスとともに、歴史学を含む人文社会「科学」にとって、大切なことは、根拠を示すことと、問いの中身なのです。このような科学であるからこそ、魅力的であるといえるでしょう。

2　日本史学の歴史といま

多様な問題意識をもつ研究の開花

日本史研究の歴史を振り返ることは、研究のいまを明らかにするために有益です。二〇二〇年を過ぎたいまを考えるためには、一九一〇～三〇年代前半を出発点にする必要があると考えます。このころ、大正デモクラシーと呼ばれる民主主義の広がりや、都市文化の発展など明るい面がみられました。その一方で、ロシア革命に対抗するためのシベリア出兵や米騒動、関東大震災、治安維持法成立など、人々が苦しむ出来事も起きています。韓国を植民地としたほか、中国東北部に日本の傀儡政権である満州国を成立させるなど、欧米の帝国主義に対抗するため、隣国の人々を支配することにも懸命でした。

当時の日本史研究をみると、従来主流であった政治史中心の記述とは異なる研究が幅広く見られるようになります。ヨーロッパの歴史学の影響を受け、文化史や思想史、仏教史、法制史、都市史研究とともに、三浦周行『国史上の社会問題』(岩波文庫、一九九〇)のように、都市と農村の人々の生活や文化に注目した社会史研究も盛んになります。日本史と考古学との協業もおしすすめられたほか、日本の習俗を研究対象とする民俗学もはじまるなど、暮らしと関わる多様な研究も生み出されていきました。やや時期は下りますが、家父長制のもとで女性が抑圧されている現状に対し、歴史をさかのぼれば女性が活躍する母系制社会があったこと証明しようとする研究も登場してくるのです。

日本国に組み込まれた沖縄や北海道のアイヌの研究は、多くが和人・ヤマトンチューの支配の正当性を保証する役割を担っていました。これに対し、歴史研究だけではありませんが、それらの独自の文化を評価する研究も現れています。植民地支配に対抗し、民族や母国の独自性を唱える研究や、狭い意味での日本人が、朝鮮の庶民の文化を高く評価する例もみられました。

史的唯物論によるマルクス主義歴史学が登場するのもこのころです。どのような因果関係で歴史は動くのか、経済史を基盤に、奴隷制社会から封建制社会、資本制社会を経て、共産制社会にいたる歴史の発展段階を示しました。貧富の差が厳然とある理由を正面から問う姿勢は、魅力的です。この世界史の基本法則に従い、日本やアジアと西洋とを比較して、なぜアジア諸国は遅れたのかを問うことが広く行われたほか、階級闘争や天皇制打倒などの社会的実践活動とも結びついていったのです。

この時期の研究は、もちろん多くの問題や時代の制約があったのですが、史料をもとにした自由な研究の営みと、その多様性は認められるべきでしょう。

皇国史観からマルクス主義歴史学へ

一九三〇年代後半〜四〇年代前半には、日中戦争からアジア太平洋戦争へと戦禍を拡大させるとともに、国内でも思想的な弾圧がなされ、天皇を絶対視する皇国史観の歴史学が主導権を握ることとなります。実証主義研究に対しても弾圧が行われ、古代史研究者である津田左右吉の著作が、天皇への不敬に当たるとして、処罰されたことはよく知られています。

敗戦後、アメリカの占領下におかれた日本では、皇国史観に代えて、マルクス主義歴史学が、その主導権を握りました。戦中から用意されていた石母田正の『中世的世界の形成』（岩波文庫、一九八五）は、東大寺の一荘園をめぐる興亡から、古い寺院勢力とそれに立ち向かう人々の姿を詳細に描きだしており、当時を代表する著作です。

一九五〇～七〇年代になると、日本は国際社会に復帰し、東西冷戦のもと、朝鮮戦争やベトナム戦争を迎え、国内では、日米安全保障条約をめぐる安保闘争が起きました。一方、これによって、直接戦争に参加することからまぬがれ、高度経済成長を遂げていきます。このころのマルクス主義歴史学は、アカデミズムとも結びつくことで、歴史研究の主流にありました。ただし、史料から乖離し、研究のための研究や、顔の見えない階級闘争を論じるなど、徐々に魅力が失われていき、新たな歴史像を構築する試みが始まります。

一般の人々の具体的な活動や行動様式に注目することで、歴史を解き明かそうとする色川大吉『明治精神史』（岩波現代文庫、二〇〇八）は、民衆史研究の始まりを告げました。公害問題をひとりひとりの視点から記した、石牟礼道子『苦界浄土－わが水俣病－』（講談社文庫、二〇〇四）が刊行されたのもこのころです。また、安保闘争で、アメリカの圧倒的な力を経験した石母田正は、一国史にとどまる研究に疑念をもち、『日本の古代国家』（岩波文庫、二〇一七）のなかで、激動する東アジアの国際関係が、内政を動かす要因であると説いています。

再び多様な研究へ

一九八〇～九〇年代には、東西冷戦が終結し、日本の政治も左右の対立が終焉することで、政党の離合集散が始まりました。少子高齢化社会のはじまりと経済発展の終息が見えるなか、小さな政府を目指す経済政策の登場とともに、貧富の差の固定化が押し進められます。他方で、世界は緊密に結ばれ、一国だけでは成り立たない世界が立ち上がってきたのです。

日本史研究では、研究の前提であったものが、自明ではなくなります。歴史は発展するという考えや、経済史が歴史の基層的な動因であること、ヨーロッパを基準にした歴史像などがそうです。研究が一国内で完結し、しかも国内の多様性を考慮しない歴史像が、近代に作られた国民国家（共同意識をもつ国民を構成員とした領域国家）を無意識の前提とするとの批判もでてきました。

網野善彦は、『日本の歴史をよみなおす（全）』（ちくま学芸文庫、二〇〇五）や『増補　無縁・公界・楽―日本中世の自由と平和―』（平凡社ライブラリー、一九九六）で、百姓＝稲作農民を中心とする考えに対し、中世の男女を含む多様な商人・職人の活動を明らかにしました。職能民は、天皇が認めた所有者のいない山野河海など無縁の地での活動を背景に、定期市など都市的な場での活動があると述べ、これらの盛衰から、自由や資本主義の成立を説いています。社会史研究を隆盛に導くとともに、国民国家とは異なる歴史像を提示したのです。

研究対象も変化・拡大していきます。現在の日本の領域に限らず、グローバリズムの生成過程や、国境を越えた交流などにも注目が集まったほか、女性史や地方史の研究も一層進められました。事実だけでなく、虚構も研究対象とすることが一般化し、長い空白期間を経て、再び歴史学と文学との交流が活発になります。

文字史料だけではわからない点を明らかにするため、文字だけに注目しない古文書学の進展や、考古学、建築史、美術史研究との協業も急速に広がっていきました。ここでは、絵画資料の魅力を切り拓いた黒田日出男の『国宝神護寺三像とは何か』（角川選書、二〇一二）を例示しておきましょう。

マルクス主義歴史学への疑念は、歴史修正主義も盛んにさせています。帝国主義の日本がアジア諸国に与えた被害の矮小化を求めるほか、多様性を排除し、天皇を中心とする国家や伝統文化を超歴史的に賛美することや、伝統的な家族観を強要する点などに特色があります。これらが、ヘイトスピーチや一部政治家の活動にも利用されているように、価値観の見直しが行われるなかでも、再び主義主張に奉仕する研究が避けられないことを受け止めなければなりません。歴史学は、根拠となる史料の相互検証だけでなく、なぜそのような考え方が生まれ、支持されるのかを問うことも必要なのです。

いまからその先

二〇一一年に起きた、東日本大震災とそれにともなう原子力発電所からの放射能汚染の被害や、二〇二〇年から始まった新型コロナウィルス感染症の世界的流行は、改めてひとりひとりの暮らしと政治に考えを巡らせることとなりました。

あらためて歴史のなかのいまを考えると、現代は一面で、多様な研究が立ち上がった一九一〇年代〜三〇年代半ばのおわりに近いと言えるかもしれません。ある学生が、いまの世界を一九三〇年代になぞらえていることを耳にしましたが、単なる揶揄ではないように思います。今後、もし経済的な破綻や戦争などの危機を迎えた時、日本史に限らず、多くの研究は、ふたたび主義という名の神への奉仕を求められることは避けられませんし、それへの反発も定型化するでしょう。研究のはじまりである自身の興味関心は、いまを離れることはできませんが、いまを切り開く力でもあります。歴史研究は、いまと異なる歴史史料という鏡を手に、常に私たちの想像を超える豊かな過去と向き合うことが可能です。現在と関りないように見える歴史研究ですが、いつでも創造的で、自由な考えを生み出す泉になりえるのです。

3　研究の手引き

歴史研究に必要なことは、史料を読み解く力です。史料の現代語訳も有益ですが、それも解釈のひとつに過ぎません。二年生からで十分ですので、原史料を読み解く力を身に着けてください。ここでは、史料に触れるため、史料検索のためのデータベースを紹介しましょう。東京大学史料編纂所では、古文書や日記などの全文検索のほか、その写真や刊本の画像を見ることもできます。アジア歴史資料センターでは、日本とアジア近隣諸国等の歴史に関する資料が検索できます。このほか、国立国会図書館や国立公文書館、国立歴史民俗博物館のデータベースも有益です。

歴史史料を読み解く力とともに、いまを生きるあなた自身の興味関心はより重要です。これを磨くため、これまで積み重ねられてきた研究を手にするのはどうでしょうか。手に取りやすいシリーズとして、日本史リブレット（山川出版社）や歴史文化ライブラリー（吉川弘文館）のほか、岩波新書やちくま新書などから刊行された、さまざまな時代史等があります。より専門的な内容に触れる場合は、ジャパンナレッジでも検索可能な『国史大辞典』等から調べたり、研究成果がまとめられた『岩波講座　日本歴史』のシリーズを読むのが手近でしょう。Cinii での雑誌論文検索や、その年のおもな研究を掲載した『史学雑誌』の「回顧と展望」もあります。

参考までに、三つの研究動向から、近年刊行された本を中心に紹介したいと思います。誤解のないようにいえば、このようなテーマで研究してほしいと望んでいるわけではありません。むしろ乗り越える対象であり、さらにいえば自分で新しい分野を開拓してほしいと願っています。

第一に、生きることへの関心です。災害や飢饉・疫病、戦争、社会的な少数者、ジェンダーなどの研究を挙げることができます。藤木久志『新版 雑兵たちの戦場－中世の傭兵と奴隷狩り－』（朝日選書、二〇〇五）、松沢裕作『生きづらい明治社会－不安と競争の時代－』（岩波ジュニア新書、二〇一八）、藤原彰『餓死した英霊たち』（ちくま学芸文庫、二〇一八）、『ジェンダー分析で学ぶ女性史入門』（岩波書店、二〇二一）。

第二に、人と人とのつながりとその形への関心です。性愛や家族にはじまり、友人や官僚・会社組織、地域社会、また公共組織や国家、国際組織など、大小さまざまな関係を含んでいます。今津勝紀『戸籍が語る古代の家族』（吉川弘文館、二〇一九）、深谷克己『南部百姓命助の生涯－幕末一揆と民衆の世界－』（岩波現代文庫、二〇一六）、籠橋俊光『近世藩領の地域社会と行政』（清文堂出版、二〇一二）、『東北史講義』古代中世史篇・同近世近現代史篇（ちくま新書、二〇二三）。

第三に、国や民族を越えた交流・摩擦と、世界の構造への関心です。熊谷公男『古代の蝦夷と城柵』（吉川弘文館、二〇〇四）、柳原敏昭『中世日本の周縁と東アジア』（吉川弘文館、二〇一一）、榎森進『アイヌ民族の歴史』（草風館、二〇〇七）、安達宏昭『「大東亜共栄圏」の経済構想－圏内産業と大東亜建設審議会－』（吉川弘文館、二〇一三）。

おわりに―日本史学と人文社会科学の未来―

人文社会科学の未来とは、何より人としての豊かな生活の支えとなり、力となるに違いありません。ことに日本史学の未来は、過去という名前の想像を超える現実（あるいは想像を超える創造）から、いまを問うための力であり続けるでしょう。過去の史料から、その時、生きていた人の声に慎重に耳を傾け、こころの中の世界から地球規模の世界まで、さまざまな世界がどのようになっていたのかを示すことが、一層求められてくると考えられます。

24　日本文学　文学作品を柔軟に丁寧に読み、考える

佐倉由泰・横溝博・仁平政人

はじめに―人文学としての日本文学研究―

人文学とは、文化的存在としての人間のあり方を根源的に問う学問です。文化にかかわる事物の本質とそれを支えるしくみを根源的に解き明かそうとするところに、思考の特質があります。日本文学研究も人文学です。人文学としての日本文学研究においては、「文学とは―」という根源的な問いも欠かせません。「文学」とは、その意味や範囲が既に定まっている自明の概念ではありません。「人間とは―」、「心とは―」、「愛とは―」などと同じく、単一の結論に収束することのない問いです。そうした「文学とは―」という問いを、自身の問題として、自身に向かって発することから、根源的な思考が動き出します。この問いは、特定の結論に到達するためのものではなく、「文学」をめぐる問題を深く考えるための始まりとなるものです。この問いを意識して、実際に多くの作品を進んで読み、それぞれの固有の魅力や内容に触れることで、自由で奥深い思考が進み、さまざまな発見が生まれます。「文学」は何かという問題に結着をつけることよりも、そうした思考や発見に出会えることの方がはるかに重要です。作品を読んでめぐり合う、多様な思考や発見の中で、「文学」の概念は、収束し固定するのではなく、むしろ、ふくらみ、揺れ動くはずです。そこに「文学」に触

れることの意義と楽しみがあります。

「文学」が自明の概念でない以上、「日本文学とは―」という問題にも収束はありません。「文学」の意味とともに、「日本」の意味するところも揺らぎます。「日本文学」の「日本」は、日本の人が書いた、という意味でもあれば、日本のことばで書いた、という意味にも解せます。そもそも、「日本の人」も、「日本のことば」も、その範囲を限定できません。それでよいと思います。ある作品を、「これは『文学』ではない」と言ってもあまり意味がないように、「これは『日本文学』ではない」と言っても、そこから有意義な思考は生まれません。科学は厳密さを期することで、時には研究の対象を狭め、思考の自由を奪うことがあります。そうした厳密さは、人文学の本質である根源的な思考にとっては妨げともなります。人文学の思考は、のびやかで、率直で、根源的でありたいものです。日本文学研究の対象となる「日本文学」の意味も、できるだけゆるやかに捉え、よりしなやかな見方や概念に出会うまでは、日本の人とことばにかかわる文学という広がりの中で考えたいと思います。

そして、具体的に研究を行う上では、対象と目的と方法の設定が不可欠です。これまで述べたように、日本文学研究の対象である「日本文学」の概念はとてもゆるやかですが、具体的な対象としての多様多彩な作品の表現は確かなものとして手の届くところにあります。そこから、自分が読み解きたい作品を具体的に選び、その表現を丁寧に読み、思考をさまざまにめぐらし、何を明らかにしたいのかという目的を定め、その目的をかなえる道筋としての方法を立てて、調査や考察に着手するところに、日本文学研究が始まります。こうした日本文学研究の対象と目的と方法は無数にありますが、ここでは、二つの具体的な事例に即して、研究の進め方について説明してみたいと思います。

1　日本文学研究の方法（一）―『源氏物語』「若紫」巻に着目して―

『源氏物語』は日本人にとってはよく知られた古典文学の代表的な作品ですが、その原文がじつは一つではなく、数種類あることは存外知られていません。

そこで、本節では、高校の古典の教科書にも採用されて著名な『源氏物語』「若紫」巻の「北山の垣間見」の場面を取り上げ、古典の本文の多様性に目を向けることの大切さについて考えたいと思います。

高校の「古文」の教科書（ここでは大修館書店『古典B　古文編』〈二〇一四年〉を例に取ります）では、「北山の垣間見」の場面は次の通りです。

　日もいと長きに、つれづれなれば、夕暮れのいたう霞みたるにまぎれて、かの小柴垣のもとに立ち出でたまふ。人々は帰したまひて、惟光の朝臣とのぞきたまへば、ただこの西面にしも、持仏すゑたてまつりて行ふ尼なりけり。簾少し上げて、花奉るめり。（後略）

折から病気療養のために北山を訪れていた源氏は、高所から周囲を眺めているうちに、女性たちが大勢出たり入ったりしている家を見つけます。先に引用した本文はこの続きにあたるもので、「日もいと長きに、つれづれなれば」（春の日はたいそう長くて、手持ち無沙汰なので）ということで、源氏は霞に姿を紛れ込ませて、女たちの住まいの様子を垣根越しに窺うのでした。ここで、教科書が依拠している『新編日本古典文学全集　源氏物語①』（小学館、一九九四年）を見てみますと、頭注に、「晩春の暮れなずむ様子。源氏は加持の後の時間を持て余している。」（二〇五頁）とあります。このような状況設定は、源氏を女性たちのところに赴かせるのに好都合で、右の本文は物語に違和感なく定着していると言えるでしょう。

このように、「垣間見」の場面の本文は、「日もいと長きに」というように、晩春の暮れがたい時分のこととして作品世界に根を下ろしているように見えます。「若紫」巻を載せるほぼすべての教科書が、「日もいと長きに～」という本文になっていると考えてよいでしょう。これはほとんどの教科書が、先に掲げた『新編日本古典文学全集　源氏物語①』（以下『新全集』）というテキストに依拠しているからです。しかしながら、いま、「ほとんど」という言い方をしたように、ごく一部の『源氏物語』テキストにおいては、そのようになっていないものがあることは、今日、忘れ去られています。教科書に採用されている本文とは別に異なった本文があることなど、誰も思いよりもしないからです。じつはここに、『源氏物語』を読んだり研究したりする上で、大きな落とし穴があることに留意しなければならないのです。

二〇二〇年一〇月に、ある「発見」が新聞紙上を大きく賑わせました。それは鎌倉時代の歌人・藤原定家が筆写したと目される「若紫」帖の発見で、とある旧家から見いだされたのでした（今でもインターネットで検索すれば写真入りの記事がいくつも見つかるはずです）。これは学界では現存していることすら知られていなかった写本で、文字通り「新出」の写本であったのでした。しかも、鎌倉時代初期を下らないとおぼしき古い写本です。驚かされたのは、この写本では、先の「垣間見」場面の冒頭が、「日もいと長きに、つれづれなれば」ではなく、「人なくて、つれづれなれば」となっていたことです。この事実が、ある意味、学界をざわつかせました。じつは、先に述べた「ごく一部の『源氏物語』テキスト」では、「人なくて」という本文が採用されているのでした。新出の古写本が「人なくて」となっていたことで、にわかに「若紫」巻の本文の見直しが叫ばれ始めたのです。

先ほど、現行の教科書が依拠しているテキストは『新全集』だと言いました。この『新全集』は、名前から察しがつくように、以前あった『日本古典文学全集』（これを『旧全集』と呼びます）を新しく作り直したシリーズなのです。『源氏物語』も『旧全集』に入っていて、リニューアルにあたって細部にまで手が加えられました。じつは『旧全集』では、そもそも「垣間見」場面の本文は、「人なくて、つれづれなれば」としており、その上で、頭注には、「この「人」は、源氏の話相手になりうる人の意。「人なくて」を「日もいと長きに」とする本が多い。これによれば、晩春の暮れなずむ様子。いずれにしても源氏は加持の後の時間を持て余した。」（二八〇頁）と、『新全集』に比べて詳しい解説が付されてもいたのです。いったい、「人なくて」（旧全集）から、「日もいと長きに」（新全集）へと本文が改訂されたのは、どのような理由があってのことだったのでしょうか。

このことを知るために、同シリーズの「凡例」（本文を立てる上での細則）を参照してみましょう。要約すると、「底本には、大島本という室町期の写本を用いる。但し、藤原定家筆の写本が現存している巻については、これを用いる」とあります。このルールは、新旧全集ともに同じで、「若紫」巻は新旧全集とも大島本を底本としています。じつは大島本「若紫」巻では、元より「人なくて」とあり、『旧全集』は底本に忠実に本文を立てているのです。にもかかわらず、『新全集』では、「日もいと長きに」へと変えられたのですから、なんとも不可解です。これは端的に言えば、『新全集』の多数決主義の方針によるもので、大島本以外の多くの写本が「日もいと長きに」となっていることによって（つまり大島本が孤立した本文であることによって）、より普遍性のある本文へと恣意的に改められたという次第なのでした。

しかし、はたしてこれは妥当な本文の立て方、作り方と言えるのでしょうか。このような疑問は以前から学界にくすぶっていたのですが、まさしくこの問題を突きつけたのが新出の写本であったのです。この写本が発見された時、識者は、将来古典の教科書が書き換えられる可能性についてコメントしていました。つまり、「藤原定家筆の写本が現存している巻については、これを用いる」という『新全集』の方針に従えば、もし次に『新々全集』が出るときには、「若紫」巻は今回発見された定家筆本が用いられることになり、「垣間見」場面の本文は「人なくて」となるはずなのです。そして、このテキストに依拠する教科書は、おしなべて「人なくて」という本文に置き換わるということになるわけなのでした。結局は、一周回って元の大島本の「人なくて」という本文に戻ってきたわけで、『新全集』の本文改訂とはいったい何だったのかと、首を傾げざるを得ません。

このように、新出写本によって、私たちは「垣間見」場面に、「人なくて、つれづれなれば」という本文があったことを図らずも思い出すことになったわけですが、何もこれは徒労とばかりは言い切れません。二通りの本文を前に、どちらがよりこの場面にふさわしい表現であるかを考えるきっかけが与えられたとも言え、『源氏物語』の本文を相対化するよい機会を得たと、前向きに捉えることができるでしょう。孤立していた大島本の本文が、定家筆の写本と一致していることも興味深く、『源氏物語』の本文研究にも一石を投じるものです。

いずれにしても、現行のテキストの本文だけを絶対視するのではなく、それを相対化していくような本文の存在をも意識していくことが、古典を読み、研究するときには重要になってきます。そのためにも、目の前にある古文のテキストが、何を底本としているのか、「凡例」に目を通す習慣をぜひとも身につけたいものです

（これは近代文学の場合でも同じです）。そして、ここにこそ、大学の勉強と高校までの勉強との決定的な違いがあるのです。つまり、大学における学問の根本とは、極限すれば、何より「一次資料」を取り上げ検証することに他なりません。これは文学だけではなく、どの分野の学問においても当てはまることです。世の中に流通している情報の出典や源泉を自分の眼で確かめ、見極めること、そして「一次資料」、つまり〝ホンモノ〟に触れること――、これこそが大学で学問をすることの意義であり、醍醐味であると言えるでしょう。

文学作品の鑑賞が苦手な人は、ぜひ書誌学・文献学的な研究に目を向けてみてください。これは作品の解釈という主観的なものとは異なり、客観性を重んじる、方法的にも理系的な学問です。文学の研究も〝ホンモノ〟を扱うことで、様々な問題が見えてきます。あらゆる感性と思考力を駆使して、文学に挑んでみてください。あなたによって、新しい学問の方法が、打ち立てられるかもしれません。

2　日本文学研究の方法（二）―川端康成『雪国』に着目して―

続いて、本節では、川端康成（一八九九～一九七二）の小説『雪国』を取り上げて、近代小説にアプローチする幾つかの視点・方法を示したいと思います。

『雪国』は、一九三五（昭和一〇）年から様々な雑誌に分載され、一九三七年に一度単行本にまとめられますが、その後も戦後にかけて執筆が続けられ、一九四八年に「決定版」と銘打って刊行された小説です。本作を読んだことがない人でも、「国境の長いトンネルを抜けると雪国であつた」という書き出しの一文はご存じでしょう。次に挙げるのは、その冒頭の一節です。

国境の長いトンネルを抜けると雪国であつた。夜の底が白くなつた。信号所に汽車が止まつた。

向側の座席から娘が立つて来て、島村の前のガラス窓を落した。雪の冷気が流れこんだ。娘は窓いつぱいに乗り出して、遠くへ叫ぶやうに、

「駅長さあん、駅長さあん。」

明りをさげてゆつくり雪を踏んで来た男は、襟巻で鼻の上まで包み、耳に帽子の毛皮を垂れてゐた。

もうそんな寒さかと島村は外を眺めると、鉄道の官舎らしいバラックが山裾に寒々と散らばつてゐるだけで、雪の色はそこまで行かぬうちに闇に呑まれてゐた。

有名である分、右の一節はいわゆる「名文」として、違和感なく受けとめられるかも知れません。ですが、先入観を抜きにして読むと、この一節は必ずしも分かりやすいものではなく、むしろ読者に不可解という印象を与えるように思われます。一文目では、トンネルを抜けたのは何か、また「雪国であつた」と判断しているのは誰なのかが示されておらず、二文目の「夜の底が白くなつた」という簡潔な表現も、それだけでは何を意味するのか定かではありません。この冒頭は、どのようなことを表しているのでしょうか。

本文を読み進め、「もうそんな寒さかと島村は外を眺めると…闇に呑まれてゐた」という文まで辿り着いたとき、ようやくこの小説が三人称の形式で、語り手は島村という男の視点に寄り添って語っていることが明らかになります。このことを踏まえて二文目に戻ると、「夜の底が白くなつた」という表現は、汽車がトンネルを抜けたとき、夜闇の中でも島村の目に雪の積もった地面が（トンネルに入る前と異なり）白く見えた、とい

う意味のものだと解釈できるでしょう。しかし、重要なのは、この一文がそのような状況・文脈の説明を全く行うことなく、島村が感じたこと（＝「夜の底が白くなつた」）をそのまま読者に伝えているということです。ここに示されるように、『雪国』の語り手は、島村の意識・身体に深く寄り添い、その瞬間的な感覚や心の動きを、しばしば直接的に提示します。そしてこのような語りの特徴は、島村が捉える世界のありようを、「遠いともし火のやうに冷たい目」や「美しい蛭の輪のやう（な唇）」などといった意外性のある（異質なもの同士を結びつける）比喩を多用しながら鮮やかに描き出す、本作の表現と結びついているのです（付け加えると、本作の語り手は島村と一体化しているわけではなく、その島村に対する距離は微妙な変化を含んでいますが、その問題についてはここでは措きます）。

ここで、『雪国』の物語内容について簡単に確認しましょう。親譲りの財産を持ち、無為徒食で暮らす中年の男・島村が、たまたま訪れた「雪国」の温泉地の村で駒子という女性と出会います。以後、島村が二度にわたりその村を訪れ、芸者になった駒子と関係を深めながら、やがて彼女との別れに向かうまでが、本作の主な筋となっています。

さて、島村が妻子のいる東京（＝日常の世界）を離れ、トンネルを抜けて雪国の村に滞在し、また東京に戻るという点で、この小説は一種の「異界訪問譚」的な物語構造を有しているともみることができます（ちなみに、「異界訪問譚」は、物語の典型的なパターンのひとつです。「トンネルの向こうは、不思議な町でした」というキャッチフレーズを持つ、宮崎駿監督の映画『千と千尋の神隠し』もその例となるでしょう）。ただし、こうした捉え方をしたとき、本作の舞台となるトンネルの向こう側の村が、日常的な世界や東京の現実などから切り離された、特別な世界のように見なされてしまうことには注意が必要です。実際、『雪国』に対する過去の論評や研究では、作中の雪国の村が、「桃源郷」や「幽界」、もしくは「伝統的風土」や「日本の故郷」などと目されてきました。そうした見方は、作者である川端が一般に「日本的な作家」・「伝統美の作家」といったイメージで捉えられてきたこととも つながっています。

ですが、本文を丁寧に読むと、そのような見方では捉えることのできないような要素を数多く見つけることができます。一例として、「スキイ」に注目してみましょう。この小説では、東京からスキーにやってくる若者や、スキー客を目当てに都会から稼ぎに来るカフェの女給、さらには駒子ら芸者のスキー姿を写した「スキイ場の宣伝写真」などが描かれ、また芸者達がスキー場で客と交流しているといったことが語られるなど、スキーが随所で話題にされています。同時代の状況を簡単に確認しますと、『雪国』が発表され始めた昭和一〇年頃は、東京と雪国の土地とを結ぶ電車（上越線）の開通によって、東京に住む人達の間でもスキーが身近な娯楽として広く普及していった時代でした。このことを踏まえれば、作中の雪国の村は、発表当時にあっては「モダン」な流行の場という側面を色濃く持っていたとみることができます。そしてこうした意味で、『雪国』冒頭の「トンネル」は、「異界」への入り口というより、むしろ山間部の村を近代的なリゾート地に変化させていく通路であったとも考えられるのです。

さて、『雪国』という小説の持つ近代性について、異なる角度から考える視点として、「映画」との関係にも目を向けてみましょう。次に挙げるのは、序盤の有名な場面です。

鏡の底には夕景色が流れてゐて、つまり写るものと写す鏡とが、映画の二重写しのやうに動くのだつた。登場人物と背景とはなんのかかはりもないのだつた。しかも人物は透明のはかなさで、風景は夕闇のおぼろな流れで、その二つが融け合ひながらこの世ならぬ象徴の世界を描いてゐた。殊に娘の顔のただなかに野山のともし火がともつた時には、島村はなんともいへぬ美しさに胸が顫へたほどだつた。

駒子に会いに向かう汽車の中で、島村は葉子という娘と出会います。引用部は、夕暮れ時の汽車の窓ガラスが葉子の姿を鏡のように映し出す様子（＝「夕景色の鏡」）に、島村が「この世ならぬ」ような美しさを見いだす場面です。ここでは、葉子の姿と車外の風景が窓ガラスの上で重なり、溶け合うありようが、「映画の二重写し」（別々に撮影した映像を重ね合わせ、回想や幻想などの表現を行う映像技法）と類比されています。そして重要なのは、作中で島村の「非現実」的な物の見方・感性が、この「夕景色の鏡」になぞらえられているということです（「ここにも島村の夕景色の鏡はあつたであらう」というように）。その意味では、島村の意識に寄り添って語られる『雪国』の世界全体が、いわば「映画」的な性格を与えられているとみることもできるでしょう。詳しい説明を行う紙幅はありませんが、本作が「映画のフイルム」からの出火で起こった火事の場面で幕を下ろすことは、このことと対応しているとみられます。このような意味で、『雪国』は、映画というメディアと近代文学の表現との深いかかわりを示す例であると考えられるのです。

以上、小説『雪国』に対してアプローチする視点を幾つか示してきました。もちろん、本作を分析する視点・方法はこれだけではありません。本作の語りや表現は他にも様々な角度から分析することができますし、作中に描かれる世界や人物（特に女性たち）のあり方について、島村の認識を相対化しながら考察することも大切です。また、戦争を含めた時代との関係や、雑誌掲載時から現在の形に至るまでの複雑な成立過程など、この小説について検討を要する問題は様々に挙げられます。ですが、どのような観点からアプローチするにしても、既存の見方やイメージに縛られることなく、具体的な表現に丹念に向き合い、また作品に織り込まれた多様な文脈（先行する作品や、歴史的・社会的・文化的な諸問題）に目を向けるという態度が、文学作品の分析では常に必要となるのです。

おわりに―日本文学研究の未来―

ここに二つの具体例を挙げて、日本文学研究の進め方について説明してきました。日本文学研究の対象と目的と方法は無数にありますが、そこでは、作品の中のひとつひとつのことばや表現の丁寧な読解が根幹になるということをわかっていただけたかと思います。また、作品の細部を注意深く読むためには、作品の本文が成立した時代の文化や、作品の本文の現在に至るまでの享受と変容などを幅広く理解する必要があることを述べました。さらに、多角的で柔軟な視点を持って作品を読んで考えることのたいせつさにも触れました。

人文学としての日本文学の研究には、表現を細部に深く立ち入って丁寧に読み解き、その特徴を明らかにする考察と、表現を文学史、文化史の大きな広がりの中に位置づけて、その意義を理解する考察とを組み合わせることが重要になります。こうした微視的な考察と巨視的な考察との融合のうちに、のびやかで、率直で、根源的な思考が始まり、文学研究、そして、人文学研究ならではの深い楽しみが生まれてくるはずです。

そのために何をすればよいのか。まずは、世の中にある無数の文学作品の中から、手に取って読みたいと思う作品を、できるだけ多く、できるだけ丁寧に読むことから始めてはいかがでしょうか。「文学とは―」、「人間とは―」といった根源的な問いにつながるような問題意識をどこかで持ちながら、そうした読む経験を旺盛に重ねることで、新たなさまざまな発見や思考に次々と出会えると思うのです。

学びをめぐる環境は、今後さらに大きく変わって行きそうです。ただ、それでも、日本文学研究の新たな発見、新たな未来が、文学作品を柔軟に丁寧に読み、考えるところに開かれることは、これからも変わらないでしょう。日本文学研究が、文化的存在としての人間のあり方を根源的に問う人文学にふさわしく、柔軟で丁寧な読解と思考にもとづく学問としてさらに進展するよう努めたいと思います。

〈参考文献〉

佐倉由泰「「初期軍記」の枠組みを超えて」(『日本文学研究ジャーナル』第一一号、二〇一九年九月)＝人文学としての日本文学研究のあり方をより具体的に考えるために

久保木秀夫「『源氏物語』藤原定家筆・四半本「若紫」一帖の出現をめぐって」(『語文』第一六九号、二〇二一年三月)＝藤原定家筆「若紫」巻にかかわる問題点を知るために

鈴木健一『近代「国文学」の肖像　第三巻　佐佐木信綱　本文の構築』(岩波書店、二〇二一年二月)＝日本近代の書誌学・文献学を学ぶために

日本近代文学会編『ハンドブック　日本近代文学研究の方法』(ひつじ書房、二〇一六年一一月)＝日本近代文学研究の様々な視点・方法に触れるために

【付記】

本章は、「はじめに」と「おわりに」を、佐倉由泰が、第一節を、横溝博が、第二節を、仁平政人が主に担当しながら、全体をとりまとめました。

25　美学・西洋美術史　イメージの力、再発見！

足達　薫

はじめに――イメージの力に迫る!!

この章では、一六世紀初期のイタリアで描かれたキリスト教テーマの絵画作品を手がかりにして、美学・西洋美術史の課題と方法を駆け足で見ていきましょう。太古の昔から、人間は絵や彫刻などのイメージを制作し、イメージを用いて互いに理解しあいながら社会と文化を築いてきました。イメージにこめられていた意図や狙い、さらにはイメージが持っているとても強烈な力に、私たちはどのようにして近づき、分析し、理解することができるでしょうか。以下では、特異な魅力をたたえたひとつの絵画作品に注目して、美学・西洋美術史の研究課題と方法を紹介していきます。

1　見るだけでわかることがたくさんある――観察の力

ここでの「問い」は以下です。「現代の私たちとは遠く離れた時空間と文化において描かれたイメージには、どのような背景、意図および目的があったのか。そして、どのようにして見られ、楽しまれたのか」。この問いを具体的な作品を手がかりにして追求していきましょう。

一五三四年頃、イタリアの画家ロレンツォ・ロット（一四八〇年頃～一五五六または五七年）は、新約聖書に含まれた『ルカによる福音書』（第一章：26－28節）および『マタイによる福音書』（第一章：18－25節）の記述に基づく「受胎告知」（大天使ガブリエルが、聖母マリアにキリストの受胎を告げる奇跡）を主題とする作品を描きました（図25－1）。この絵画は、北イタリアのレカナーティという都市の近郊にあった修道院から画家に注文されました。つまりこの作品は、宗教的生活の中で、祈りや信仰の一環として鑑賞された絵画です。

図25-1　ロレンツォ・ロット《受胎告知》
1534-35年頃、カンヴァスに油彩、166 × 114cm、レカナーティ、ピナコテーカ・コムナーレ
Photo: RealyEasyStar/Claudio Pagliarani/Alamy Stock Photo

聖書についての知識やキリスト教信仰の意味、特に「受胎告知」とは何かを知らなければ、私たちはこの作品をまったく理解できないのでしょうか。これへの答えはNOです。私たち人間には、多かれ少なかれ、イメージとその描写を見ながら、何がどのように表されているかを分析的に理解することができる観察力があります。遠く離れた時空間および文化で創造されたイメージであっても、ある

図25-3　図1の部分　聖霊を遣わす神
Photo：RealyEasyStar/Claudio Pagliarani/Alamy Stock Photo

図25-2　図1の部分　聖母マリアと猫
Photo：RealyEasyStar/Claudio Pagliarani/Alamy Stock Photo

いは場面や人物像が何を意味するかをたとえよく知らなくとも、イメージをじっくり見るだけで、意外にも多くのことがわかります。

この絵画は、バルコニーに通じる狭い室内で起きた出来事を表しています。前景左には赤い衣と青いマントを着た女性が跪き、助けを求めるような仕草で両手を胸の前に開き、顔は私たちを見つめて、なにやら訴えかけています（図25－2）。彼女の向こう側には豪華なカーテン付き寝台、本が開かれた書見台、壁に取り付けられた棚には蝋燭や本が置かれ、ヴェールのようなものが吊されています。棚の下には踏み台、さらにその上には大きな砂時計が見えます。寝台や書見台などの要素は、この部屋が女性の私室であることを教えてくれます。

室外にあるバルコニーの上部には、赤い衣を着た男性の老人がおり、両手を重ねて突き出すような奇妙な身振りによって、左下の女性に何かアピールしています（図25－3）。この老人は、女性の部屋の外から中に侵入しようとしているかのようです。室内の右側には、翼をと

図 25-4　図 1 の部分
大天使ガブリエル
Photo : RealyEasyStar/Claudio Pagliarani/Alamy Stock Photo

もなう若い男がすでに侵入しています（図25－4）。彼は白い百合の大きな枝を持ち、まるでボーリングの球でも放ったかのように激しく右手を上に伸ばしながら、目を見開いて女性を凝視して少し口を開き、何かを語っているかのようです。

最も大きく、そして最も私たちに近い場所に描かれた左側の女性がこの場面の主役であり、彼女の驚きや戸惑いの原因が右側の男性たちであると考えることができます。一人で過ごしていた女性の私室に、外から老人や若い男性がいきなり勢いよく入ってきて、何か大げさにアピールしてきたため、女性は激しく驚き、戸惑っているのだとわかります。右側からの侵入者たちに驚いたのは彼女だけではなく、画面中央に描かれた黒い猫もまた、左側へと走って逃げていきます。よく見ると、この女性の顔はあたかも「私の驚きがあなたたちにもわかりますよね」と私たちに告げ、理解を促しているかのようです。

このように、たとえ聖書や信仰についての知識がなくとも、このようにイメージをじっくりと分析的に観察するだけでも、とても多くのことがわかります。

美術史では、このように作品を観察して言葉にすることを、「作品記述」（ディスクリプション）と呼びます。このような観察と分析が、美術史の最も基本的な方法です。美術史では、まずは、このように作品そのものを客観的かつ即物的に分析し、描写の特異性（この作品ではまるでドタバタ喜劇のようにも見える大げさな感じ、ある種のユーモア感覚）を浮彫りにすることが研究の出発点となります（作品記述については章末の参考図書に挙げたバーネットの著作が参考になります)。

2 「受胎告知」をいかに視覚化するか——イコノグラフィー(図像学)

このドタバタ喜劇のように見える絵画は、いかなる背景、意図、目的で描かれたのでしょうか。美術史では、「作品記述」とともに主に次の二つの観点から、さらに作品を分析していきます。①作品の視覚的特徴そのものを歴史的流れの中で分析する「様式や形式の分析」。②作品の内容(主題、意味、いわゆるモティーフ等)を分析する「イコノグラフィー」(英語では iconography; 日本語では図像学と訳されることが多い)。①については、章末の推薦図書に挙げたゴンブリッチ、ホックニーとゲイフォードによる本をおすすめします。ここでは②の観点から、画家ロットによる奇妙なユーモアを感じさせるこの作品を見ていきましょう。

ロットによる絵画には何が描かれているのでしょうか。イコノグラフィーという分析手法では、作品が表す何らかのテーマや要素の源泉となった文献や伝統を特定し、それ以前、同時代、そしてそれ以後の様々な表現例と比較して共通点や相違点を理解し、作者が狙った新しい表現は何か、作品の歴史的な意義は何かを明らかにしていきます。

ロットによるこの作品の主題は、すでに述べたように、新約聖書に記述された「受胎告知」の物語、つまり処女であったマリアに、天使ガブリエルがキリストの受胎を告げ、神が聖霊をマリアに遣わしてキリストを身ごもらせる、という奇跡であることがわかっています。特に『ルカによる福音書』(前掲箇所)ではこの出来事について詳細に書かれています。

「天使は、彼女のところに来て言った。〈おめでとう、恵まれた方。主があなたと共におられる〉。マリアはこの言葉に戸惑い、いったいこの挨拶は何のことかと考え込んだ。すると、天使は言った。〈マリア、恐れることはない。あなたは神から恵みをいただいた。あなたは身ごもって男の子を産むが、その子をイエスと名付けなさい。その子は偉大な人になり、いと高き方［神］の子と呼ばれる〉……マリアは天使に言った。〈どうして、そのようなことがありえましょうか。わたしは男の人を知りませんのに〉。天使は答えた。〈聖霊があなたに降り、いと高き方の力があなたを包む。だから、生まれる子は聖なる者、神の子と呼ばれる〉……マリアは言った。〈わたしは主のはしためです。お言葉どおり、この身になりますように〉。そこで天使は去って行った」（新共同訳聖書）。

この記述を丁寧に読むならば、受胎の奇跡を告知されたマリアが、意外なほど、とても人間的な反応で天使に答えていることがわかります。マリアは、天使が告げる奇跡がどのようなメカニズムで起きるのか実感を持てずに戸惑ったり、問い返したりします。彼女は、とても複雑な心の動きをへてようやく納得し、神から遣わされる聖霊を受け入れます。

このような記述から、画家ロットはどのようなイメージを引き出しているでしょうか。もはや述べるまでもなく、絵画の左下にいる女性がマリアです。ロットは、マリアの驚きと戸惑いに焦点を当て、驚愕のポーズとともに逃げるような身振りを与え、私たちを見つめさせることのよって、心の動揺を私たちに共有させる姿で彼女を表しています。天上の雲に乗った老人は神であり、格闘技のような激しい身振りでマリアに聖霊をたたき込んでいるかのようです。右側の天使ガブリエルは、上にいる「いと高き方」のご意志なのだからとにかく納得せよ、といわんばかりの強い態度で説得しています。

ところが、このようにマリアの人間的な心に寄り添って聖書の記述を解釈したと考えられるイメージは、少なくともロットの時代以前においてはとても少ないことが知られています。一五世紀後半までのイタリア美術では、マリアがおごそかに奇跡を受け入れていたり、従順に天使の言葉に従ったりする作品が主流です。そうした主流に対して、一五世紀終わり頃から、しばしばロットのように、マリアの驚きや戸惑いのようなきわめて人間的で親しみやすい瞬間に注目したらしい例が現れてきます（目撃者の証言をのちに紹介します）。

イコノグラフィーの観点から捉えるならば、ロットによる作品は、「受胎告知」におけるマリアの人間性とそれが生み出すユーモア感覚に注目した新しい美術の流れの中にあり、私たちを驚かせるほど個性的で魅力的な新機軸を提案した一例となっているのです。

3　「時代の眼」——イメージの社会史的分析

このようなイコノグラフィー上の新機軸は、当時、どのように理解されたのでしょうか。

現代の美術史では、様式や形式の分析、イコノグラフィーに加えて、③「社会史的分析」もまた基本的な方法となっています。社会史的分析では、美術作品を生み出した文化と社会がどのような「物の見方」をしていたかに着目して、作品がどのようにして生み出され、受容されたかを明らかにしていきます。

このような方法を提唱して強い影響を与えた美術史学者、マイケル・バクサンドールによれば、美術作品が属していた「時代の眼」（Period Eye）を思い出すことによって、そのイメージが本来持っていた機能や意味、そして何よりも視覚的な力を再び理解することが可能となります（推薦図書参照）。

バクサンドールは、一五世紀後半〜一六世紀のイタリアにおいて受胎告知を生み出し、受容した「時代の眼」の例として、修道士ロベルト・カラッチョロ（一四二五頃〜一四九五年）が行った説教を挙げています。ロベルトによれば、聖書に書かれた受胎告知についての記述を読む場合、マリアの多様な感情と反応に特に注目する必要があります。マリアが経験した複雑な心の動きのどれもが奇跡にとって欠かせない瞬間であり、大切なのです。受胎告知の真の意味を理解するためには、マリアの心の動きを他人事としてではなく、人間的な共感の対象として深く理解しなければなりません。ロベルトは、マリアの戸惑いや驚きについても文章を割いて、その重要性を強く人々に訴えています。

このように、当時、マリアの驚きや戸惑いは奇跡に通じる必要不可欠な通過点として重要視されていました。画家ロットは、このような「時代の眼」を共有していたと考えることができます。――マリアは人間であり、天使からの言葉に激しく驚き、戸惑っただろう。そうだとすれば、天使はマリアを驚かすほど強引に振る舞い、神もまたかなり強引な態度で地上に介入したに違いない――ロットはこのように想像を広げていったのではないかと推測されます。

当時、受胎告知の視覚化において、マリアの人間味溢れる側面が新しい課題として追及されつつあったことを、レオナルド・ダ・ヴィンチ（一四五二〜一五一九年）が有名なノートブックの中で証言しています。もっともレオナルド本人はそうした新しい試みには批判的であり、こう書いています。

「数日前、私は一枚の〈聖告〉［受胎告知］の絵を見たが、そこにはまるで憎むべき敵を攻撃しているかのようにマリアを部屋から追い出そうとしている天使が描かれており、またマリアの方も死に物ぐるいの感じで窓から逃げだそうとしているように見えた。画家はこのような誤りに陥ってはならない」（バクサンドール『ルネサンス絵画の社会史』［推薦図書参照］、一〇三頁）。
生没年から考えると、レオナルドはロットによる《受胎告知》を見ることはできませんでした。しかし、先の記述は、レオナルドが批判しているような新しい絵画が当時現れつつあったことを裏付けています。実際、ロットによる天使も神も文字通り「敵」のようですし、マリアも必死に逃げています。このようなユーモア感覚は、時空間の隔たりや文化的慣習の壁を超えて、現代の私たちにも十分に伝わります。言い換えれば、私たちは絵画や彫刻のイメージを通じて、多様な時空間と共感し、わかりあえるのです。

4　聖書の世界を今の出来事として想像する――ロットから『霊操』へ

ロットという画家が、聖書における奇跡の場面を、とても人間的で親しみやすく描くことを意図したであろうことはわかりました。しかし、思わず二度見して笑ってしまうほどユーモラスに強調されたマリアの驚きや戸惑いには、どのような歴史的意義がありえるのでしょうか。美術史学では、作品記述、（今回は省略した）様式や形式の分析、イコノグラフィー、社会史的分析を通じて、作品の（売買の価格という意味ではなく）表現そのものの価値を明らかにし、評価することが大きな課題となります。ロットによるユーモラスな《受胎告知》は、歴史の中でどう位置づけられるでしょうか。

画面中央に描かれた猫（旧約および新約聖書の正典にはいっさい登場しない）は、このユーモア感覚が偶然の産物ではなく、画家の意図するものであることを教えてくれます。この猫は、マリアと同じように驚いて天使から逃げており、この場面でもっとも大切な問題が驚きや恐れであることを告げています（マリアのいわゆる猫背的な姿勢は猫と彼女の類似性を強調しています）。

幾人かの美術史学者は、この猫がおそらく神と天使によって追い払われる悪の象徴であり、同時に、その姿がマリアに重ねられていることは「この場面にパラドックス的なユーモアを加えている」（ピーター・ハンフリー、一九九七年）と考えています。しかし、この猫は神や天使に対してあまりにも小さく可愛らしい容貌で描かれており、恐るべき悪というよりも、まるでマリアがかわいがっていたペットであるかのように見えます。聖書には現れないこの猫は、聖書で書かれた奇跡を今の人間にも共有された身近な問題として視覚化するために導入された新機軸のひとつと考えることができます。画家ロットは、この絵画の人物たちおよびこの猫の姿を通じて、受胎告知の奇跡を、超自然的な古い伝説としてではなく、人間的な心を持った人間たちが経験し、今の人間たちも共感し通じ合うことのできるユーモラスなイメージへと変換した――こう解釈することができそうです。

このように聖書の世界をいわば現代化する試みは、一見すると、なんだか宗教信仰に逆らう冒涜的行為のようにも見えますが、必ずしもそうではありません。特に一六世紀のカトリック文化圏では、聖書の世界を自分たちの現実に重ね合わせ、自分自身の問題として理解するという祈りや瞑想のシステムが推奨されていたことがわかっています。たとえば、イエズス会という修道会があります。この会は、日本を訪れたことでも知られるフランシスコ・ザビエル、さらにその親友イグナチオ・デ・ロヨラ（一四九一～一五五六年）を中心とする人々によって始められました。イグナチオは、精神的な修行の新しいメソッド「霊操」（英語で Spiritual Exercise）を開発し、著作でくわしく述べています。

イグナチオは、聖書におけるキリストの生涯と教え、誕生から受難までの事件を、様々な登場人物によって詳細に演じられた連続的イメージとして想像し、心の中に焼き付けるという修行を提案しています。修行者は、心の中に描かれたそれらの聖なるイメージの場所に自分自身も参加します。イグナチオによれば、そのような修行では「場所を見ながら、現場に身を置く」ことが必要です。つまり、霊操修行におけるイメージでは。聖書の世界と今の世界は重なり合い、古い奇跡が常に新たに経験されるものとなるのです（イグナチオ・デ。ロヨラ『霊操』門脇住吉訳・解説、岩波文庫、一九九五年、特に一二七頁）。

イグナチオが霊操を構想したのが一五二二年、つまりロットが《受胎告知》を制作する十年ほど前です。聖書の記述を現実の出来事として視覚化して追体験せよというイグナチオの提案は、受胎告知におけるマリアの心の動きすべてに注目して共感することを推奨したロベルト・カラッチョロの説教とも通じています。どちらも、聖書の世界を現在進行形で起きている事件とみなし、共感することをとても大切にしています。このような聖書への眼差しは、ロットに絵画を注文した修道院の人々をはじめ、同時代の少なからぬ人々に共有されていたと推測されます。そのような眼差しを持つ人たちは、ロットが創り出したユーモア溢れるとても人間的な受胎告知のイメージを楽しみながら見たでしょう。

このように、ロット《受胎告知》は、一六世紀前半のカトリック世界におけるイメージ創造および利用の実体を教えるとともに、時空間の隔たりを超えて現代の私たちも共感しうる力を持つ注目すべき作品であると評価できます。

おわりに　ユーモアの発見

最後に、美学の観点から、この作品を見てみましょう。この絵画では、一見では厳粛であるのが当然と思われがちな聖書の場面が、画家の創意工夫によって、とても人間的で親しみやすいユーモラスなイメージへと変貌しました。このユーモア感覚は、人間が経験する多様な「笑い」のメカニズムに関する画家の深い理解および大胆な挑戦心を通じて実現されたはずです。

美学とは、哲学的分析方法を基盤としながら一八世紀の哲学者バウムガルテン（一七一四〜六二年）が提唱した学問であり、もともとは「感性的認識の学問」と定義されていました。言い換えれば、人間の感性および感性にむすびつく反応（五感、感情、直感、さらには想像力などなど）がいかにして作用するのか、そのメカニズムはいかなるものかを、特にテクストの分析によって考察するのが美学の主たる目的のひとつです。美術史がイメージを最大の素材にするのに対して、美学はテクストを第一の相手にします。

哲学者アンリ・ベルクソン（一八五九〜一九四一年）は、『笑い』（一九〇〇年初版）という著作において、美学的観点からユーモアの原因、メカニズム、効果について考察しました（推薦図書参照）。ベルクソンは、人間は笑いを好む唯一の生き物であり、多様な方法で笑いを文化の中で確立してきたと述べます。つまり、ユーモア感覚は、時には社会のルールや慣習と対立するかもしれませんが、人間にとって欠かせない本性なのです。そうだとすれば、ロット《受胎告知》は、人間が人間らしくあることを肯定した偉大なユーモアであると言えるかもしれません。

さらに、ベルクソンは、喜劇においてよく用いられるユーモアとして、比喩表現を文字通りの行為として提示する、という方法があると述べています。私が思いついた例で恐縮ですが、「怒髪天をつく」という強い怒りの比喩があります。もしも真面目な絵画や映画の登場人物が本当に髪を逆立てて現れたら、途端にギャグ（少し古いセンスでしょうか？）になってしまいます。ベルクソンが述べているこの種のユーモアは、ロットが描いたマリアの驚きや戸惑いを、文字通り彼女が驚いて戸惑った姿を強調し、マリアを驚かせた天使や神をまるで「敵」のように表した画家の着想と通じるものがあると思います。

さて、この章では、一六世紀に描かれたキリスト教テーマの絵画を手がかりにして、美学・西洋美術史の方法と課題を見てきました。イメージを観察し、分析し、解釈することで、価値や意義、そして何よりもその魅力的な力を再発見すること。イメージが好きな人、何かを見て考えることが好きなすべての人に、美学・西洋美術史はおすすめです。

とくに二〇一〇年代以降、美学・西洋美術史の領域では、イメージが持つ力をキーワードとする研究がとても盛んになっており、なかには美術史や美学を「イメージ研究」または「イメージ学」のような包括的で柔軟な概念で捉えなおそうとする動きも現れています。この流れは、これからもますます強く、そして太くなっていくでしょう。

人文社会科学が総合的・多角的な人間の学であるとすれば（本書全体の「はじめに」を参照）、今後、人文社会科学全体において、イメージとその力の重要性はますます高まっていくと予想されます。つまり、美学・西洋美術史におけるイメージ研究の側面は、人文社会科学の未來へとつながるとても魅力的で有力な流れのひとつなのです。

〈参考ウェブサイト〉
Annunciation by Lotto, Lorenzo
https://www.wga.hu/html_m/l/lotto/5/06annun1.html　最終閲覧日：二〇二一年五月二九日

〈推薦図書〉
シルヴァン・バーネット『美術を書く』竹内順一訳、東京美術、二〇一四年
E・H・ゴンブリッチ『美術の物語（ポケット版）』Phaidon、二〇一一年
デイヴィッド・ホックニー、マーティン・ゲイフォード『絵画の歴史：洞窟壁画からiPadまで』木下哲夫訳、青幻社、二〇一七年
マイケル・バクサンドール『ルネサンス絵画の社会史』篠塚二三男、池上公平、石原宏、豊泉尚美訳、平凡社、一九八九年
美学会編『美学の事典』丸善出版、二〇二〇年
アンリ・ベルクソン『笑い：喜劇的なものが指し示すものについての試論』竹内信夫訳、白水社、二〇一一年

26 フランス文学――フランス語の過去・現在・未来

黒岩　卓

はじめに

近年、日本の大学のフランス文学専修（その名称は様々だが）において行われる学びや研究の範囲は、いわゆる「フランス文学」や「フランス語学」にとどまらないものとなってきている。東北大学文学部のフランス文学専修・フランス語学フランス文学専攻分野の近年の卒業・修士論文を例にとっても、文学テクストの読解をその主題としない場合が頻繁に見られる。洋の東西を問わず大学は時代の変化を反映してきたし、その意味で日本における「フランス文学」という学問的枠組みのありかたが時代とともに変化するのは、全く不思議なことではない。

しかしどの時代の、どの地域の、どのようなテーマを扱うにせよ、「フランス文学」に携わる学生・教員の全員が共有しているだろう一点がある。それはフランス語という言語への関心である。初めて文書として記録された九世紀からわたしたちが生きている二一世紀まで、直接・間接にこの言語を通して多種多様な文学や思想が生み出され、演劇や映画、絵画や音楽が花開き、政治、法律、社会、科学、宗教等々についての様々な思索がなされてきた。つまるところ、日本における「フランス文学」という学問的枠組みで学ぶこととは、広い意味で「フランス語を通じて表現されたものについて考えること」そして「フランス語という言語について考えること」の二つに集約されるといえるのではないだろうか。

その一方で、どこからがフランス語でどこからがフランス語ではないのか、という問いに答えることは容易ではない。そもそもフランス語は古代ローマ帝国で用いられていたラテン語がさまざまな言語（ゴール語やフランク語など）との接触のなかで長い時間をかけて変化したものだが、早くからラテン語からの乖離が強く感じられ、それゆえに同じくラテン語が変化した結果であるイタリア語やスペイン語などに比べていち早く独立した言語として認知されたという背景をもつ。その後もフランス語はラテン語をはじめヨーロッパの諸言語（その中にはもちろん英語も含まれる）、さらにはアラビア語などの非インド・ヨーロッパ諸語からも影響を受けつつ、絶えず変容を続けてきた。他方で記憶に留めておくべきなのは、今日のフランスに相当する地域に住んでいた人々の約半数は、二〇世紀の初頭にいたるまでフランス語ではなく諸々の方言や地方語を母語としていたことである。また現在（二〇二二年）、フランス語の日常話者の半数以上がアフリカ大陸に居住していることも、注目すべき事実である。フランス語の歩みを辿ることは、この言語を取り囲んできたさまざまな現実を辿ることでもあり、「フランス語＝フランス」という単純な図式を相対化することでもある。

以上の前提に立ちつつ、本稿ではどのような角度から「フランス文学」という学問的枠組みに関わるにせよ知っていて損はないだろう、フランス語の成り立ちとその将来についての概観を述べたい（尚、以下の記述の多くは Mireille Huchon, *Histoire de la langue française*, Paris, Le Livre de Poche, 2002 に依拠していることを付言する）。

1　ラテン語からフランス語へ

フランス語の歴史を考える上でラテン語は極めて重要である。インド・ヨーロッパ語族に属するラテン語は、もともとは現在のイタリアのラツィオ州周辺で話されていた言語だが、ローマ帝国の伸長とともに地中海沿岸および西ヨーロッパ全域に広がった。今日のフランスに相当するガリアはケルト系のゴール人たちの土地だったが、紀元前二世紀から紀元前一世紀にかけてローマ人たちによって征服される。ゴール人たちは支配者の言語であるラテン語を受け入れたが、その浸透には時間がかかり現地でゴール語が全く話されなくなるのは六世紀以降とされる。ゲルマン民族の大移動の後ローマ帝国は四世紀末に東西に分裂し、五世紀末には西ローマ帝国が滅亡する。他方でラテン語はローマ帝国の国教となっていたキリスト教（カトリック）の言語となっていたため、西ローマ帝国という政治体制の崩壊後も長く西ヨーロッパで影響力を保つことになる。

ローマ帝国で話されていた口語的なラテン語を今日「俗ラテン語」と称するが、この俗ラテン語はとりわけ七世紀以降に各地域ごとの変容を加速化させていく。なかでもその変化が著しかったのが、ゲルマン系のフランク族が住んでいた今日の北フランスに相当する地域である。そして八世紀末から九世紀初頭のカロリング・ルネサンス、すなわちフランク王国のシャルルマーニュ（カール大帝）による古典文化そして古典ラテン語の復興により、俗ラテン語が変化した結果である現地の人々が用いている言語と、その祖先である古典ラテン語との隔たりが明確になる。『ストラスブールの誓約』（八四二）は、前者が初めて文書として記録されたものである。

2　九世紀から一六世紀まで

俗ラテン語に由来し、中世の北フランスで用いられた諸方言をオイル語と総称する（これに対し南フランスの諸方言をオック語と総称する）。かつてはパリ周辺の方言が現代フランス語の起源となったと考えられていたが、今日ではこの説は無条件に支持されているわけではない。とりわけ一二世紀以降に人的交流が盛んになったパリの周辺で北フランス全域をカバーする共通の書き言葉が成立し、これが現代フランス語の祖先となったとも考えられているからである。当時のフランス語（古フランス語）にはラテン語の文法的特徴である名詞の格変化なども残されていたが、それらは次第に消えていき、代わりに現代フランス語に見られるような語順の遵守や前置詞の多用が確認されるようになる。音声の点でもさまざまな変化が起こった。

中世を通じて宗教・法律・学術の言語だったのはラテン語で、それに比すればフランス語に与えられていた地位は限定的なものであった。他方で、聖職者ではない多くの人々（そこには貴族も含まれる）にとってラテン語を修得することは容易でなく、そうした人々の需要に応えるべく聖人伝、武勲詩、物語などがフランス語で作られるようになる。またフランス語が他の西ヨーロッパ地域、さらには（十字軍の結果として）中東で商業言語・交流言語として用いられることもあった。

一四・一五世紀になると、フランスはイギリスとの戦争やペストの流行などのさまざまな危機に見舞われる。このころのフランス語ではラテン語由来の格変化はほぼ消失している。他方で主語人称代名詞の使用が一般化するなど、その姿は近現代のフランス語により近くなっている（中期フランス語）。文学の領域でも日本でも愛されているヴィヨンのような詩人が登場する。フランス語による詩や散文の修辞性・芸術性についての理論的な考察が深められ、それが文書として残されるのもこのころからである。

一五世紀が進むとフランスにルネサンス（古典古代文芸の復興運動）が訪れる。先進地域であったイタリアの文化を取り入れつつ、フランスでも人文主義すなわちギリシア・ローマの文化の研究を通じて人間性を捉え直す動きが起こるが、古典古代文芸の研究は必然的にキリスト教の聖典である聖書の本文やそのラテン語訳の学問的再検討を促すことになる。一方、かねてからのカトリック教会の腐敗への批判とも共鳴するかたちで、マルチン・ルターによる九五ヵ条の提題（一五一七）を契機として宗教改革が起こり、西ヨーロッパの多くの地域がカトリック教会から離脱する。宗教改革の課題の一つは、人文主義者たちの業績を継承しつつ、聖書そして神学をラテン語を解さない人々にも共有させることだった。フランス語圏における代表的な宗教改革者であるジャン・カルヴァンは、宗教改革陣営初の体系的神学書ともされる『キリスト教綱要』をまずラテン語で出版し（一五三六）、のちに自らこれをフランス語に訳している（一五四一）。これによりフランス語がラテン語に代わり、西ヨーロッパの文化・社会の根幹をなす聖典（すなわち聖書）とその教理体系を論じうることが証明されたのである。またこの世紀にはヴィレール・コトレの王令（一五三九）によってフランス語がフランス王国の裁判言語として定められ、のちには行政の分野においてもフランス語の使用が一般化するようになった。次の世紀になると哲学者ルネ・デカルトはその主著である『方法序説』（一六三七）をラテン語ではなくフランス語で著すことになるが、このこともフランス語がラテン語に匹敵し得る言語と見なされつつあったことを示している。

3　一七世紀から一八世紀まで

一六世紀後半の宗教戦争の後、フランス王国では王権による国内統一が進められる。すでに西ヨーロッパにおける最大の人口を有していたフランスは、一七世紀には大陸ヨーロッパにおける（いわば）最強国となった。文化的にはギリシア・ローマ文化に範をとる文学（とくに演劇）・音楽・絵画などの振興が行われると共に、フランス語の整備が為政者主導で行われる。一六世紀の間に爆発的に増えた語彙を整理しまた文法を整えること、一言でいえば国家の言語としてのフランス語のコード化を推し進めようとしたのである。その役割を主に担ったのが今日も存在するアカデミー・フランセーズであり、この機関を中心としてパリの上流階級の「良き慣習」をモデルとするフランス語の姿が定められる。フランス語によるフランス語辞典もこのころに初めて作られ、フランス語は近世国家をあらゆる局面で支えうる言語としての相貌を取るようになった。とはいえこうして整備されたフランス語が、当時のフランス王国の全ての人々によって母語として共有されていたわけではない。それどころか、多くの人々が母語としていた方言や地方語（オック語、ブルトン語など）は、上のように定められたフランス語とは多かれ少なかれ隔たるものだった。他方で、一七世紀以降にフランスは北米やカリブ海のアンティル諸島、アフリカ大陸やインド洋などに進出したが、それらの地域にもフランス語が導入される。

一八世紀になるとフランス語は外交・文化・学術言語としての威信をロシアを含むヨーロッパ全域に輝かせることになり、フランス語を「普遍的な言語」と見なすような神話的とでも言うべき言説まで生み出されるにいたった。プロイセン王国のフリードリヒ二世、ロシア帝国のエカチェリーナ二世といった多くのヨーロッパの君主たちがフランスの知識人たちとの交流を行う。こうしたフランス語の「普遍性」に対する信仰はフランス革命を経ても弱められることはなく、むしろより強化されることになる。革命のさなか、グレゴワール神父は各地の反動勢力に結びつくとされた諸々の方言や地方語を文字通り根絶し、「自由の言語」たるフランス語を誕生間もない共和国の隅々にまで普及させることを国民公会で提案している（一七九四）。同時にグレゴワール神父は、共和国の約半数の人々がこのフランス語を話さずまた理解もしていないことを証言している。彼によれば「純粋に」フランス語を話すことができるのは、フランス共和国の総人口二八〇〇万人のうち三〇〇万人に過ぎず、正確に書くことが出来る人の数はさらに少なかった。「普遍言語」としてフランス語がヨーロッパ各地のエリートにもてはやされる一方で、足元であるフランスの多くの人々にとって、この「普遍言語」はいまだ身近なものではなかったのである。

4　一九世紀から二〇世紀まで

フランス革命の輝かしいイメージとは裏腹に、フランスの政体は一九世紀を通じて目まぐるしく交代した。共和政が多少なりとも安定した形でフランスに定着するには、実に一八七〇年に成立する第三共和政を待たなければならない。第三共和政はフランス国内の諸制度の改革を進めたが、特筆すべきは初等教育が義務化され、フランス語を「国語」として国民全体に浸透させる道筋ができたことである。さらに「フランス文学史」がこのころ成立している。フランス語による文学の歴史が、フランスという国家のアイデンティティを形成する重要な要素として位置づけられるようになったのである。この時期に成立した「フランス文学史」は、二〇世紀初頭の留学生らによって日本に輸入され、その後日本の諸大学に誕生する「フランス文学科」の学問的支柱となった。

同じころフランスはアフリカとアジアに第二の植民地帝国を築く（フランスは一八世紀にイギリスとの植民地戦争に敗れ、アメリカ大陸の領土のほとんどを失っていた）。上述した教育改革を推進したジュール・フェリーは植民地政策の推進者でもあり、議会で「優等人種」が「劣等人種」を支配し教導することの正当性を断言している。植民地化されたアフリカではフランス語が行政言語として導入され、教育機関での現地諸語の使用も制限されることになる。皮肉なことに「自由の言語」たるフランス語は、植民地支配を受けた人々の思考と精神を、根深くまた持続的にフランス「本国」に屈服させつづける道具となった。だがそうした政策の萌芽は、フランス革命下における方言や地方語の抑圧政策にすでに見られるものなのである。

日本人がフランス語の学習を始めたのもこの頃からである。一九世紀初頭にロシア帝国との係争のなかでフランス語による外交文書を受け取ったことをきっかけとして、長崎のオランダ通詞たちがフランス語の学習を開始する。その後の空白期間をへて一九世紀の中頃には松代藩士の村上英俊が、ベルセリウス『化学提要』の仏語版を読解するためにフランス語の学習を開始する。村上は間もなくこれに習熟し、その後は教育者として多くの弟子を育てた。この二つの出来事から伺えるのは、日本人にとってフランス語とのファースト・コンタクトは、外交上そして軍事上の必要に由来していたということである。言い方を変えれば、このころの日本人にとってフランス語は明らかに「役に立つ」ものだった。その後も、世界有数の「列強」であるフランスの国語を学ぶことは、日本の近代化にとって有益なことだと多くの人々が考えていたのである。

フランスの二〇世紀は実質的には第一次世界大戦（一九一四～一九一八）によって始まる。当初の見込みを大幅に超える大戦争となったこの戦いのために、フランスは全国民を動員したが、このことは結果的にフランス語がフランス共和国の全土に広まることを促進した。各地方出身の若者たちが塹壕生活を共にするなかで、フランス語による相互コミュニケーションが浸透したからである。他方でこの戦争は、外交言語としてのフランス語の衰退を告げる出来事ともなった。講和条約であるヴェルサイユ条約の原本がフランス語ではなく英語によるものとされたことは、国際語としての英語の台頭を象徴的に示していたのである。

二〇世紀にはラジオや映画そしてテレビといった音声を伴うメディアが発達し、これらによってフランス語の音声の統一が推進された。また教育の浸透によって書き言葉の統一も進む。地方語を家庭内で伝承する機会が減少し、二〇世紀の終わりには地方語のみを話す人はもはや見られなくなった。二十世紀後半以降にはそれらの保存や地位向上が試みられているが、その一方で少数言語の保護を目的とした「ヨーロッパ地方言語・少数言語憲章」（一九九二）はフランスでは批准されていない。一九九二年に改定された憲法第二条の規定で、共和国の言語がフランス語と定められたためである。フランス語の「純粋さ」を守るための機関が作られ、とくに英語に代わるフランス語の語彙が提案されるが、それらの語彙は受け入れられることもあれば受け入れられないこともある。

二〇世紀の中頃以降、フランスはアジアやアフリカの植民地の大半を放棄した。アジア各国ではフランス語はほぼ用いられなくなったが、サハラ以南アフリカでは未だにフランス語が多くの国で公用語として残り続けている。国境が植民地時代の政治区分の名残であるゆえに、多言語・多民族が共存することの多いサハラ以南アフリカ諸国では、旧宗主国の言語を媒介言語として保持しなければ国家統一を保つことが出来なかったのである。このことはとくに教育分野での大きな問題を残すことになった。一九七〇年にはサハラ以南アフリカ諸国の相互協力のために、今日の「フランコフォニー国際機関」の祖型が結成される。

5　二一世紀

二一世紀に到りフランス語を巡る国際情勢は大きく変わりつつある。フランスという国の国際的地位は、日本人が「列強」としてのフランス、そしてその国語であるフランス語を本格的に学び始めた約一五〇年前に比べると、大きく様変わりした。他方でフランス語圏諸国のなかで二一世紀以降に大きく成長すると考えられているのが、かつてフランスなど西欧「列強」の植民地であったアフリカ諸国である。アフリカにはフランスだけでなくヨーロッパや北米（カナダのケベック州）を合わせた数を上回るほどのフランス語の日常話者がおり、その割合はこれからも増え続けると予想されている。二〇五〇年には全世界のフランス語話者の七〇％以上、一五歳から二九歳の若者に限れば実に九〇％以上がアフリカの人々になるという予測もある。アフリカ諸国のフランス語はフランスのフランス語と比べて異なるところが多々あり、ダイナミックな変化の渦中にある。今後、日本における「フランス文学」が対象とする地域も、今まで以上にフランスやヨーロッパ・北米に限られなくなるだろう。

おわりに

冒頭に述べたように、洋の東西を問わず大学は時代の変化を反映してきたし、その意味で日本における「フランス文学」という学問的枠組みの内実が時代とともに変化することにも、何ら不思議はない。日本における「フランス文学」という学問分野に携わる教員そして学生にも、これまで以上の柔軟な思考と開かれた態度が求められているのである。

同じことはまた、とりわけ一九世紀のヨーロッパの学問体系を受容しつつ成立した日本の人文学についてもいえるのではないか。西洋近代によってもたらされたテクノロジーやものの考え方の妥当性・正当性が問い直されている昨今、日本の人文学も欧米諸国の思潮を無反省に輸入しつづけるだけでは、もはや日本社会の多くの人々を納得させることはできない。他方でフランス語（の日常話者数）の重心がアフリカ大陸に移行しつつあることに鑑みれば、フランス語はわたしたちが西洋文化圏だけでなく非西洋文化圏を知る上でも有力なツールたりえるといえる。わたしたちはまだまだ多くのことをフランス語を通じて学ぶことができるのである。

〈主要参考文献〉

ベルナール・セルキリーニ『フランス語の誕生』瀬戸直彦・三宅徳嘉訳、東京、白水社、一九九四。
平野千果子編著『新しく学ぶフランス史』、京都、ミネルヴァ書房、二〇一九。
Huchon, Mireille, *Histoire de la langue française*, Paris, Le Livre de Poche, 2002.
Kouadio, Jérémie, N. Guessan, « Le français : langue coloniale ou langue ivoirienne ? », *Hérodote*, 126, 2007, pp. 69-85 (https://www.cairn.info/revue-herodote-2007-3-page-69.htm, 二〇一八年一二月一八日閲覧).
永井敦子・畠山達・黒岩卓編著『フランス文学の楽しみかた』、京都、ミネルヴァ書房、二〇二一。
Organisation internationale de la francophonie (éd.), *La Langue française dans le monde*, édition 2019, Gallimard, 2019.

Siouffi, Gilles, « Chapitre 6 : Que peut-on appeler « français », et à quelle époque ? », *Grande grammaire historique du français*, éd. par Christiane Marchello-Nizia, Bernard Combettes, Sophie Prévost et Tobias Scheer, 2 vol., Berlin/Boston, Walter de Gruyter GmbH, 2020, volume 1, pp. 73-90.

富田仁『仏蘭西學のあけぼの　佛學事始とその背景』、東京、カルチャー出版社、一九七五。

27 文化人類学 文化との出会い方、付き合い方

越智郁乃

はじめに

皆さんは「文化人類学」という学問分野があることを、いつ・どこで知っただろう。この本で初めて知った、あるいは大学に入ってから授業名で初めて知った、と言われてもあまり不思議に思わない。かくいう私も「文化人類学」と出会ったのは、大学に入学してからだ。今まで聞いたこともない学問分野の、遠い場所に住む聞いたこともない民族の、思いもしなかった生き方・考え方に触れた私は、この学問についてもっと知りたいと思った。同じく文化人類学を専攻した友人たちの中には、授業で学んだその土地に出向いていった人もいた。しかし、臆病だった私は、そこに行く勇気がなかった。

今思えば、もっと身近で遠くの文化と出会うコツがあった。この章では、文化人類学の研究対象である「文化」とどのように出会い、そしてどのように付き合っていくのかについて、皆さんと一緒に考えていきたいと思う。

1　遠くで考える「文化」

英語の"Cultural Anthropology"の訳語である「文化人類学」とは、「文化」と「人類学」の二つの単語からなる。人類学に相当する"Anthropology"とは、人間を意味するギリシャ語"anthropos"と研究を意味する"logos"に由来する。つまり人間を研究する学問なのである。厳密にいうと、頭に「文化」の付かない「人類学」とは、人骨や類人猿を対象に人類の起源や進化・変遷、他種との相違や人類の集団内でのばらつきなどについて研究する学問である。その「人類学」に「文化」が付いて「文化人類学」になると、文化を対象にして人間とは何かを研究する学問である、と説明される。

では、その「文化とは何か」と問われると、答えるのはなかなか難しい。文化人類学者は、「文化とは何か」という問いを携えて、敢えて「遠いところ」を経由して考えてみる。物理的に身体を遠いところに置くこと、つまり自分の住んでいるところから遠く離れた場所に行く研究者もいる。その地域の言語をおぼえて、そこに暮らす人と何かしら一緒に行動したり会話したり、つまりはそこで生活する。その一連の活動を「フィールドワーク」と呼び、その手法を用いて資料を収集し、生活の内側から彼の地の文化のあり様について考える。

フィールドで長く生活していると、揉め事や摩擦を経験する。東アフリカ・ケニアのドゥルマ社会を研究する浜本満は、食事時に起こったある出来事から「文化」について考えた（浜本一九九七）。浜本は、食事時に狙い澄ました訳ではないだろうが、通りすがりのドゥルマ人の訪問を受けることがよくあった。彼と同居している友人のドゥルマ人はためらうことなく彼らを誘い、彼らも遠慮なく食事を食べた。おまけに、塩味が足りないなどと人の作った料理に文句をつけた。浜本はそんな人々に対して「なんて図々しい奴らなんだ」と内心むかついたのだった。

一方、浜本も運悪く人々が食事をしている場を訪問してしまうことがあった。その家の人からは熱心に食事を勧められるが、一見して料理の量が十分にないと分かるので、常に遠慮した。彼はごく自然な善意と遠慮の気持ちからそうしていた。しかし後になって、「あいつは我々と食事をするのが嫌いなんだ」という噂を立てられてしまった。浜本が遠慮のないドゥルマ人にむかついたように、ドゥルマ人は遠慮する浜本にむかついていたのだ。

浜本は、文化という言葉には色々な意味があるが、人類学における文化概念の使い方は上述したような使い方にかなり近いと指摘する。表面的な慣習の違いや態度、行為のしかたの違いはもっと根本的で原理的な「なにか」の違いに由来しているのかもしれない。そう考えたとき、この「なにか」を「文化」と呼ぶのである。違いが文化に由来するものだということは、さらにその違いが単に特定の個人の資質によるものでも、反対に生物学的な形質の違いに由来するものでもない、という主張も含んでいる。文化とは単なる個々人のものではなく、一つの社会の人々に共有されている「なにか」でもあり、さらに生まれつき備わっているものではない。学習によって後天的に身につけられた「なにか」でもある。実際、人類学者が「文化」を記述しようとする際にも、多くは様々な習慣や人々のものの考え方やらを記述しているだけだったりする。つまり、人類学における文化というのは、明確な対象を指す概念というより、その探求を方向付ける指針の役割を果たす概念であると考えた方がよい（浜本一九九七：八六－八七）。

2　近くで考える「文化」

この「文化」の概念に関して、少し遡って、「自文化」を基にして「異文化」というものが炙り出されるプロセスに注目してみたい。浜本は食事の誘いを断った際の理由として「ごく自然な善意と遠慮の気持ちからそうしていた」という。この「ごく自然な善意と遠慮の気持ち」とは、どこからきたのだろうか。おそらく彼が「食事時に他人の家にお邪魔してはいけない」とか「客は遠慮しなければいけない」などと周りの大人が言うことを見聞きして、そのような考えを無意識に身につけてきたのではないだろうか。また、友達の家でご馳走してもらって、食事が不味かったとしても「美味しくないです」とは言い出しにくいものだ。それは、相手に対しては本音を隠して大変美味しかったですと言うものだ、と周囲から教わったからかもしれない。だから、ドゥルマの人々の行動について浜本はむかついたのだ。そして私たちが浜本の気持ちに共感できるとしたら、私たちも同じような価値観を植え付けられながら育ってきたのだ。つまり、文化の違いについて考えるとき、自文化というものがどのように形成されているのか、ということを考えるのもまた重要なのである。

社会学者の黒木雅子は、文化を捉えるためには以下の点を念頭に入れておく必要があると指摘する（黒木二〇一四）。第一に、文化は生得的なものではなく、学習によって獲得するものであるという。子どもはその社会のメンバーになるのに必要な言語や規範、価値観を家庭、学校、仲間、地域、マスメディアなどを通じて学んでいく。これを社会化（socialization）といい、子ども期だけでなく、一生続く学習プロセスであると考えられている。社会化には法律などのように明文化された規範の学習と、暗黙の規範の学習がある。食事に誘う／誘われる際にどのように応答するかといったことはまさに暗黙の規範にあたり、失敗を重ねながら経験によって行われるものであるという。

第二に、文化は生き物のように絶えず変化していくものであって、決して静的、固定的に捉えられない。例えある集団の文化について「純粋」や「伝統」という言葉で説明しようとしても、変化していく中の一瞬の姿を捉えたに過ぎない（黒木二〇一四：一九）。例えば皆さんは「日本文化」として具体的にどのようなものを思い浮かべるだろうか。書道、茶道、花道？ちなみにこの三つは、私の祖父母が自宅で教室を開いていたもので、玄関先に「茶道、花道、書道教室」と書いた看板を出していた。それを見た同級生から「日本文化屋」のように言われたことがあるので、つい思い浮かべてしまう。しかし、書道の起源は中国にあり、書聖や大家と言われるような中国の書家の書法を重視する。また茶道でも「唐物」、つまり「唐の国」からきた道具類は珍重される。それぞれ、「道」と呼ばれるには長い月日を要し、日本国内には様々な組織や流派が見られる。一方、書道では現在、日本のポップミュージックの歌詞を題材にもする。茶道も「見立て」、つまり他のものになぞらえた表現をより拡大し、紅茶の缶を茶入れにしたり、金属のティースプーンを茶杓に用いたりすることもある。時に「日本文化」の代表のように言われたり、「日本的」と表現されたりするものも、一つとして変化しないものはないのだ。

第三に、文化と文化が接触するとき、力関係が伴うことにも念頭に置かなければならない。文化接触は自分自身が移動しなくても、自文化内でも経験している。異文化に限らずモノ・考え方・行動様式はメディアを通してやってくる。その時、私たちが何を採用し、何を排除するかは、文化の問題だけにとどまらない。つまり、ある集団にとって「いかに生きるか」という文化の選択は、その集団の置かれている政治的・経済的状況が大きく影響する。この力関係は、マジョリティ（社会的に優位な集団）の一員に安住していると見えにく

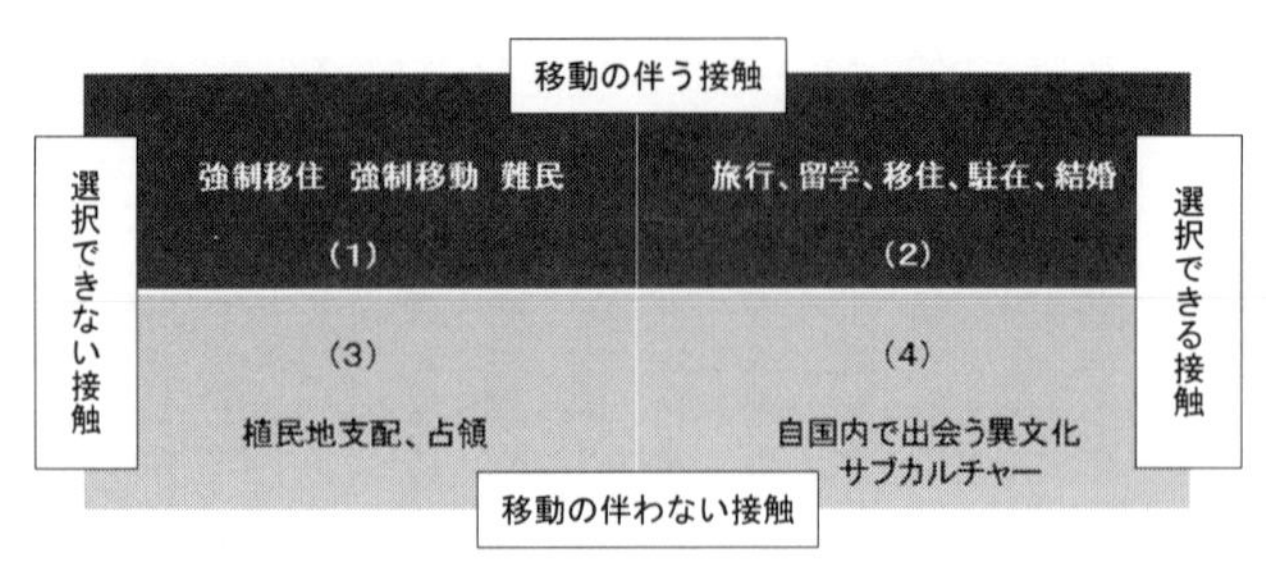

図 27-1　異文化との出会い方（黒木 2014:45）

い。それが見えるようになるのは、マイノリティ（社会的弱者）を経験した時である（黒木二〇一四：二〇）。

マイノリティの経験には、多民族に混じるような出来事が必要というわけではない。例えば、二〇二一年現在、消費税は10パーセントであるが、酒類・外食を除く飲食料品や定期購読契約された新聞は「日々の生活の生活における負担を減らすために」消費税の税率が8パーセントに据え置かれている、と政府広報オンラインで説明されている。しかし、生活必需品に全て適用されるのではなく、生理用品やおむつには軽減税率は適用されていない。そこから考えると、生理用品やおむつが必要な人には税制による生活へのしわ寄せがあり、数的には決して少なくない人々が「社会的弱者」を経験していることになるのだ。

黒木による個人を移動主体とした異文化接触の類型図（図1）をみてみると、個人が移動することによって出会う異文化、移動せずに出会う異文化、個人にとって選択の余地がない政治的な要因による異文化との出会い、個人にとって選択可能な経済的・文化的な要因による異文化との出会いなど、様々な異文化との出会いがある。旅行や留学など、今まで、あるいはこれから経験する異文化との出会いもあるが、授業をともに受けている友人たちは様々な出身地からここに集まっていることを考えると、今まさに異文化と出会っているのである。こうして考えると、我が身を物理的に遠い場所に置くだけでなく、視点を変えて身近な場所を見回すことで、あらゆる場所で文化が溢れ、ぶつかり合っている様子がわかるだろう。

これはもちろん一つのモデル化であり、植民地支配・占領を受けた後、時がたち、次第に自文化へと取り込まれる文化もある。例えば、沖縄戦後、米軍支配を受けた沖縄では、アメリカ文化が流入し、次第に定着した。浜辺に皆で集まってご飯を食べたりお酒を飲んだりする「ビーチパーリー」もその一つである。原語は“beach party”であるが、アメリカ英語らしく“t”の音が脱落した言葉が沖縄の人々の耳を介して伝わり、カタカナ英語として現地化したのである。

3　経験し得ないことから考える「文化」

さて、自国内での文化接触は、現世の人間同士だけではなく「あの世」と「あの世の人」とも繋がっている。ライフステージ、つまり子どもから青年へ、成人から壮年へ、老人へと変化してゆくにつれ、人は「通過儀礼」を経験していく。入学式、成人式、結婚式と言えば、皆さんにも経験があり、想像しやすい儀礼だろう。「通過儀礼」は一人の人間が生まれる前から始まっている。例えば日本では、母親が妊娠五ヶ月目の戌の日に腹帯を巻く「帯祝い」という妊娠に伴う儀礼があり、また出産の際には地域差はあるが数日から数週間は引きこもり、いくつかの禁忌を守りながら過ごしていた。子どもが生まれて七日目に命名の儀礼「お七夜」を行なったり、百日目に親族を集めて「お食い初め」といって、お膳を準備してご飯を食べさせる真似をする儀礼を行なったりしながら、子どもは次第に社会に承認されていく。人間が生きる時間は本来ひと続きのものであるが、このように幾つかの儀礼を行うことで、人為的に時間を区切っている。そして、その都度それぞれのステージを離れ、次のステージへと移行し、再統合を図っていくのだ。その中で現れる「葬送儀礼」は、それを受ける人にとってはこの世で生きて経験し得ない儀礼である。

文化人類学者の内堀基光は、死というものは実は想像力の領域に属するものであると指摘する（内堀一九八六：一九）。死は私たちの想像力の発明した様々なイメージによって構成される。ゆえに死者でなく、生者によって担われる葬送儀礼は、生者の死の想像力に溢れていると言える。人類学者たちはこの死の想像力の多様性、ひいてはそれを生み出す生の多様性に魅せられてきた。

マレーシアのサラワク州に暮らすイバン族の死の有り様について研究した内堀は、その死の解決を「観念主義」と表現する。死の直前まで身体の蘇生の努力と、魂を呼び戻す蘇生の呼びかけが行われ、息を引き取るやいなやその場は悲嘆の声に満ちる。しかし死体は上等な布に包まれるとすぐ居室から運び出される。葬送が行われる翌朝まで、遺体はイバンの人々が共同で暮らすロングハウスの廊下に安置され、通夜が行われる。森から木を切り出して棺を作り、遺体を納める。埋葬の葬列は未明のうちにロングハウスを出るのが望ましい。共同墓地に到着すると土葬する。埋葬の後行われる死者祭宴の時以外、墓を訪れることはなく、年を経た死者の墓を識別するのは難しい（内堀一九八六）。

これに対して、文化人類学者の山下晋司の研究するインドネシア・ウラウェシのトラジャ族の葬送儀礼は、ド派手だ。山下はそれを「死を中心にした」社会における「儀礼主義」と表現する。階層化されたトラジャの社会における使者儀礼の内容は、地位と富によって差があるものの、水牛や豚の供儀が共通して行われる。慣例に則って水牛や豚は殺害・解体され、生肉のまま配分される。親族・友人・村人たちが数百人参集し、酒や料理が振る舞われる。食事が終わると、遺体が屋外に運び出され、土葬される。地位と富がある者は、儀礼に一週間以上かけられることもあり、残された者にしてみれば出費がかさむが、それ分だけの威信と名誉を手にすることができる。死をめぐる壮大な社会劇の演出は、一大ページェントであり、一九七〇年代にはこうした死者儀礼が国際的な観光の対象にさえなった（山下一九八六）。

この二つの死者儀礼は、葬儀の場面だけ示すと一見対照的に見えるが、イバンにも観念体系の表出としての儀礼はあるし、トラジャにも儀礼体系の背後に観念はある。これは二人が死をめぐる文化を記述し理解するにあたって、イバンではまず観念の体系をピンでとめ、その延長線上に儀礼が捉えられたのに対し、トラジャではまず儀礼の体系をピンでとめた上で、その背後にある観念が説明されたわけである。これは、自文化を出発点にした主観的な再構成でもあるし、フィールドの人々と人類学者とのやりとりがあって初めて成り立つ行為でもある。また、その社会の生業や階層などの社会経済的な状況によって、文化の表出の仕方は違ってくるのだ（山下一九八六：二八一－二八二）。

では、日本の葬送儀礼はどうだろうか。遺体の取り扱いに焦点を当ててみると、宗教学者の山折哲雄は、「日本人の『葬儀』の方式は、全世界の各地に見出される異習・奇習のなかの一つとして位置づけられている。壷に『死者の灰』をうやうやしく保存する日本人は、死体を切り刻んだり、猛禽の処理にゆだねたり、あるいは骨を粉にしたりする異文化の人々と同じ平面で見られている」と述べる（山折一九九〇）。日本の火葬と、火葬骨を骨壷に入れて死者を祀ることは、チベットで行われる鳥葬（死体を解体して断片化させ、ワシなどの鳥類に食べさせることによって魂を天に送る葬法）と同じくらい珍しいのだと。このように表現されると「死体損壊と同一視されたくない」と思うだろうか。かつて宗教上の理由から土葬を行ってきたキリスト教圏でも、都市化に伴う土地の不足から火葬率が上昇している。もはや火葬はそれほど珍しいことではなくなっているが、ほとんどの地域において火葬とは遺体を灰状にすることであり、「きれいに」骨を残す火葬のやり方が重視されているのは日本だけである。それゆえに、火葬炉から引き出された骸骨を見て卒倒しそうになるという外国人もいるという。ここで重要なのは、そうした違いを「日本的な死」として放置してはいけないということだ。日本も、チベットも、イバンもトラジャも『遠い死』とせず、互いに参照され合う関係を結び、『人類の死』に関する理解をより豊かにすること」(山下一九八六：二九〇)が大事なのである。

おわりに

文化との出会いは眼前に溢れ、そしてまだ見たことのない彼の地に続いている。そして現在、インターネット空間を通じて、椅子に座ったまま、遠くの場所に繋がれもする。他方で、さまざまな場所からの情報が波のように私たちのもとに押し寄せている。果てしなく続く文化との出会いと付き合いの中に私たちはすでに生きているのだ。何も難しいことはない。「遠くから」でも「近くから」でも、そこで生じた「揉め事」や「摩擦」を通じて「違い」を見つけ、あるいは「共通項」を取り出して問い続けることこそが、文化人類学的な営為なのである。

文化人類学の未来

文化が動き続けるのと同じように、文化人類学もまた研究対象を様々な視点で捉えなおそうとしている。

異文化の制度や体系の把握からネットワークの構築へ、象徴から行為へ。あるいはヒトだけではなくモノや空間を介して。

文化人類学研究者が考える人文社会科学の未来

異文化を通じて自文化を相対的に捉え直す視点は、今日の多様性を重視する社会においてますます重要であり、それを総合的に学ぶ人文社会科学は、よりよい社会を構想し作り上げる際の基礎であり続けるだろう。

〈参考文献〉


内堀基光「第1章　死の人類学の可能性」「第2章　イバン族における生と死」「第3章　イバン族における死の解決」内堀基光・山下晋司『死の人類学』弘文堂、一九八六年。

黒木雅子『改訂版　異文化論への招待　「違い」とどう向き合うか』朱鷺書房、二〇一四年。

浜本満「文化の概念」山下晋司・船曳健夫編『文化人類学キーワード』有斐閣、一九九七年。

山折哲雄『死の民俗学－日本人の死生観と葬送儀礼』岩波書店、一九九〇年。

山下晋司「第4章 トラジャにおける生と死」「第5章 トラジャにおける死の解決」「結論」内堀基光・山下晋司『死の人類学』弘文堂、一九八六年。

〈政府広報オンライン「軽減税率制度のこと」〉
https://www.gov-online.go.jp/cam/shouhizei/keigenzeiritsu/（二〇二一年五月三一日最終閲覧）

28　倫理学　あなたを知らぬ間(ま)に動かしているもの

村山達也

はじめに——倫理学は何ではないか

みなさんは倫理学にどのようなイメージをおもちでしょうか。昔の人が言ったことを勉強するだけだとか、「あれをしろ、これはするな」という道徳の話、つまりはお説教だとか、そういうイメージかもしれません。倫理学を研究している人は決まりにうるさく、融通の利かない人に違いない、そう思っている方もいるでしょう。

これらはすべて誤解です。まず、倫理学は、昔の人が言ったことも研究しますし、それは倫理学の大事な一部ですが、基本的には、自分たちについて、自分で考えることです。また、倫理学には道徳以外の話題もたくさんあります。道徳の話をするときも、お説教とはほど遠いモードです。何しろ、「どんなお説教も、その内容は必ず間違っている」と主張する学説さえ存在するのです。そして最後に、倫理学者は、いまある道徳をひたすら守るべきだと考えているわけでもありません。そもそも、道徳に何の疑問も抱いていないなら、研究したりしません。いまある道徳に、何か不思議な点や不満があるからこそ、研究しようと思うわけです。

1　倫理学の主題

倫理学とは何か

では、倫理学とはいったいどんな学問なのでしょうか。倫理学とは、生きることがもちうる価値や、それと関連する主題を、できるだけ論理的に考える学問です。もちろん、これだけではまだ分かりにくいでしょう。少しずつ具体的にしていきます。

まず、生きることがもちうる価値とは、**道徳的善悪**のほか、**幸福と不幸**、**意味と無意味さ**などです。他にもありますが、これらが代表的です。そして、関連する主題には、**愛**、**友情**、**性**、**自由**、**宗教**、**死**などがあります。要するに、私たちの生のほとんどすべてです。私たちの生という複雑な現象に、価値という側面から迫るのが、倫理学なのです。

具体的にはどんな問題を扱うのでしょうか。「生きることの価値」と言われると、私たちはつい「いかに生きるべきか」のような大掛かりな問いを考えてしまいます。もちろん、これも倫理学の問いです。しかし、もっと日常的な場面でも倫理学の問いは生じます。

例えば、好きなものを食べるため、買いもの袋を持って買い物に行き、お釣りを募金しようと思ったが、友達が見ていたので恥ずかしくなり、結局やめた、という場面を考えましょう。これを価値の観点から言えば、よい暮らしのため、環境を大事にしつつ、決まりを守る善良な客として（盗んだり棚を蹴ったりせずに）買い物をし、その途中で、募金という善い行ないより、友達から見た格好良さを優先したわけです。

この時点で既にさまざまな問いが生じえます。よい暮らしとは何か。なぜ環境を大事にしなくてはいけないのか。決まりさえ守れば善良と言えるのか。そもそも、なぜ決まりを守らなくてはいけないのか。善行はなぜ恥ずかしいのか。そして最後に、人が充実して生きることにとって、究極のところ、道徳と格好良さのどちらが大切なのか（もちろん、道徳が最優先だと考えない倫理学者もたくさんいます）。

このように、私たちの生はすみずみまで価値と関わっています。私たちは、そうと知らぬ間に、価値に動かされ続けているのです。そして、私たちの生と価値とのどの関わりについても、「それは何か／なぜか」という問いを立てることができます。そうした問いを丁寧に拾い上げ、論理的に考えていくこと、それが倫理学なのです。

哲学との違い

倫理学と似ていて紛らわしいものの一つに、哲学があります。基本的には、倫理学は哲学の一分野です。哲学のうち、生きることの価値とそれに関連する主題を扱う分野が、倫理学なのです。一分野のわりには存在感がありますが、それだけ重要ということです。日本では「世界史」の他に「日本史」も教科になっているようなものです。

「倫理学」の語源

なお、「倫理」は中国古典にも出てくる語で、倫（ともがら）の理（すじみち）、つまり、仲間のあいだの秩序という意味です。これに「学」がついた「倫理学」は、西洋語の翻訳として明治期に考案されました。西洋語の「倫理学」（英語だと'ethics'）の語源は古代ギリシア語です。習俗や習慣を意味する「エトス（ethos）」から、人のあり方（性格や人柄）を表す「エートス」が派生し、さらにそこから派生した形容詞が「エーティコス」で、「人のあり方に関わる」という意味です。この形容詞が、現在の「倫理学」の起源にあります。

倫理学のうち、道徳に関わる部分は「道徳哲学」とも呼ばれます。「道徳」（英語だと'moral'）の語源はラテン語で、やはり習俗や習慣を意味する「モース（mos）」です。だから、倫理学と道徳は、語源はよく似ています。

大抵の辞書では、「学」なしの「倫理（的）」は「道徳（的）」と同じ意味とされます。そのせいか、「倫理学」も二つの意味で用いられます。生の価値を広く扱う学問を指す場合と、その一部である道徳哲学を指す場合です（例えば、後で出てくる「規範倫理学」は、規範を定める道徳哲学という意味です）。この章で紹介しているのは、道徳哲学を一部として含む、広い意味での倫理学のほうですので、ご注意ください。

2 倫理学のやり方

論理的な思考

倫理学は、私たちの生の価値について論理的に考える、と述べてきましたが、この「論理的」という言葉に疑問をもつ方がいるかもしれません。生きることの価値という曖昧なことを、論理的に考えることなどできないのではないか、と。

これも誤解です。そして、誤解を晴らすには具体例が一番です。菜食主義を例に取りましょう。肉食をすべきではないという考えです。多くの人は、変な考えだと思うでしょう。生命が尊いというなら、植物も食べられないはずだ、というわけです。しかし、生命が尊いことを理由に掲げる菜食主義者は、実は少数派です。では、多くの菜食主義者は、なぜ肉食をすべきでないと考えるのでしょうか。

実は菜食主義は、私たちも受け入れているごく常識的な二つの理由に支えられています。第一に、私たちは、**「動物は苦痛を感じる能力をもつが、植物はもたない」**と考えています。これは科学にも即した考えです。高等脊椎動物は、神経系の発達度から言って、苦痛を感じる能力を備えています。他方で、自力で移動できない植物が、苦痛を感じる能力を備えたら、逃げられないことによるストレスで、すぐに絶滅するでしょう。動物は「痛い」と言わないから苦痛を感じているか分からない、と思うかもしれませんが、「痛い」と言えないのは乳児も同じです。乳児に苦痛を感じる能力を認めるなら、牛や豚にも認めるのが科学的というものです。

第二に、**「避けられる苦痛を、自分の快楽のために生じさせるのは、道徳的な悪だ」**というのも、ごく常識的な考えです。人間相手であればもちろんですが、例えば、一日三回、気分転換のため、飼い犬をさまざまな道具で痛めつける人のことを考えてみてください。酷いことはまったくしておらず、道徳的に何の問題ないと考える人は、それほど多くないでしょう。

さて、いまの二つの考えを認めると、それだけで、肉食は道徳的な悪だという結論が出てきます。日本で流通している食肉のほとんどは工場畜産によるものであり、そこでは、私たちの肉食の快楽のため、日常的に、動物に多大な苦痛を与えているからです。動物の多大な苦痛を発生させずに生産された肉を食べている人は、現代の日本にはほとんどいません。

さまざまな反論がありえます。まずは「肉食は生存に不可欠だ」という反論です。しかし、肉なしでも栄養は十分に摂取できます。まれに、肉を食べないで病気になる人もいますが、配慮の必要な人がいることは、それ以外の人が肉食をやめてはいけない理由にはなりません。その理由を認めるなら、同じようにして、「肉を食べるとアレルギー反応の出る人がいるので（実際にいます）、あなたも肉を食べてはいけない」と言えてしまいます。

「動物だから別扱いしてもよい」という反論がありえます。しかし、いま問題になっているのは、「動物だからといって別扱いしてよいのか」ということです。この問いに「動物だから」という理由しか挙げなくてよいなら、女性差別や人種差別も「女性だから」「肌が黄色いから」で正当化できてしまいます。動物に苦痛を与えることを正当化する、何かしらの理由を挙げる必要があるのです。

人間は知性が優れているというのを理由にする人もいます。しかし、「知性が優れている」という理由で、苦痛を与えることを許容するなら、成長したチンパンジーは人間の新生児を痛めつけてよいことになります。人間の新生児より頭がよいからです。肉食は文化だから許される、としてしまうと、女性差別や人種差別も問題ないことになります。弱肉強食を理由にすると、人間社会でも強者は弱者を好きなように虐げてよいことになります。

「分かりました。これからは感謝して食べます。」しかし、感謝すれば何をしてもよいわけではありません。セクハラは、お礼を言ってもセクハラです。

さて、例示はこれくらいにしましょう。ここで示したかったのは、倫理学の議論は、主張も反論も「なぜそう言えるのか」という**理由**を提示しながら進むということです。また、反論や再反論には**一定のルール**、ないしパターンがあります。「この理由でこれを否定するなら、同じ理由であれも否定しないといけない」とか、

「この理由を認めるなら、この結論も認めないといけない」などです（「自然の摂理だ」とか「法律で禁止されていない」「真面目な人だけやればよい」など、肉食の正当化で登場してきそうないろいろな理由を用いて、自分に都合の悪いことが正当化できてしまわないかどうか、ぜひ考えてみてください）。

こうして、お互いが共有できそうな理由を提示し、一定のルールを守りながら議論を進めること。簡単に言えば、これが論理的ということです。論理的であろうとすることではじめて、私たちはよりよい結論を目指して協力的に議論できるようになります。倫理学では、主張した人の権威とか、感情に訴える力とか、賛成する人の数はそれほど重要ではありません。「なぜそう言えるのか」という理由が最も重要なのです。

倫理思想史を知る意義

いま、主張した人の権威は最重要ではないと書きましたが、他方で、過去の思想家の研究も、倫理学の重要な一部です。それは一つには、私たちの価値観が、そうした人たちの考えをもとにできているからです。私たちの価値観は、具体的にはどのような要素からできているのか。何がどう混ざるとこんなふうになるのか。そうした、いわば材料と作り方を知るには、思想史を研究する必要があります。過去の思想を知ることは、自分の価値観を知ることに繋がっているのです。

もう一つの理由は、倫理学の扱う問題はすごく難しいということです。「愛情と友情は何が違うのか」「愛と道徳のどちらを優先すべきか」「神がいないならすべては空しいのか」。身近な問いから遠大な問いまで、生の価値をめぐる問いはどれも難問です。そして古典は、こうした難問への答えの宝庫です。参考にしない手はないでしょう。

3　倫理学の分野（1）道徳

ここからは倫理学のさまざまな分野の紹介です。まずは**道徳**を論じる分野ですが、この分野はさらに三つに分かれます。一つは**規範倫理学**です。「何が道徳的に善いことなのか」を論じます。具体的には、「人助けのためなら嘘をついてよいか」「誠実なら善人と言えるか（仲間に誠実な詐欺師もいるのでは）」「自死は道徳的に許されるか」などの問いです。これらに「どんな場合でもすべきでないことがある、なぜなら……」とか、「善人であるには……が必要である、なぜなら……」のように、理由を挙げて答えていくわけです。アリストテレスやカント、フィリッパ・フットといった、過去の思想家の研究も、理論の改善や新理論の提唱に繋がるので、とても重要です。

メタ倫理学という分野もあります。簡単に言うと、「……は善い」という道徳判断がもつ性質を論じる分野です。例えば、上記の規範倫理学の紹介を読んで、こうした問いに正解がありうるのか、疑問に思った方がいるでしょう。どんなに理由を挙げて議論しても、結局は各自が自分なりに判断するだけであって、誰もが共有すべき道徳判断など存在しないのではないか、と。また、共有すべき道徳判断があったとして、だからどうした、と問うこともできます。ある道徳判断を共有すべきだと頭では理解しても、そのとおりに行為しようとは思わないかもしれないからです。こうなると、何が善いことかを議論しても無意味ということにもなりかねません。これらの、「道徳判断に正解はあるか」とか、「道徳判断に同意することと、行為しようと思うことは、どう関係しているのか」といった問いを考えるのが、メタ倫理学です。

メタ倫理学が扱う問題の特徴は、それが解決しても、何が善いことかは分からないことです。いわば、何が善いことかを判断するという営みから一歩下がって考察しているわけです。そのため、「後ろに／から」を意味する古代ギリシア語「メタ」がついています。ただし、一歩下がっているからといって、重要さが劣るわけではありません。「何が善いことか」に正解がありうるか否かは、それ自体、とても重要な問題です。

三つめは**実践倫理学**です（「**応用倫理学**」とも呼ばれます）。医療や環境問題など、実践的な場面で生じる問題を扱います。先ほどの菜食主義の話は、実践倫理学のうち、動物倫理という分野で論じられる問題です。

これらの枠に収まらない話もたくさんあります。心理学や進化論を取り入れた、**道徳心理学**や**進化倫理学**という分野もあります。しかし、そろそろ次の話題に移りましょう。

4　倫理学の分野（2）幸福、生きることの意味など

幸福と道徳

次に紹介するのは、**幸福**を論じる分野です。まずは、道徳的善と幸福との関係が問題になります。この二つが異なることに反対する人はあまりいませんが、いちおう確認しておきましょう。もし、善いことと幸せであることが同じなら、「善人だが幸せではない」ことはありえなくなります。しかし、善人なのに不幸だという状況は容易に想像できます。ということは、善いことと幸せであることは別のことです。

さて、「善い人だけど幸せではない」ことはありうるとして、「幸せだけど善い人ではない」ことはありうるでしょうか。常識的にはありえそうです。悪事を働き、欲望をすべて実現させて、人生に満足して死ぬことは、一見すると可能です。しかし、例えば次のように考えてみるとどうでしょうか。

（1）良心の呵責を感じていると、幸福になれない。
（2）過去に悪事を働くと、どんなに僅かであれ、必ず良心の呵責を感じている。
（3）それゆえ、過去に悪事を働くと、幸福になれない。

こう考えると、善い人でないと幸福になれないことになります。他にも、次のように考えてみるとどうでしょうか。

（1）幸福になるとは、望みを叶えるということである。
（2）望みを叶える最も効率的な方法は、周りに協力してもらうことである。
（3）周りに協力してもらう最も効率的な方法は、善い人になることである。
（4）それゆえ、幸福になる最も効率的な方法は、善い人になることである。

いかがでしょうか。「それはおかしい」という疑念がさまざまに浮かんでいるかもしれません。そうした疑念のうち、一番大きそうなものを次に見てみましょう。

幸福とは何か

それは、「幸福」という言葉の意味が曖昧だというものです。この言葉の意味次第で、いまの議論は正しいものにも間違いにもなりうるのではないか、というわけです。そしてもちろん、倫理学には、幸福とは何かという議論もたくさんあります。

「何に幸福を感じるかは人それぞれなので、議論は無駄だ」と思われるかもしれません。しかしこの反論には一つの欠点があります。それは、「幸福とは感じることに尽きている」と前提しているところです。しかし、幸福は感じることに尽きるでしょうか。例えばこう言われたと想像してください。「魔法であなたを一生のあいだ乳児にします。ただし、清潔なオムツや食事、おもちゃなどで、つねに満足感を抱かせてあげます。」さて、「これで幸せになれる！」と思えるでしょうか。思えないなら、幸福は感じること（満足感）には尽きない、と考えているわけです。（なお、「幸福」という語は「幸せな感じ」という意味に取られやすく、それを避けるため「**福利**」という語が用いられることがあります。）

このように、「何に幸福を感じるか」ではなく、「そもそも幸福は感じることに尽きるか」というレヴェルで問いを立てれば、「人それぞれ」にとどまらない議論ができます。そしてここでも、理由を挙げて議論することが重要です。先ほどの、乳児に戻されてしまう例に、「私は嬉しいです」と答えて、それで終わりでは、やはり個人の意見の表明に過ぎないからです。また、ここでももちろん、プラトンやアウグスティヌス、ボヘミア王女エリザベトといった、過去の思想家の研究は、考えるための糧として大いに役立ちます。

生きることの意味と無意味さ

生きることの意味をめぐる議論も少しだけ紹介します。まず、先ほどと同じく、意味があることと幸福であることが同じかどうかが問題になります。例えば次の発言を見てください。「すべての願いが叶って、私の人生は申し分なく幸福である。だがいつかは死ぬ。まさにそれゆえ、すべては無意味だ。」いかがでしょうか。この発言が理解可能なら、幸福でも意味がないことはありうる、つまり、意味があることは幸福とは別の価値だということになるでしょう。

ところで、よく考えてみると、この発言にはよく分からないところがあります。「いつかは死ぬ、まさにそれゆえ、すべては無意味だ」とすると、「死なないなら意味がある」ことになります。しかし、不死になったら、永遠に無意味な生が続くだけ、という可能性はないでしょうか。

もちろん、この反論だけでは、生きることに意味がないともあるとも言えません。ただし、生きる意味と死との関係はそんなに単純ではなさそうだ、ということは分かります。では、最初は何となく分かっているつもりだった、死と無意味との関係は、実際にはどのようなものなのでしょうか。そして、パスカルやカミュ、ボーヴォワールといった過去の思想家は、この点について何と言っているでしょうか。もっと議論を続けたいところではありますが、そろそろまとめに入りましょう。

おわりに――倫理学の楽しみと、倫理学の意義

いま見たように、分かっていたはずのことが分からなくなっていく不思議な感覚は、倫理学の楽しみの一つです。しかしそれだけではありません。倫理学の特徴とあわせて、倫理学の楽しみを、あと二つ紹介しておきます。

まず、倫理学の分野は相互に関係しあっています。道徳と幸福、生きることの意味、愛や性や死など、どれを論じていても、他のどれかに繋がっていきます。それは、道徳や幸福、愛や死など、論じられていることそのものが、私たちの生のなかで複雑に絡みあっているからです。倫理学の楽しみの一つは、この複雑な絡みあいを探索し、自分なりのルートを見つけることにあります。

また、倫理学では、みなが同意できる答えに辿り着く必要は必ずしもありません。人それぞれでよいというわけではありません。しかし、合意に到達できないとしても、ここで紹介したやり方で、生の価値に関わることを考えていくと、それらについて、いまよりも詳しく、かつ明瞭な理解を手に入れることができます。そのように、生をめぐる価値についての理解の解像度を高めていくこと、これもまた、倫理学の楽しみの一つです。私たちの判断や行動で、価値と無関係なものはありません。また、そうした価値のうち、それが成立した歴史（つまりは、倫理思想史）や、人びとがそれに動かされている様子、さらには、文字や芸術がそれをどう表現してきたかを踏まえずに、きちんと理解できるものはありません。人間の社会が正気を保とうとするかぎり、倫理学的な営みと、人文社会科学の営みが、その重要性を失うことはないのです。——ところで、正気であるとは一体どういうことでしょうか？　これも、倫理学や人文社会科学の問いの一つです。

〈読書案内〉

1　岩田靖夫『ヨーロッパ思想入門』（岩波ジュニア新書）
2　永井均『倫理とは何か』（ちくま学芸文庫）
3　レベッカ・バクストン、リサ・ホワイティング『哲学の女王たち：もうひとつの思想史入門』（晶文社）

4　ジュリア・アナス『徳は知なり：幸福に生きるための倫理学』（春秋社）
5　ジェイムズ・レイチェルズ『現実をみつめる道徳哲学：安楽死からフェミニズムまで』（晃洋書房）
6　森村修『幸福とは何か』（ちくまプリマー新書）
7　シェリー・ケーガン『「死」とは何か』（文響社）
8　マーサ・ヌスバウム『経済成長がすべてか：デモクラシーが人文学を必要とする理由』（岩波書店）

1は西洋倫理思想のコアの手軽な解説です。2は、文体は挑発的ですが内容は標準的で、倫理学史も学べます。最近の重要な倫理学者には女性が多く、過去の女性思想家の再発見も盛んです。女性思想家に焦点を当てた思想史として3があり、存命の女性倫理学者の本としては（やや専門的ですが）4がお薦めです。5は道徳哲学の入門書で、分かりやすく、簡潔な論証も満載です（新版もありますが、旧版のほうが読みやすいです）。6は現代の幸福論を、7は死と価値の関係を手広く紹介しています。8も現役の女性倫理学者の本で、倫理学にかぎらず、人文社会科学を学ぶ意義を考えたいときにお薦めです。

【付記】
二〇二一年度前期・金曜二時限の演習の参加者から原稿にコメントをもらい、改善することができた。記して感謝したい。

人文社会科学の未来へ

東北大学文学部の実践

Exploring the Future of Humanities and Social Sciences
Research and Teaching at the Faculty of Arts and Letters, Tohoku University

2022 年 3 月 31 日　初版第 1 刷発行

編　者／東北大学文学部

発行者／関内　隆

発行所／東北大学出版会
〒 980-8577　仙台市青葉区片平 2-1-1
Tel. 022-214-2777　Fax. 022-214-2778
https://www.tups.jp　E.mail info@tups.jp

印　刷／カガワ印刷株式会社
〒 980-0821　仙台市青葉区春日町 1-11
Tel. 022-262-5551

ISBN978-4-86163-372-0　C0000
定価はカバーに表示してあります。
乱丁、落丁はおとりかえします。